O HOMEM
ETERNO
CB019297

G. K. Chesterton

O HOMEM ETERNO

Tradução: Francisco Nunes

Principis

Esta é uma publicação Principis, selo exclusivo da Ciranda Cultural

Traduzido do original em inglês
The everlasting man

Texto
C. K. Chesterton

Tradução
Francisco Nunes

Preparação
Mariana Góis

Revisão
Renata Melo e Mariane Genaro

Produção editorial e projeto gráfico
Ciranda Cultural

Imagens
Vectorcarrot/Shutterstock.com;
Naddya/Shutterstock.com;
Solomnikov/Shutterstock.com

Dados Internacionais de Catalogação na Publicação (CIP) de acordo com ISBD

C525h Chesterton, G. K.

O homem eterno / G. K. Chesterton ; traduzido por Francisco Nunes. - Jandira, SP : Principis, 2020.
336 p. ; 15,5cm x 22,6cm. – (Clássicos da literatura cristã)

Tradução de: The everlasting man
Inclui índice.
ISBN: 978-65-5552-168-9

1. Literatura cristã. I. Nunes, Francisco. II. Título. III. Série.

2020-2407 CDD 240
CDU 24

Elaborado por Odilio Hilario Moreira Junior - CRB-8/9949

Índice para catálogo sistemático:
1. Literatura cristã 240
2. Literatura cristã 24

1ª edição em 2020
www.cirandacultural.com.br

SUMÁRIO

NOTA INTRODUTÓRIA

Este livro precisa de uma nota preliminar para que seu conteúdo não seja mal interpretado. O ponto de vista sugerido é mais histórico que teológico, e não aborda diretamente uma mudança religiosa (a passagem mais importante da minha vida) sobre a qual estou escrevendo uma obra ainda mais controversa. Creio ser impossível para algum católico escrever um livro sobre qualquer assunto, sobretudo esse, de forma laica; mas este estudo não tem a intenção de mostrar as diferenças entre católicos e protestantes. Boa parte se dedica a analisar diversos tipos de pagão mais que a qualquer cristão, e alertar sobre a falácia de que Cristo e o cristianismo se equiparam a mitos e religiões semelhantes, desmentida por fatos bem óbvios.

Assim, não precisei ir muito além de assuntos já conhecidos pelo grande público. Não pretendo ser um grande pensador; para algumas coisas costumo depender dos mais instruídos – é de praxe. Como discordei mais de uma vez do sr. H. G. Wells[1] em sua visão da história,

1 Herbert George Wells (1866-1946), escritor inglês, de inclinações socialistas, considerado o pai da literatura de ficção científica, misturava imaginação fantástica com especulações a respeito dos aspectos sociais. Escreveu *A máquina do tempo*, *A guerra dos mundos* e mais de uma centena de obras. (N.T.)

é mais correto que eu o felicite aqui pela coragem e pela imaginação criativa que produziram sua vasta obra, tão diversa e fascinante, sobretudo por ter legitimado o direito do amador a fazer o que pudesse com os fatos publicados por especialistas.

INTRODUÇÃO

O INTENTO DESTE LIVRO

Existem duas maneiras de chegar em casa – uma delas é não sair nunca. A outra é andar pelo mundo até voltar ao mesmo lugar. Tentei traçar essa jornada em uma história que escrevi certa vez. Mas é um alívio passar desse tópico para outra história que nunca escrevi. E justamente por esse motivo, este é de longe o melhor livro que já escrevi. É muito provável que nunca o escreva; então, o usarei simbolicamente, já que representava a mesma verdade. Eu o idealizei como um romance no qual as cenas se passam em vales imensos entre montes íngremes, ao longo dos quais os antigos Cavalos Brancos de Wessex[2] estão rabiscados na silhueta das colinas. Era sobre um garoto cuja fazenda ou chalé ficava em um declive como esse e que viajou para encontrar algo, como a imagem e a sepultura de um gigante. Quando estava bem longe de casa,

---

2 São nove cavalos "entalhados" em colinas calcárias na região de Wessex, na Inglaterra. O mais conhecido, o Cavalo Branco de Bratton, tem 55 metros de altura e 52 metros de comprimento. A origem dos desenhos é imprecisa, talvez relembrando vitórias dos ingleses contra os saxões no século IX. (N.T.)

ele olhava para trás e via que sua fazenda e sua horta, brilhando na encosta como se fossem as cores e os quartos de um escudo, eram apenas fragmentos de uma paisagem muito maior, da qual ele sempre fez parte, mas próxima demais para ser vista. Para mim, essa é uma ilustração verdadeira do progresso de qualquer inteligência independente de verdade hoje – é o ponto que defendo neste livro.

O que defendo neste livro, em outras palavras, é que a melhor coisa, além de estar de fato dentro da cristandade, é também estar fora dela. E um aspecto particular disso é que os críticos populares do cristianismo não mantêm esse distanciamento. Eles estão em um limbo controverso, em todos os sentidos do termo – questionando as próprias dúvidas. Suas críticas ganharam um tom curioso, como se fosse um protesto aleatório e sem embasamento. Assim, eles tratam o jargão atual e anticlerical como se fossem conversa fiada. Reclamam do pároco se vestindo como tal, como se fôssemos mais livres se todos os policiais que nos vigiam ou nos ameaçam estivessem sempre à paisana. Ou reclamam que um sermão não pode ser interrompido e chamam o púlpito de castelo do covarde, embora não digam o mesmo do escritório de um editor, por exemplo. Seria injusto para jornalistas e sacerdotes, mas soaria muito mais verdadeiro da parte do jornalista. O clérigo aparece em pessoa e pode ser facilmente substituído quando sai da igreja; o jornalista esconde até o próprio nome para que ninguém possa prejudicá-lo. Jornalistas escrevem matérias e cartas furiosas, sem nexo, sobre o porquê das igrejas estarem vazias sem sequer averiguar se todas estão mesmo vazias ou só algumas delas. Suas sugestões são mais enfadonhas e inconsistentes que o cura mais chato de uma farsa de três atos, e nos levam a consolá-lo à maneira do cura nas *Bab Ballads*: "Sua mente não é tão vazia quanto a de Hopley Porter"[3].

3 As *Baladas de Bab* são uma coleção de versos ingênuos do poeta inglês William Schwenck Gilbert (1836-1911). A citação é do poema "The Rival Curates" [Os curas rivais]. W. S. Gilbert, *Bab Ballads* (Londres: MacMillan and Co. Limited, 1920), p. 9, versão epub. (N.T.)

Portanto, podemos dizer com toda a sinceridade ao mais débil clérigo: "Sua mente não é tão vazia quanto a mente do Leigo Indignado, do Homem Comum ou do Homem na Rua[4], ou de qualquer um de seus críticos nos jornais, pois eles não têm a mais vaga noção do que eles mesmos querem. E muito menos do que você deve dar a eles". De repente eles mudam de ideia e criticam a Igreja por ter permitido a Guerra, a qual eles próprios não quiseram impedir; e que ninguém jamais mostrou ser capaz de fazer o mesmo, exceto alguns da própria escola de céticos progressistas e cosmopolitas que são os principais inimigos da Igreja. Foi o mundo anticlerical e agnóstico que sempre profetizou o advento da paz universal; aquele mundo que foi, ou deveria ter sido, envergonhado e confundido pelo advento da guerra universal. Quanto à visão geral de que a Igreja foi desmoralizada pela Guerra, eles também poderiam dizer que a Arca foi desmoralizada pelo Dilúvio. Quando o mundo dá errado, é a prova de que a Igreja está certa. A Igreja é justificada porque seus filhos pecam, e não o contrário.

Essa atitude representa a posição dos críticos quanto à tradição religiosa contra a qual reagem. Enquanto o menino mora na terra do pai está tudo bem, e assim continua quando ele se afasta o suficiente a fim de olhar para trás e vê-la como um todo. Mas essas pessoas passaram para outro nível: caíram em um vale intermediário, do qual não conseguem ver nada além ou atrás delas – estão presas na penumbra da controvérsia cristã e perderam a luz da fé. Não podem ser cristãs e não conseguem deixar de ser anticristãs. Vivem na atmosfera de reação: melindre, perversidade, críticas mesquinhas.

Em primeiro lugar, a melhor relação com nosso lar espiritual é estar perto o suficiente para amá-lo. E em segundo, estar longe o suficiente para não odiá-lo. Nestas páginas, digo que embora o melhor juiz do cristianismo seja um cristão, o próximo melhor juiz seria alguém mais

4 Foram mantidas aqui, e ao longo do livro, as iniciais maiúsculas usadas pelo autor. (N.T.)

parecido com um confucionista. O pior juiz é o homem que agora tem mais munição para fazer seus ataques: o cristão educado com poucos recursos se transformando de modo gradual no agnóstico mal-humorado, que acaba enrascado em uma discussão da qual ele nunca entendeu o começo, degenerado por uma apatia hereditária da qual ele não faz a menor ideia, e já cansado de ouvir as mesmas coisas (e nunca entendê-las). Ele não julga o cristianismo com a calma de um confucionista nem da mesma forma como julgaria o próprio confucionismo. Ele não pode, por telepatia, colocar a Igreja Católica a milhares de quilômetros de distância pelos céus da manhã e julgá-la tão imparcialmente quanto um templo chinês.

Dizem que o grande São Francisco Xavier[5], em sua tentativa de estabelecer a Igreja ali como uma torre sobre todos os templos, falhou em parte porque seus seguidores foram acusados pelos companheiros missionários de apresentar os Doze Apóstolos com roupas ou características chinesas. Mas seria muito melhor vê-los assim e julgá-los imparcialmente, do que vê-los como ídolos medíocres, criados apenas para serem agredidos por iconoclastas; ou pior, como santos do pau oco atacados pelos pobres santos do centro de Londres[6]. Seria melhor analisar tudo como uma seita asiática longínqua; a mitra dos bispos como os imponentes ornamentos de misteriosos sacerdotes; suas assembleias pastorais como varas retorcidas, tal qual serpentes carregadas em algum cortejo oriental; ver o livro de orações como algo tão fantástico quanto a roda de orações, e a Cruz tão tortuosa quanto a Suástica.

Por fim, não devemos chegar a esse ponto, já que alguns dos críticos céticos parecem perder a paciência – e também a inteligência. Seu anticlericalismo tornou-se uma atmosfera, uma aura de negação e hostilidade da qual eles não conseguem escapar. Fazendo uma analogia,

---

5 Francisco de Jasso Azpilicueta Atondo y Aznáres (1506-1552), missionário católico, cofundador da Ordem dos Jesuítas. (N.T.)

6 O autor faz um jogo de palavras, intraduzível para o português, com *cockshies* e *cockneys*. (N.T.)

seria melhor ver tudo pelo ponto de vista cultural, pertencente a outro continente ou planeta. Seria mais espiritual tratar os sacerdotes com indiferença do que ficar resmungando impropérios contra os bispos sem parar. Seria melhor passar reto por uma igreja, como se fosse um templo, do que ficar parado no átrio, incapaz de entrar e ajudar ou sair e deixar de vez. Para quem uma mera reação se tornou uma obsessão, recomendo seriamente o esforço imaginativo de conceber os Doze Apóstolos como chineses. Em outras palavras, aconselho a esses críticos tentarem fazer tanta justiça aos santos cristãos como fariam se fossem sábios pagãos.

Mas com isso chegamos ao argumento final e mais importante, que tentarei mostrar nestas páginas: quando fizermos esse esforço imaginativo para ter uma visão ampla, de fora, descobriremos algo muito próximo da visão tradicional de quem está do lado de dentro. No exato momento em que o garoto fica longe o suficiente para ver o gigante, ele não tem mais dúvidas. Por fim, ao ver a Igreja Cristã de longe, sob os céus claros e nivelados do leste, temos certeza de que é a Igreja de Cristo. Em síntese, quando somos de fato imparciais, sabemos por que as pessoas não o são. Mas essa última proposição requer uma discussão mais séria; e aqui me apresento para discuti-la.

Assim que me veio à mente essa concepção sólida no caráter solitário e único da história divina, ocorreu-me que havia exatamente o mesmo caráter singular e, no entanto, sólido na história humana que a levara a esse ponto – porque também tinha uma raiz divina. Quero dizer que, assim como a Igreja parece se tornar mais notável quando comparada gentilmente à vida religiosa comum da humanidade, esta também parece se tornar mais notável quando a comparamos à vida comum do mundo físico. E percebi que a maior parte da história moderna é conduzida como se fosse um sofisma, primeiro para mitigar a transformação de animais em homens e, em seguida, nivelar o caminho da conversão de pagãos em cristãos. Porém, quanto mais lemos com um espírito que seja, de fato, realista sobre essas duas transições, mais percebemos quão radicais elas são. E justamente pela falta de imparcialidade dos críticos eles não a veem; como não enxergam as coisas sob uma luz pura, não conseguem ver a diferença entre preto e branco. Como estão em um *modus operandi* de reação e revolta, agora têm um motivo para entender que todo branco é cinza sujo e o preto não é tão escuro quanto parece.

Não nego que haja desculpas humanamente plausíveis para essa revolta nem que isso ajude em algo; quero dizer que isso não é, de forma alguma, imutável. Um iconoclasta pode estar indignado por razões legítimas, mas não é imparcial. E é pura hipocrisia fingir que noventa e nove por cento dos críticos mais titulados, dos evolucionistas científicos e dos professores de teologia comparada são os menos imparciais. Por que eles deveriam ser imparciais? Aliás, o que é ser imparcial quando o mundo inteiro está em guerra sobre a existência de uma superstição voraz ou uma esperança divina? Não pretendo ser imparcial no sentido de que o último ato da fé cura a mente de um homem porque a satisfaz. Mas eu me declaro muito mais imparcial, no sentido de poder contar a história de maneira fiel, com alguma justiça eficiente para todos, coisa que eles não podem. Imparcial no sentido de que eu deveria ter muita vergonha de falar tantos absurdos sobre o Dalai-lama do Tibete como eles o fazem com respeito ao papa de Roma, ou ter tão pouca simpatia por Juliano, o Apóstata[7], quanto pela Sociedade de Jesus[8]. Eles não são imparciais – nunca, sem qualquer possibilidade, sequer mantêm as escalas históricas; e, acima de tudo, jamais o seriam nessa questão da evolução e transição. Eles falam em todos os lugares sobre os tons escuros do crepúsculo, porque acreditam ser o crepúsculo dos deuses.

---

7 Flávio Cláudio Juliano (331-363 d.C.), imperador romano que declarou ser pagão ao assumir o reino. Embora pregasse tolerância religiosa, foi perseguidor dos cristãos. (N.T.)

8 Ou Companhia de Jesus, ordem missionária católica fundada por Inácio de Loyola (1491-1556) como parte da Contrarreforma. (N.T.)

Para mim, seja dos deuses ou não, não é a luz do dia que incide sobre os homens.

Eu sustento que, quando trazidas à luz do dia, essas duas coisas parecem completamente intrínsecas e singulares, e talvez em um falso crepúsculo de um período fictício de transição sejam confundidas com alguma outra coisa. A primeira delas é a criatura chamada homem; a segunda é o homem chamado Cristo. Portanto, dividi este livro em duas partes: a primeira é um esboço da principal aventura da raça humana, enquanto permaneceu pagã; e a segunda, um resumo da diferença real que se fez por ela tornar-se cristã. Ambos os motivos requerem certo método, o que não é muito fácil de administrar e talvez até mais difícil de definir ou defender.

Para atingir, no único sentido lúcido ou possível, o nível de imparcialidade, é necessário tocar o ponto nevrálgico da novidade. Quero dizer, por um lado, que somos justos quando vemos algo pela primeira vez. Por isso, diga-se de passagem, as crianças geralmente têm pouca dificuldade em compreender os dogmas da Igreja, mas esta, sendo tão pragmática ao honrar suas obras e lutar o bom combate, é feita necessariamente para homens e não apenas para crianças. No que diz respeito ao trabalho, devem estar presentes muita tradição, familiaridade e hábitos. Enquanto seus fundamentos forem experimentados de verdade, essa será a escolha mais sensata. Mas quando seus fundamentos são questionados, como ocorre hoje, devemos tentar recuperar a sinceridade e a admiração das crianças, o realismo intocado e a objetividade da inocência. Ou, se não pudermos fazer isso, devemos, pelo menos, tentar afastar a nuvem do mero costume e ver a coisa como nova, como algo diferente. Coisas que podem muito bem ser familiares, desde que causem afeto, se tornam muito mais distantes quando essa familiaridade causa desprezo. Pois, em conexão com forças tão maiores, como as aqui consideradas, qualquer que seja nossa visão sobre elas, o desprezo deve ser um erro – ou melhor, uma ilusão. Devemos invocar a nossa face mais ilimitada e sublime: a imaginação que pode ver além.

A única maneira de fundamentar o argumento é mediante algum exemplo, de qualquer coisa mesmo, que tenha sido considerado bonito ou maravilhoso. George Wyndham[9] me disse outrora que viu um dos primeiros aviões em seu voo inaugural e achou maravilhoso, mas não tanto quanto um cavalo domesticado por seu cavaleiro. Alguém já disse que um homem admirável sobre um cavalo admirável é o objeto corporal mais nobre do mundo. Ora, desde que as pessoas percebam isso da maneira certa, tudo bem. A melhor opinião sobre o assunto vem essencialmente de pessoas que têm um bom convívio com os animais e tratam bem os cavalos. Um garoto que se lembra do pai andando a cavalo, com o qual se entendia, saberia que a relação pode ser saudável e não se oporia. Ele ficaria ainda mais indignado com os maus-tratos, porque sabe como os animais devem ser tratados, mas não consideraria exploração o ato de andar a cavalo. Ele não escuta o grande filósofo moderno segundo o qual o cavalo deveria estar montado no homem nem acredita na fantasia pessimista de Swift[10] – os homens devem ser desprezados como macacos, e cavalos, adorados como deuses. E, por cavalo e homem juntos criarem uma imagem humana e civilizada (com base em sua experiência prévia), ser-lhe-á fácil, por assim dizer, unir cavalo e homem em um mito heroico ou simbólico; como uma visão de São Jorge nas nuvens. A fábula do cavalo alado[11] não seria de todo estranha, e ele saberia por que Ariosto[12] colocou um herói cristão em uma sela como essa e fez dele o cavaleiro do céu. Pois o cavalo foi realmente exaltado junto com o homem, representando da melhor forma a palavra "cavalheirismo". O próprio nome do cavalo foi elevado à posição

9 George Wyndham (1863-1913), escritor e político conservador britânico. (N.T.)

10 Jonathan Swift (1667-1745), escritor satírico, poeta e crítico literário irlandês. Sua mais conhecida obra é *As viagens de Gulliver*. (N.T.)

11 Pégaso, personagem da mitologia grega. Em uma das versões de sua origem, é dito que nasceu do pescoço de Medusa quando esta foi decapitada por Perseu. (N.T.)

12 Ludovico Ariosto (1474-1533), poeta italiano. Sua obra mais conhecida é o poema *Orlando furioso*, ao qual provavelmente Chesterton se refira aqui. (N.T.)

mais alta e ao impulso mais sublime do homem, então talvez possamos dizer que o melhor elogio a um homem é chamá-lo de cavalo.

Mas se um homem que não for capaz de sentir esse tipo de admiração, sua cura deve começar de outra forma. Suponhamos que ele esteja de mau humor, de modo que montar em um cavalo signifique o mesmo que estar sentado em uma cadeira. A maravilha contada por Wyndham, a beleza que fez a cena parecer uma estátua equestre e a acepção mais quixotesca dada ao cavaleiro podem ter se tornado para ele apenas uma convenção sem graça. Talvez tenham sido apenas um costume ou saíram de moda; talvez tenham falado demais ou da maneira errada; talvez fosse difícil cuidar de cavalos sem correr o grande risco de ser grosseiro[13]. De qualquer forma, ele chegou a ponto de se importar tanto com um cavalo quanto com um cavalete. O ataque de seu avô em Balaclava[14] lhe parece tão monótono e poeirento quanto o álbum de retratos da família. Esse homem não entendeu o real valor do álbum; pelo contrário, o enxergou apenas como um monte de pó. Ao atingir esse grau de cegueira, ele sempre verá um cavalo ou um cavaleiro como algo totalmente desconhecido e quase sobrenatural.

Saindo de uma floresta sombria, sob um alvorecer ancestral, um vulto caminha em nossa direção, como árvores caindo, mas sincronizadas – uma das mais bizarras criaturas pré-históricas. Devemos observar primeiro a cabeça, proporcionalmente muito pequena sobre o pescoço (mais longo e mais grosso) como se fosse uma carranca sobre um cano de calha, e os poucos cabelos ao longo daquele pescoço colossal, que pareciam uma barba no lugar errado; cada um dos pés era como um taco muito duro feito de chifre, isolados entre as patas de tantos rebanhos; e assim sentir o verdadeiro medo ao ver os cascos inteiros, e não os fendidos. Tampouco é mera fantasia verbal vê-lo assim como um monstro;

13 *Horsy*, em inglês, fazendo um jogo de palavras com *horse*, "cavalo". (N.T.)

14 Vila na península da Crimeia (Ucrânia), habitada desde a Idade Média. Foi palco da Guerra da Crimeia (1853-1856), que envolveu, de um lado, o Império Russo e, de outro, a coligação de Reino Unido, França, o Reino da Sardenha e o Império Otomano. (N.T.)

pois, de certo modo, significa algo único, e ele realmente é. Mas quando o vemos com o olhar do primeiro homem, começamos mais uma vez a imaginar o seu significado conforme ele o descreveu. No sonho ele pode parecer feio, mas não inexpressivo; e certamente aquele anão de duas pernas que poderia ficar em cima dele também não. Por um caminho mais longo e tortuoso, voltaremos à mesma maravilha do homem e do cavalo; e o deslumbramento será, se possível, ainda maior. Teremos novamente um vislumbre de São Jorge, que será mais glorioso porque São Jorge não está montado no cavalo, mas no dragão.

Nesse exemplo, que eu usei apenas por ser fictício, não digo que o pesadelo[15] do primeiro homem da floresta é mais verdadeiro ou impressionante que uma égua criada em um estábulo vista pela pessoa civilizada que pode admirar algo comum. A partir dos dois extremos, penso que, em geral, a compreensão tradicional da verdade é melhor. Mas digo que a verdade é encontrada em algum desses dois extremos e se perde na condição intermediária de mera fadiga e esquecimento da tradição. Em outras palavras: é melhor ver um cavalo como um monstro do que apenas como um substituto lento de um automóvel. Antes ter medo de um cavalo por ser algo novo do que desmerecê-lo.

Bem, o mesmo ocorre com o monstro chamado homem e o monstro chamado cavalo. Claro que o melhor a se fazer, em minha opinião, é considerar o homem como sempre foi tratado em minha filosofia. Aquele que mantém a visão cristã e católica da natureza humana terá certeza de que essa visão é universal e, portanto, sã, e ficará satisfeito. Mas se ele a perder, só pode recuperá-la com uma visão quase distorcida, isto é: por ver o homem como um animal estranho a ele e perceber o quão estranho ele é. Mas, da mesma forma que tratar o cavalo como um prodígio pré-histórico acabou levando a uma admiração pelo domínio do homem, e não a uma repulsa, a opinião livre de julgamentos sobre a

15 Mais um jogo de palavras de Chesterton: no original, ele usa *nightmare*, "pesadelo", que, se lido *night mare*, é "égua da noite". Por isso, na frase seguinte, ele usa *mare*, "égua", não mais *horse*, "cavalo". (N.T.)

curiosa trajetória humana nos faz voltar à fé antiga nos sombrios desígnios de Deus, e não fugir dela.

Em outras palavras, exatamente quando vemos o quão estranho é o quadrúpede louvamos o homem que o monta, e exatamente quando vemos o quão estranho é o bípede louvamos a Providência que o criou. Em suma, o objetivo desta introdução é manter a seguinte tese: no momento em que consideramos o homem um animal descobrimos que ele não o é. É precisamente quando tentamos imaginá-lo como um cavalo comum nas patas traseiras que, de repente, parece ter algo tão miraculoso quanto o cavalo alado que alcançava as nuvens. Todos os caminhos levam a Roma, todos os caminhos levam novamente à filosofia central e civilizada, incluindo esse caminho que cruza a elfolândia[16] e a terra-de-pernas-pro-ar. Mas talvez seja melhor nunca deixar a terra da tradição lógica, na qual os homens montam com leveza sobre cavalos e são caçadores poderosos diante do Senhor[17]. Do mesmo modo, no caso especificamente cristão, devemos reagir contra o forte viés do cansaço. É quase impossível tornar os fatos vívidos, por serem eles familiares, e, para os homens caídos, muitas vezes é verdade que a familiaridade cansa. Estou convencido de que, se pudéssemos contar a história sobrenatural de Cristo, palavra por palavra, como se fosse um herói chinês, chamando-o de Filho do Céu, em vez de Filho de Deus, e desenhar sua auréola radiante nos detalhes dourados dos bordados chineses ou na laca dourada das cerâmicas, em vez de tê-lo no folheado de ouro de nossas antigas pinturas católicas, haveria um testemunho unânime da pureza espiritual da história.

Portanto, não devemos dar ouvidos à injustiça da substituição ou à falta de lógica da expiação, do exagero supersticioso sobre o ônus do pecado ou da insolência absurda de uma violação das leis da natureza. Devemos admirar o cavalheirismo da concepção chinesa de um deus que desceu do céu para combater os dragões e salvar os iníquos de

16 Ver "A ética da elfolândia", em Chesterton, *Ortodoxia* (Jandira-SP: Principis, 2019). (N.T.)

17 Referência a Gênesis 10:9. (N.T.)

serem devorados pela própria culpa e loucura. Devemos admirar a sutileza do modo chinês de ver a vida, no qual toda imperfeição humana é, na verdade, uma imperfeição que clama. Deveríamos admirar a sabedoria superior mística chinesa, para a qual existem leis cósmicas mais elevadas do que as leis que conhecemos; acreditamos em todo mágico indiano comum que escolhe vir até nós e falar no mesmo estilo. Se o cristianismo fosse apenas uma nova moda asiática, jamais seria criticado por ser uma fé antiga e oriental.

Não proponho neste livro seguir o alegado exemplo de São Francisco Xavier, com a intenção de criar o oposto, e transformar os Doze Apóstolos em mandarins; não a ponto de fazê-los parecer como nativos, muito menos estrangeiros. Não proponho fazer o que acredito ser uma piada bem direta que sempre dá certo: contar toda a história do Evangelho e da igreja em um cenário de templos e tranças, observando, com humor maligno, o quanto seria admirada como história pagã, nos mesmos lugares em que é condenada como história cristã. Mas proponho-me a encontrar, sempre que possível, essa nota do que é novo e estranho, e, por esse motivo, o estilo, mesmo em um assunto tão sério, às vezes pode ser intencionalmente grotesco e fantasioso. Desejo ajudar o leitor a enxergar a cristandade com um distanciamento que permite vê-la como um todo no contexto de outros fatos históricos e ver a humanidade como um todo no contexto da natureza. E digo que, em ambos os casos, nesse ângulo elas se destacam de seu pano de fundo como se fossem sobrenaturais. Elas não desaparecem em meio às cores do impressionismo – mas sobrepõem-se ao resto com as cores da heráldica, tão vívidas como uma cruz vermelha em um escudo branco ou um leão negro em um fundo de ouro. Assim fica o Barro Vermelho em contraste com o verde campo da natureza, ou o Cristo Branco contra o barro vermelho de sua raça.

Mas para vê-las claramente, precisamos enxergá-las em sua totalidade. Devemos observar como se desenvolveram e como começaram, pois a parte mais incrível da história é que os inícios já previam seu desenvolvimento. Qualquer um que se entregue à mera imaginação consegue conceber que outras coisas podem ter acontecido ou outras entidades terem evoluído. Qualquer pessoa que pense nas possibilidades é capaz de idealizar certa igualdade evolutiva, mas quem encara o que aconteceu deve analisar uma exceção e um prodígio. Se em algum momento o homem foi apenas um animal, podemos fazer, se quisermos, uma imagem fantasiosa dessa fase para ser transferida a outro animal. Pode-se criar uma divertida fantasia, construída por elefantes de acordo com sua arquitetura típica, com torres e castelos de marfim em formato de trombas, em cidades colossais. Pode-se conceber uma fábula suave, na qual uma vaca desenvolve um traje com quatro botas e dois pares de calças. Poderíamos imaginar um Supermacaco mais poderoso do que qualquer Super-homem, uma criatura quadrúmana esculpindo e pintando com as mãos; e cozinhando e carpintejando com os pés. Pensando no que aconteceu, certamente concluiremos que o homem se afastou de tudo a uma distância astronômica e tão veloz quanto um relâmpago. E, da mesma maneira, enquanto nos for possível, se escolhermos ver a Igreja em meio a uma multidão de superstições mitraicas ou maniqueístas[18] brigando e matando umas às outras no final do Império[19], enquanto nos for possível, se escolhermos imaginar a Igreja morta na luta e alguma outra seita casual em seu lugar, ficaremos mais surpresos (e possivelmente intrigados) se a encontrarmos refeita dois mil anos depois, avançando pelas eras, como o raio alado de pensamento e entusiasmo eterno, sem rival ou semelhança, e ainda tão nova quanto velha.

---

18 O mitraísmo é uma antiga religião de mistérios, com raízes na Índia, surgida por volta do século II. Mitra era um deus bom, criador da luz, que lutava contra Ahriman, deus das trevas. O maniqueísmo é uma filosofia religiosa desenvolvida pelo persa Mani, ou Maniqueu, no século III. Defendia que a criação é caracterizada pela dualidade entre opostos: luz e trevas, bem e mal. (N.T.)

19 Referência ao Império Romano, iniciado com a nomeação de Otávio Augusto, em 27 a.C., e que teve fim em 476 d.C., quando se inicia a Idade Média. (N.T.)

PARTE 1

SOBRE A CRIATURA CHAMADA HOMEM

CAPÍTULO 1

O HOMEM NA CAVERNA

Em alguma nova constelação desse céu infinito, lá longe existe uma pequena estrela que os astrônomos podem descobrir um dia. Eu, pelo menos, jamais perceberia na face ou no comportamento da maioria dos astrônomos ou dos homens da ciência qualquer evidência de que eles a descobriram, embora, de fato, estivessem trabalhando para isso o tempo todo. É uma estrela que produz plantas e animais muito exóticos, e nenhum mais estranho que os homens da ciência. Ao menos, penso que assim deveria começar a escrever uma história do mundo, se tivesse de seguir o protocolo científico de iniciar com um relato do universo astronômico. Eu deveria tentar ver até mesmo a Terra do espaço, não pela afirmação já batida sobre sua posição em relação ao Sol, mas por algum esforço criativo para imaginar como seria sua posição remota aos olhos do espectador insensível. Só que eu não acredito que devamos endurecer para estudar a humanidade nem discorrer longamente sobre as distâncias que talvez pudessem impedir a evolução do mundo; acho um tanto frívola essa ideia de tentar reprimir o alcance do pensamento.

E como a primeira ideia não é viável, fazer da Terra um planeta exótico de modo a torná-la mais importante, não vou me inclinar para o outro truque: diminuí-la a fim de torná-la insignificante. Prefiro insistir que nem sabemos o que é de fato um planeta, no sentido em que sabemos que é um lugar, aliás, muito extraordinário também. Essa é a nota que desejo destacar desde o início – se não no aspecto astronômico, em outro que seja, de alguma maneira, mais familiar.

Uma de minhas primeiras aventuras, ou desventuras, jornalísticas dizia respeito a um comentário sobre Grant Allen[20], que havia escrito um livro sobre a evolução da ideia de Deus. Por acaso, observei que seria muito mais interessante se Deus escrevesse um livro sobre a evolução da ideia de Grant Allen. E lembro que o editor se opôs a minha observação, alegando que era uma blasfêmia, o que, naturalmente, não me agradou nem um pouco. Pois a piada era, claro, que nunca lhe ocorrera notar o título do livro – esse, sim, uma blasfêmia – e quando traduzido para a linguagem comum, soou algo como "mostrarei como essa noção absurda de que Deus existe cresceu entre os homens". Minha observação foi a rigor humana e pertinente, confessando o propósito divino, mesmo em suas manifestações aparentemente mais sombrias ou sem sentido. Naquela hora, aprendi muitas coisas, incluindo o fato de que há alguma coisa puramente sonora em grande parte desse tipo agnóstico de reverência. O editor não entendeu a questão, pois no título do livro a palavra longa estava no início e a palavra curta no fim, enquanto, em meus comentários, a palavra curta estava no começo, e isso o atingiu como um choque. Percebi que, se você colocar "Deus" e "cão"[21] na mesma frase, essas palavras tão distintas e opostas afetam as pessoas como tiros de pistola. Se você diz que Deus criou o cão ou o cão criou Deus,

20 Charles Grant Blairfindie Allen (1848-1899), antropologista, escritor de ciência, romancista e poeta canadense, agnóstico e socialista, grande defensor da teoria da evolução. O livro *The Evolution of the Idea of God* foi publicado em 1897. (N.T.)

21 Em inglês, Deus é *God* e cão é *dog*. (N.T.)

isso não parece importar; é apenas uma das polêmicas inúteis repetidas por teólogos superficiais. Mas, desde que você comece com uma palavra longa, como "evolução", o resto soará inofensivo; é bem provável que o editor não tenha lido o título inteiro, pois é bastante longo, e ele era um homem bastante ocupado.

Mas esse pequeno incidente permanece em minha cabeça como se fosse uma parábola. A maioria das histórias modernas da humanidade começa com a palavra "evolução" e com uma exposição bastante difusa, pela mesma razão que ocorreu nesse caso. Há algo vagaroso, reconfortante e progressivo na palavra – nas ideias também. De fato, não é, no tocante a esse item básico, uma palavra muito prática ou uma ideia muito proveitosa. Ninguém consegue imaginar como o nada poderia se transformar em algo nem se aproximar disso por explicar como uma coisa pode se transformar em outra. Fica muito mais lógico começar dizendo: "No princípio, Deus criou o céu e a terra", mesmo que você queira apenas dizer: "No começo, algum poder impensável iniciou algum processo impensável". Pois Deus é, por natureza, um nome de mistério, e ninguém jamais supôs que o homem pudesse imaginar como o mundo foi criado, e muito menos criá-lo. Mas a evolução realmente é confundida com explicação. Ela tem o papel decisivo de deixar em muitas mentes a impressão de que a entendem e tudo mais, assim como muitas vivem sob uma ilusão de que leram a *Origem das espécies*.

Mas essa noção de algo suave e lento, como a subida de uma ladeira, é uma grande parte da ilusão. É uma ilogicidade e também um devaneio, pois a lentidão não tem mesmo nada a ver com a questão. Um evento não é mais inteligível ou ininteligível em si por conta do ritmo em que se move. Para um cético, um milagre lento seria tão absurdo quanto um rápido. A bruxa grega pode ter transformado os marinheiros em porcos com um toque de sua varinha. Mas ver um cavalheiro naval já conhecido transformar-se pouco a pouco em um porco todos os dias, até ficar com quatro patas e um rabo enrolado, não seria mais reconfortante – pode ser um pouco mais assustador e esquisito. O mago medieval pode se atirar do alto de uma torre, mas um velho cavalheiro pairando pelo ar, de maneira descontraída e preguiçosa, ainda parece exigir alguma explicação. No entanto, atravessa toda a abordagem racionalista da história essa curiosa e confusa ideia de que a dificuldade seja evitada, ou mesmo o mistério seja eliminado, insistindo no mero atraso ou algo dilatório que possa aparecer em qualquer processo. Falarei sobre exemplos particulares mais adiante; a questão aqui é a falsa atmosfera de facilidade e bem-estar dada pela simples sugestão de caminhar lentamente, o tipo de conforto que pode ser dado a uma senhora aflita que anda em um automóvel pela primeira vez.

H. G. Wells confessou ser um profeta; e nesse assunto ele realmente era – por conta própria. É curioso que seu primeiro conto de fadas tenha sido uma resposta completa ao seu último livro de história. *A máquina do tempo* destruiu antecipadamente todas as conclusões plausíveis baseadas na pura relatividade do tempo. Nesse sublime pesadelo, o herói viu árvores alçarem voo como foguetes, e a vegetação espalhar-se de maneira visível como labaredas verdes, ou o Sol cruzar o céu de leste a oeste com a rapidez de um meteoro. No entanto, na percepção dele, essas coisas eram muito naturais quando passavam rapidamente, e, em nossa percepção, são tão sobrenaturais quando passam devagar. A questão final é: por qual motivo elas passam? Qualquer pessoa que entenda essa pergunta a fundo sabe que se trata de uma questão religiosa, ou uma questão filosófica/metafísica, não importa em que caso. E muito provavelmente ele não pensará que a pergunta foi respondida com alguma substituição de mudança gradual por mudança abrupta; ou, em outras palavras, por uma questão apenas relativa da mesma história ser prolongada ou encerrada de forma rápida, como pode ser feito com qualquer narrativa no cinema girando-se uma manivela.

Assim, é necessário para esses problemas de existência primitiva algo mais próximo de um espírito primitivo. Ao invocar essa visão das primeiras coisas, eu pediria ao leitor que fizesse comigo uma experiência de imersão na simplicidade. E quanto a esta, não me refiro à ignorância, mas ao filtro de clareza com o qual se enxerga a vida, em vez de usar palavras como "evolução". Para esse propósito, seria melhor girar a manivela da Máquina do Tempo um pouco mais rápido e ver a grama crescendo e as árvores despontando ao céu, se fosse possível encurtar, compactar e reavivar o desfecho do caso todo. O que sabemos, além de mais nada, é que as árvores e a grama cresceram, e muitas outras coisas extraordinárias de fato acontecem: criaturas esquisitas flanam pelo ar, se debatendo com leques em vários formatos magníficos; outras se locomovem sob a pressão de águas profundas; outras andam sobre quatro patas, e a criatura mais estranha de todas caminha sobre duas. Isso é matéria e não teoria, e, em comparação, a evolução, o átomo e até o sistema solar são apenas teorias.

O assunto aqui é sobre história e não filosofia. Dessa forma, é preciso apenas observar que nenhum filósofo nega a existência de um mistério relacionado às duas grandes transições: a origem do universo e o princípio da vida. Muitos filósofos têm a elucidação de acrescentar que um terceiro mistério se liga à origem do homem. Em outras palavras, uma terceira ponte foi construída através de um terceiro abismo enigmático quando surgiu o que chamamos de razão e vontade. O homem não é apenas uma evolução, mas uma revolução. O fato de ele ter uma espinha dorsal ou outras partes em um padrão semelhante a pássaros e peixes é óbvio, seja qual for o seu significado. Mas, se tentarmos considerá-lo, por assim dizer, como um quadrúpede em pé nas patas traseiras, veremos que isso é muito mais fantástico e subversivo do que se ele se sustentasse pela cabeça.

Vou dar um exemplo para servir de introdução à história do homem. Ilustra o que quero dizer com ser necessária certa franqueza infantil para enxergar a verdade sobre a infância do mundo. Ilustra o que penso ao dizer que uma mistura de ciência popular e jargão jornalístico tem confundido os fatos sobre como surgiram as primeiras coisas, para que não saibamos a ordem em que apareceram. Ilustra, mesmo que apenas em uma cena, tudo o que quero dizer com a necessidade de enxergar as diferenças marcantes que dão forma à história, em vez de se deixar levar por todas essas generalizações sobre lentidão e mesmice. Pois, de fato, exigimos, nas palavras do sr. Wells, um esboço da história. Mas podemos ousar dizer, na fala do sr. Mantalini[22], que essa questão evolutiva não tem um rascunho ou é um esboço [...][23]. Mas, acima de tudo, ilustra o que quero dizer: quanto mais olhamos o homem como animal, menos ele se parece com um.

Hoje, todos os nossos romances e jornais são preenchidos por inúmeras alusões a um personagem popular chamado Homem das Cavernas. Ele nos parece bastante familiar, não apenas como figura pública, mas como um personagem privado. Sua psique é muito levada a sério na ficção e na medicina psicológicas. Até onde eu entendo, sua principal ocupação na vida era bater na esposa ou tratar as mulheres em geral com o que, creio, é conhecido no mundo do filme como "violência". Nunca encontrei provas disso e não sei em que diários primitivos ou relatórios pré-históricos de divórcio ela é fundamentada. Tampouco, como expliquei em outro lugar, jamais pude ter acesso a essa probabilidade, mesmo deduzida *a priori*. Sempre nos dizem, sem nenhuma explicação ou fonte segura, que o homem primitivo girava uma clava e derrubava a mulher antes de arrastá-la. Mas, levando em conta toda a similaridade animal, pareceria uma modéstia e uma relutância quase mórbidas, por parte da dama, sempre insistir em ser derrubada antes de consentir em ser arrastada. E, repito, nunca consegui entender por que,

---

22 Personagem do romance *Nicholas Nickleby*, de Charles Dickens. É um janota, egoísta e perdulário que vive dos ganhos da esposa idosa, que é costureira, a quem leva à falência. (N.T.)

23 No original, há o termo *demd*, que parece ser um erro tipográfico, já que a palavra não existe em inglês. Algumas versões comentadas do livro apresentam como possibilidade de correção: *damned*, "maldito, execrável, abominável, detestável", *dimmed*, "escurecido, apagado, indistinto, indefinido", ou *deemed*, "resolvido, considerado, presumido, entendido". (N.T.)

quando o homem era tão rude, a mulher deveria ser tão refinada. O homem das cavernas pode ter sido um bruto, mas não há razão para que ele tenha sido pior do que os animais selvagens. E os amores das girafas e o romance fluvial dos hipopótamos acontecem sem nenhum desses tumultos e balbúrdias preliminares. O homem das cavernas pode não ter sido melhor que o urso das cavernas, mas a ursa filhote, tão famosa em hinologia[24], não foi socializada para ser solteirona. Em resumo, esses detalhes da vida doméstica pré-histórica me confundem com as hipóteses revolucionária ou imutável; e, de qualquer forma, gostaria de investigar essas evidências, mas infelizmente nunca consegui encontrá-las. O curioso é o seguinte: enquanto dez mil línguas de fofocas meio científicas meio literárias pareciam falar ao mesmo tempo desse sujeito infeliz, sob o título de homem das cavernas, a única conexão em que seria relevante e sensato mencioná-lo foi um tanto negligenciada. Esse termo genérico foi usado de forma ampla, mas nunca o estudaram a fundo para descobrir o que realmente significava.

De fato, as pessoas estão interessadas em tudo relacionado a esse homem, exceto no que ele fazia na caverna. Assim, há alguma evidência do que ele fazia na caverna – bem pouca, como todas as evidências pré-históricas, mas diz respeito ao verdadeiro homem das cavernas e seu *habitat*, e não ao homem das cavernas literário e seu porrete. E será útil ao nosso senso de realidade considerar esses vestígios em si e ponto. O que foi encontrado na caverna não foi o porrete, aquele objeto ensanguentado, entalhado com o número de mulheres que ele golpeou na cabeça. A caverna não era uma Câmara de Barba

24 Chesterton cita um *mondegreen*, que é uma palavra mal compreendida a partir da letra de uma canção. Em português, é conhecido o caso do hino do "Cão cego": "Oh, quão cego andei e perdido vaguei...". Chesterton está se referindo ao hino anglicano "Hark, My Soul, It Is the Lord" [Ouve com atenção, minha alma; é o Senhor], de William Cowper. A terceira linha traz: "Can a woman's tender care cease towards the child she bear?" [É possível que acabe o terno carinho que uma mulher tem à criança que carrega?] *She-bear* é ursa, razão pela qual esse passou a ser conhecido como "The She-bear hymn", "O hino da ursa". (N.T.)

Azul[25] cheia de esqueletos de esposas mortas; não estava repleta de caveiras femininas, todas enfileiradas e rachadas como cascas de ovos. De um jeito ou de outro, era algo completamente diferente de todas as hermenêuticas modernas, implicações filosóficas e rumores literários que desviam todo o assunto. E, se desejamos ver como realmente é esse autêntico vislumbre da origem da civilização, será muito melhor imaginar até a história de sua descoberta como uma lenda sobre a nação em seu despertar. Seria muito melhor contar a história do que foi realmente encontrado do jeito mais simples quanto a história dos heróis que encontraram o Tosão de Ouro ou os Jardins das Hespérides[26], se nos for possível fugir de uma névoa de teorias controversas para as cores claras e contornos definidos desse amanhecer. Os velhos poetas épicos, pelo menos, sabiam contar uma história – possivelmente inacreditável, mas nunca distorcida; nunca deformada a fim de se encaixar nas teorias e filosofias inventadas séculos depois. Seria bom que os pesquisadores modernos pudessem registrar suas descobertas no estilo narrativo despojado dos primeiros viajantes, e sem nenhuma dessas longas palavras alegóricas, cheias de implicações e sugestões irrelevantes. Então, poderíamos mensurar exatamente o que sabemos sobre o homem das cavernas ou, nessa proporção, sobre a caverna.

Há algum tempo, um padre e um garoto entraram em uma fenda nas colinas e alcançaram uma espécie de túnel subterrâneo que levava

25 Personagem de *Os contos da mamãe gansa*, de Charles Perrault (1628-1703), escritor francês. Barba Azul era um conde muito rico e muito feio, justamente pela cor da barba. Casara-se seis vezes, e todas as esposas haviam desaparecido sem ninguém saber a razão. Durante uma viagem do marido, a nova esposa descobriu o segredo: ele havia matado as esposas anteriores e mantinha os corpos em uma pequena câmara. (N.T.)

26 Referência a dois mitos gregos. O tosão (ou velocino) é a lã de ouro do carneiro alado Crisómalo, que foi encontrado por Jasão e os argonautas. O jardim era a morada das ninfas chamadas de Hespérides, que protegiam as maçãs (pomos) de ouro que ali nasciam. O 11º trabalho de Hércules foi levar ao rei Euristeu alguns desses frutos, realizado depois de muitas viagens e aventuras. (N.T.)

a um labirinto de corredores de rocha muito fechados e encobertos[27]. Eles rastejaram por fendas quase intransitáveis, túneis que poderiam ter sido feitos por toupeiras, caíram em buracos tão desesperadores quanto poços, pareciam estar se enterrando vivos a sete palmos além da esperança da ressurreição. Esse é apenas o lugar-comum de tal corajosa exploração; mas aqui precisamos de alguém que exponha essas histórias à luz da inocência, nas quais elas não são banais. Há, por exemplo, um enigma inusitado no acidente no fato de os primeiros intrusos naquele mundo submerso terem sido um padre e um menino, que representam a antiguidade e a contemporaneidade do mundo. Mas aqui estou ainda mais preocupado com o simbolismo do menino do que com o do padre.

A ninguém que se lembra da infância é necessário explicar o que pode significar para um garoto entrar como Peter Pan[28] sob o topo das raízes de todas as árvores e mergulhar cada vez mais até alcançar o que William Morris[29] chamou de raízes das montanhas. Suponha que alguém, com esse realismo simples e intocado que faz parte da inocência, prossiga essa jornada até o fim, não pelo bem do que poderia deduzir ou demonstrar em alguma controvérsia datada de uma revista, mas simplesmente pelo que ele conseguiria enxergar. O que ele viu, afinal, foi uma caverna tão longe da luz do dia que poderia ter sido a lendária Domdaniel, no fundo do mar[30]. Essa galeria secreta de rocha, quando iluminada após uma longa noite de intermináveis eras, revelou suas

27 Não é possível saber a qual descoberta arqueológica Chesterton se refere – ou se é apenas uma narrativa ficcional –, uma vez que muitas cavernas com pinturas rupestres foram encontradas por acaso. As impressionantes pinturas de animais na caverna de Altamira, na Espanha, por exemplo, foram descobertas, em 1879, graças à curiosidade da menina María Faustina Sanz Rivarola, de oito anos, que entrou na gruta, enquanto o pai, Marcelino, paleontólogo amador, escavava a entrada da caverna em busca de ossos e sílex. Altamira passou a ser conhecida como a Capela Sistina paleolítica. (N.T.)

28 Personagem criado pelo escritor inglês James Matthew Barrie (1860-1937), é um garoto que nunca deixou de ser criança, vestia-se de verde e podia voar. (N.T.)

29 William Morris (1834-1896), artista, designer têxtil, impressor autônomo, poeta, escritor e ativista político socialista britânico. (N.T.)

30 Lugar ficcional que fica no fundo do oceano, no qual se encontram feiticeiros perversos, espíritos e gnomos. (N.T.)

imensas paredes e contornos diversos com terras coloridas; e ao seguirem essas linhas, reconheceram, cruzando aquele vazio infinito de eras, o movimento e o gesto da mão de um homem. Eram desenhos ou pinturas de animais, feitos não apenas por um homem, mas por um artista. Mesmo com limitações arcaicas, eles mostraram esse amor pela amplitude das pinceladas ou longas linhas trêmulas facilmente reconhecidas por qualquer homem que já tenha desenhado – ou, ao menos, tentado, e sobre o qual nenhum artista se deixará contradizer por qualquer cientista. Eles mostraram o caráter experimental e aventureiro do autor, que não evita coisas difíceis, pelo contrário; assim como o desenhista representara a ação do veado ao balançar a cabeça e o nariz em direção à cauda, um gesto bastante peculiar ao cavalo. Mas existem muitos pintores modernos de animais que se propuseram a registrar essa cena de modo real. Nesse e em outros tantos detalhes fica claro que o artista havia observado animais com certo interesse e talvez um dado encantamento. Nesse sentido, percebe-se que ele não era apenas um artista, mas um naturalista em sua versão mais autêntica.

Mas é desnecessário notar, diga-se de passagem, que não há nada na atmosfera daquela caverna que remonte à atmosfera gélida e pessimista da famosa caverna dos ventos, que sopra e urra ao nosso redor fazendo incontáveis ecos ao homem primitivo. Enquanto qualquer personagem humano puder ser esboçado por esses traços do passado, ele será bastante – e até mesmo – humano. Certamente não é o ideal de um personagem desumano, como aquele propagado pelo imaginário popular. No momento em que romancistas, educadores e psicólogos de todo tipo falam sobre o homem das cavernas, nunca o concebem em conexão com algo que esteja de fato na caverna. Quando o romancista erótico-realista escreve: "Faíscas vermelhas dançavam no cérebro de Dagmar Doubledick[31]; ele sentiu o espírito do homem das cavernas

31 *Dick* significa "camarada, companheiro, colega, sujeito, indivíduo" e é também a forma vulgar de referir-se ao órgão sexual masculino. O sobrenome inventado nesse exemplo hipotético de Chesterton refere-se a um sujeito, ou a um órgão sexual, duplo ou com o dobro do tamanho. (N.T.)

crescer dentro de si", seus leitores ficariam muito desapontados se o personagem apenas saísse e desenhasse grandes imagens de vacas na parede da sala de visitas. Se o psicanalista escreve a um paciente: "Os instintos ocultos do homem das cavernas com certeza o levam a enaltecer um impulso violento", ele não se refere ao impulso de pintar em aquarela ou fazer estudos conscientes de como o gado balança a cabeça ao pastar. No entanto, sabemos de fato que o homem das cavernas fazia essas coisas bobas e inocentes, e não temos nenhuma prova de que ele tenha atitudes violentas e ferozes. Em outras palavras, o homem das cavernas, como foi apresentado a nós, é apenas um mito, ou melhor, uma confusão, pois o primeiro tem, pelo menos, um perfil baseado em alguma verdade. Todo o modo atual de falar é apenas uma confusão, um mal-entendido sem fundamentação científica e usado apenas como desculpa para fazer humor depreciativo nos dias de hoje. Se um cavalheiro quiser bater em uma mulher, ele certamente será um estúpido sem influência do homem das cavernas, sobre o qual quase nada sabemos, exceto algumas pinturas inofensivas e agradáveis na parede.

Mas essa não é a lição a se destacar sobre as pinturas ou sobre a moral particular que elas transmitem. Essa moral é muito maior e mais simples, tão grande e acessível que, ao ser declarada pela primeira vez, parece infantil – e, de fato, o é – no sentido mais literal, e por isso escolhi ver essa alegoria pelos olhos de uma criança. É o maior de todos os conflitos enfrentados pelo garoto na caverna, e talvez seja grande demais para ser visto. Se o menino era do rebanho do padre, pode-se presumir que havia sido treinado seguindo uma linha de bom senso, esse senso comum que muitas vezes chega até nós em forma de tradição. Nesse caso, ele simplesmente reconheceria o trabalho do homem primitivo como um esforço humano; relevante, mas nada tão incrível por ser rudimentar. Ele veria só o que está a sua frente, e não seria tentado, por qualquer empolgação a mais ou especulação momentânea, a ler as entrelinhas. Se já tivesse ouvido falar do assunto, admitiria, é claro, que as conjecturas poderiam ser verdadeiras e compatíveis aos fatos. O artista pode ter outra nuance de personalidade além daquela registrada em suas obras de arte. O homem primitivo pode ter sentido prazer ao bater em mulheres e também ao desenhar animais – tudo o que podemos dizer é que os desenhos registram apenas um gesto, e não o outro. Pode ser verdade que, quando o homem da caverna parava de pular sobre a mãe – ou sobre a esposa, se fosse o caso – ele gostava de ouvir o murmúrio do riacho e também de observar o cervo que vinha para beber água. São possibilidades, mas irrelevantes.

O senso comum da criança poderia limitar-se a aprender com o que os fatos têm a ensinar, e as pinturas na caverna são tudo o que temos sobre o assunto. No que diz respeito a essa evidência, a criança justificaria que um homem representava animais usando pedra e ocre vermelho pela mesma razão que ela própria tentava representar animais com carvão e giz vermelho. O homem desenhava um veado assim como a criança desenhava um cavalo: porque era divertido. O homem desenhava um cervo com a cabeça virada, enquanto a criança desenhava um porco com os olhos fechados, porque era difícil. A criança e o homem, ambos humanos, seriam unidos pela irmandade dos homens, que é ainda mais nobre quando atravessa o abismo das eras do que ao atravessar apenas o abismo da classe. Mas, de qualquer maneira, a criança não via evidências do homem das cavernas apresentadas pelo evolucionismo bruto, porque não há nenhuma para ser vista. Se alguém lhe dissesse que São Francisco de Assis[32] havia desenhado todos os quadros por puro e santo amor aos animais, não haveria nada na caverna para contradizê-lo.

De fato, certa vez ouvi uma senhora dizer, bem-humorada, que a caverna era uma creche, na qual os bebês eram colocados para ficarem mais seguros, e que aqueles animais coloridos foram desenhados nas

32 Giovanni di Pietro di Bernardone (1182-1226), frade católico italiano. Por seu amor pela natureza, é considerado santo patrono dos animais e do meio ambiente. (N.T.)

paredes para diverti-las, da mesma forma que desenhos de elefantes e girafas adornam uma escola infantil. E, embora tenha sido apenas uma brincadeira, isso chama a atenção para algumas das outras suposições que fazemos com muita facilidade. As imagens nem sequer provam que esses homens realmente viviam em cavernas, assim como a descoberta de uma adega em Balham[33] (muito tempo depois que o vilarejo foi destruído pela ira humana ou divina) não provaria que a classe média vitoriana vivia inteiramente em subterrâneos. A caverna poderia ter um propósito tão especial quanto o porão em que ficava a adega: abrigar um santuário religioso ou um refúgio na guerra, ser o lugar de encontro de uma sociedade secreta ou de qualquer outra coisa. Mas é bem verdade que sua decoração artística tem muito mais da atmosfera de um berçário do que qualquer pesadelo desconexo de fúria e medo. Eu imaginei uma criança em pé na caverna, e é fácil imaginar qualquer criança, moderna ou longínqua, fazendo um gesto vivo, como se fosse dar um tapinha nos bichos pintados na parede. Nesse gesto há um prenúncio, como veremos mais adiante, de outra caverna e de outra criança.

Então suponha que o garoto não fosse ensinado por um padre, mas por um professor que simplifica a relação entre homens e animais com uma genérica variação evolutiva. Suponha que o garoto se visse, com a mesma simplicidade e sinceridade, como um mero Mogli[34] correndo com a alcateia de sua espécie e praticamente indistinguível dos demais, salvo por uma variação relativa e recente. Qual seria para ele a lição mais simples daquele estranho livro de imagens em pedra? Por fim, ele voltaria a isto: cavou muito fundo e encontrou o lugar onde um homem havia desenhado a imagem de uma rena. Mas teria de cavar bastante antes de encontrar um lugar onde uma rena tivesse

---

33 Subúrbio no sul de Londres, povoado desde o tempo dos saxões. (N.T.)

34 Menino criado por lobos, é personagem de *O livro da selva*, de Joseph Rudyard Kipling (1865-1936), escritor e poeta britânico. (N.T.)

desenhado a imagem de um homem. Isso parece ser bem óbvio, mas, nesse contexto, é realmente uma verdade tremenda. Ele pode descer a profundidades impensáveis, mergulhar em continentes submersos tão estranhos quanto estrelas distantes, se encontrar no interior do mundo, tão longe dos homens quanto se estivesse do outro lado da Lua; podia ver naqueles abismos frios ou nos colossais terraços de pedra, traçados no hieróglifo apagado do fóssil, as ruínas de dinastias perdidas da vida biológica, como as ruínas de gerações sucessivas e universos separados pelos estágios da história de cada um. Ele encontraria a trilha de monstros que se desenvolviam claramente às cegas, desafiando nosso imaginário comum de peixes e pássaros; apalpando, agarrando e tocando formas de vida em todo alongamento possível de chifres, línguas e tentáculos, criando uma floresta de fantásticas caricaturas a partir das garras, das barbatanas e das falanges. Mas jamais encontraria um dedo que houvesse traçado uma linha significativa na areia ou uma garra que tenha sequer começado a esboçar uma leve forma. No que diz respeito à aparência, seria impensável em tantas variações cósmicas de éons esquecidos quanto nos animais e pássaros diante de nossos olhos. A criança teria a mesma expectativa de ver um gato arranhando na parede uma caricatura vingativa do cão. O senso comum infantil bloquearia a visão da criança mais evolucionária nesse caso; contudo, com base nos traços dos ancestrais rudes e recentemente evoluídos da humanidade, ela teria feito essa associação. Decerto deve parecer estranho que homens tão distantes dela estejam tão próximos e que animais tão próximos dela sejam tão remotos. Em sua simplicidade, deve parecer no mínimo inusitado não ter encontrado nenhum vestígio do início de alguma arte entre os animais.

Esta é a lição mais básica sobre a caverna das figuras coloridas; porém simples demais para ser aprendida. É a pura verdade: o homem difere dos animais em espécie, não em grau; e a prova disso está ali

– parece óbvio dizer que o homem mais primitivo desenhou a figura de um macaco e soa como piada dizer que o macaco mais inteligente desenhou a figura de um homem. Houve uma ruptura e um descompasso; tudo mudou a partir disso. A arte é a assinatura do homem.

Toda história sobre o início de algo deveria começar com essa verdade simples. Ao observar a caverna pintada, o evolucionista percebe aspectos grandes demais para serem vistos e simples demais para serem entendidos. Ele tenta deduzir tudo o que pode estar implícito e ambíguo a partir dos detalhes das figuras porque não consegue ver o significado essencial do todo: deduções escassas e teóricas sobre a ausência de religião ou a presença de superstição, sobre governo tribal, caça e sacrifício humano, e sabe-se Deus mais o quê.

No próximo capítulo, tentarei abordar com mais detalhes a célebre questão sobre essas origens pré-históricas das ideias humanas, especialmente a religiosa. Aqui estou apenas usando o caso da caverna como um exemplo do tipo de verdade com a qual a história deveria começar. Quando tudo é dito, o principal fato registrado pelos homens das renas é, ao lado de todos os outros registros, que esse homem poderia desenhar e as renas, não. Se ele fosse tão animal quanto a rena, seria mais extraordinário se pudesse fazer o que todos os outros animais não podiam. Se fosse apenas um produto do crescimento biológico, como qualquer outra fera ou ave, seria ainda mais extraordinário se ele não fosse nada parecido com qualquer outra fera ou ave. Ele parece mais impressionante em sua forma original do que se fosse sobrenatural.

Mas eu comecei essa história na caverna, tal qual o mito de Platão, porque é um modelo do erro cometido em meras introduções e prefácios evolutivos. É inútil começar dizendo que tudo era lento e suave, em uma linha de desenvolvimento e nível. Pois, na matéria simples, como as pinturas, de fato não há vestígios de qualquer desenvolvimento ou grau como esse. As pinturas não foram iniciadas por macacos e terminadas por homens; *Pithecanthropus*[35] não desenhava mal uma rena nem o *Homo sapiens* a desenhava bem. Os animais superiores não fizeram retratos cada vez melhores; o cão não pintava melhor em seu melhor período do que em seu começo como chacal; o cavalo selvagem não era impressionista e o cavalo de corrida, pós-impressionista. Tudo o que podemos dizer dessa noção de representação em sombra ou forma é que ela não existe em nenhum outro lugar da natureza exceto no homem, e que nem podemos falar sobre isso sem tratar o homem como algo separado da natureza. Em outras palavras, toda história plausível deve começar com o homem em sua essência, algo absoluto e único. Como ele chegou lá – ou o que for – é tópico para teólogos, filósofos e cientistas, e não para historiadores. Contudo, podemos extrair um excelente estudo de caso a partir desse isolamento e mistério – a questão do impulso da arte. Era uma entidade diferente de todas as outras, porque era tanto criadora como criatura. Nada nesse sentido poderia ser feito com base em outra imagem que não fosse a do homem.

A verdade, porém, é tão verdadeira que, mesmo sem qualquer crença religiosa, deve ser assumida na forma de algum princípio moral ou metafísico. No próximo capítulo, veremos como esse princípio se aplica a todas as hipóteses históricas e à ética evolucionária atualmente em voga, às origens do governo tribal ou à crença mitológica. Mas o exemplo mais claro e sensato pelo qual começar é esse consenso sobre o que o homem primitivo de fato fez em sua caverna. Isso significa que, de uma maneira ou de outra, algo novo apareceu na escuridão cavernosa da natureza: uma mente que reflete como um espelho. É como um espelho, porque reproduz uma imagem e todas as outras formas podem ser vistas como sombras brilhantes. E acima de tudo, é como um espelho, porque refletir é sua única característica. Outras coisas podem ser semelhantes – a outras coisas e entre si – ou, ainda, superarem umas às

35 Antigo nome de gênero dado a fósseis de hominídeos, que incluíam o homem de Java e o homem de Pequim, ambos agora classificados como *Homo erectus*. (N.T.)

outras de várias maneiras – ou se tornarem obsoletas –, como, entre os móveis de uma sala, uma mesa pode ser redonda como um espelho ou uma cristaleira pode ser maior. Mas o espelho é a única coisa que pode conter todos eles. O homem é o microcosmo; medida de todas as coisas; a imagem de Deus. Essas são as únicas lições reais a serem aprendidas na caverna, e é hora de deixá-la e sair para o mar aberto.

No entanto, agora seria bom resumir de uma vez por todas o que significa afirmar que o homem é, ao mesmo tempo, a exceção a tudo e também o espelho e a medida de todas as coisas. Mas, para vê-lo em sua essência, é necessário, mais uma vez, continuar perto dessa simplicidade que tem o poder de se desvencilhar das nuvens acumuladas de sofisma. A verdade mais simples sobre o homem é que ele é um ser muito estranho, quase no sentido de ser um estranho na terra. Fazendo uma análise mais coerente, ele parece muito mais alguém que traz hábitos incomuns de outra terra do que um nativo qualquer. Ele tem uma vantagem e uma desvantagem igualmente injustas: não pode salvar a própria pele nem confiar nos próprios instintos. É como se ele fosse ao mesmo tempo um criador movendo mãos e dedos milagrosos, mas tivesse alguma deficiência. Ele está envolto em bandagens artificiais chamadas roupas e apoiado em muletas artificiais denominadas móveis. Sua mente tem as mesmas divagações controversas e as mesmas limitações selvagens. Único entre os animais, se comove com a alienação provocada por um belo sorriso, como se tivesse descoberto algum segredo do universo que nem o próprio cosmo sabia. Único entre os animais, ele sente a necessidade de desviar o pensamento das realidades fundamentais de seu corpo físico, de escondê-las como na presença de algo superior que cria o mistério da vergonha[36]. Não importa se adoramos essas coisas como se fossem naturais para o homem ou se as injuriamos por sua natureza artificial, elas continuam iguais. Isso é percebido pela epifania coletiva chamada

36 Referência a Gênesis 3:8-10. (N.T.)

religião, até ser confundida por pedantes, especialmente os melindrosos da Vida Simples[37]. O mais sofístico de todos é o gimnosofista[38].

Não é natural ver o homem como um produto da natureza. Não é senso comum chamar o homem de objeto comum do país ou da praia. Não é certo nem sensato vê-lo como um animal. É pecar contra a luz, aquela luz mais clara do dia cuja dimensão é a origem de toda a realidade. Ela é alcançada superestimando algum aspecto, por definir um argumento, por selecionar artificialmente certa luz e sombra, por destacar as coisas menores ou inferiores que podem ser similares. A solidez em pé à luz do sol, em torno da qual podemos andar e ver de todos os lados, é bem diferente. Ela é também muito extraordinária, e, quanto mais lados vemos, se mostra ainda mais. Definitivamente, não é algo conseguinte a qualquer outra coisa ou que flui de modo natural. Se imaginarmos que uma inteligência inumana ou impessoal tenha percebido, desde o princípio, o suficiente do mundo não humano para ver que as coisas evoluiriam dessa maneira, não haveria nada no mundo natural que pudesse preparar essa mente para algo não natural. Para essa mente, o homem certamente não se pareceria com um rebanho dentre outros cem a encontrar pastagens mais ricas, ou uma andorinha no meio de uma centena fazendo o verão sob um novo céu. Não estaria na mesma escala, e dificilmente na mesma dimensão. Poderíamos até dizer que não estaria no mesmo universo. Seria como ver uma vaca dentre um rebanho saltar de repente sobre a Lua ou um porco em seu curral desenvolver asas num piscar de olhos e voar. A questão não é o gado encontrar o próprio pasto, mas construir os próprios galpões; não é uma andorinha fazendo verão, mas construir uma casa de verão. Pois o próprio fato de os pássaros construírem ninhos é uma dessas

---

37 Referência aos seguidores de Epicuro (341 a.C.-270 a.C.), filósofo grego que considerava o prazer como o bem supremo, mas repudiava a busca desenfreada por ele, pois produzia dor e infelicidade. A vida devia ser simples, o que trazia bem-estar e tranquilidade mental. (N.T.)

38 Nome dado pelos gregos aos sábios nus ascetas da antiga Índia. (N.T.)

semelhanças que marcam mais ainda a diferença. O fato de um pássaro voar longe para construir um ninho – e não poder ir mais longe que isso – mostra que ele não tem uma mente parecida com a do homem; é pior do que não construir nada. Se não construísse absolutamente nada, ele poderia ser um filósofo da escola Quietista ou Budista[39], indiferente a tudo, exceto à mente interior. Mas quando ele constrói o que se propõe e fica feliz, cantando alto com satisfação, sabemos que há realmente um véu invisível como um painel de vidro entre ele e nós, como a janela na qual um pássaro bate em vão.

Mas suponha que nosso espectador desconhecido tenha visto um dos pássaros começar a construir como fazem os homens. Pense que em um espaço muito curto de tempo surgissem sete estilos de arquitetura para um ninho. Imagine que o pássaro selecionasse cuidadosamente galhos bifurcados e folhas pontiagudas para expressar a piedade penetrante do Gótico, mas se voltasse para uma folhagem extensa e lama negra quando procurava, com uma tendência mais sombria, evocar as pesadas colunas de Bel e Astarote[40]; transformando seu ninho em um dos jardins suspensos da Babilônia. Suponha que o pássaro tenha feito pequenas estátuas de barro retratando seus semelhantes celebrados na literatura ou na política e as tenha fixado na frente do ninho. Admita que um pássaro dentre mil comece a fazer uma das tantas coisas que o homem já havia feito mesmo no alvorecer do mundo: podemos ter certeza de que o espectador não consideraria esse pássaro uma simples amostra evolucionária das outras aves; ele o consideraria como uma

39 O quietismo, embora ensinado e praticado em várias filosofias e religiões, foi elaborado, no cristianismo, como sistema pelo sacerdote católico espanhol Miguel de Molinos (1628-1696). Em síntese, ele ensinava que a vontade humana deve se esvaziar diante da divina, a ponto de não ter interesse algum por qualquer outra coisa. Por meio da contemplação, a alma não pecaria mais. O budismo, originado com o indiano Sidarta Gautama (c. século. IV a.C.), tem na meditação a prática central entre todas as suas diferentes linhas. Algumas delas buscam a anulação do ser. (N.T.)

40 Bel era uma das principais divindades da Babilônia. Astarote (também Aserá, Astarte ou Istar) era a "rainha dos céus" dos cananeus, que veio a ser adorada por muitas mulheres israelitas (Jr 7.18). (N.T.)

ave selvagem muito assustadora, talvez como um pássaro de mau agouro, certamente como um presságio. Aquele pássaro diria os augúrios, não sobre alguma coisa que ainda iria acontecer, mas que já tivesse acontecido. Seria o surgimento de uma mente com uma nova dimensão de profundidade – como a mente humana. Se não há Deus, nenhuma outra mente poderia conceber essa ideia.

Mas, de fato, não há sombra de evidência de que a mente tenha evoluído assim. Não há uma partícula de prova de que essa transição tenha ocorrido de modo lento, ou mesmo de modo natural. Em um sentido estritamente científico, até agora não sabemos nada sobre como ela cresceu – ou se cresceu – ou o que ela é. Talvez haja algum fragmento de pedra e osso que sugira vagamente o desenvolvimento do corpo humano. Nada há de concreto que sugira tal desenvolvimento dessa mente humana. Ela não era, mas na verdade era; não sabemos em que instante ou em que infinidade de anos. Algo aconteceu e há todos os traços de uma operação vinda de fora do tempo. Portanto, não tem relação alguma com a história no sentido comum. O historiador deve tomar isso ou algo parecido como certo; não lhe compete explicá-lo. Mas, se ele não puder explicar como historiador, também não o explicará como biólogo. Em nenhum dos casos há vergonha em aceitar o fato sem explicá-lo, pois é algo tangível, e história e biologia trabalham com dados reais. Ele tem bastante embasamento para confrontar com calma o porco alado e a vaca que pulou sobre a Lua, simplesmente porque ambos são fatos. Ele pode aceitar de modo razoável o homem como uma aberração, porque o toma como um fato; pode se sentir perfeitamente confortável em um mundo louco e desconectado, ou em um mundo que possa criar algo tão louco e desconectado. Pois na realidade todos podemos descansar, mesmo que dificilmente pareça fazer algum sentido – ela é concreta, e isso é suficiente para a maioria de nós. Mas, se queremos mesmo saber como ela foi concebida, se desejamos mesmo vê-la relacionada de modo realista a outras coisas, se insistimos em vê-la evoluir diante de nossos olhos a partir de um ambiente mais próximo de sua própria natureza, então certamente devemos seguir coisas muito distintas. Devemos buscar memórias muito estranhas e retornar aos sonhos mais simples se desejarmos chegar a alguma origem que possa tornar o homem algo que não seja um monstro. Teremos descoberto causas muito diferentes antes que ele se torne uma criatura fortuita e invoque outra autoridade para fazer dele algo razoável ou mesmo verossímil. E nesse caminho se encontra tudo o que é ao mesmo tempo horrível, familiar e esquecido, com terríveis rostos amontoados e braços furiosos. Podemos aceitar o homem como um fato se nos contentarmos com um fato inexplicável. Podemos aceitá-lo como um animal se pudermos conviver com um animal fabuloso. Mas, se precisamos elencar os acontecimentos em sequência e prioridade, então devemos criar uma introdução e uma gradação de milagres cada vez mais alta, com trovões repentinos em todos os sete céus de outra ordem – um homem pode ser uma coisa comum.

CAPÍTULO 2

PROFESSORES UNIVERSITÁRIOS E HOMENS PRÉ-HISTÓRICOS

De uma maneira discreta, a ciência é fraca a respeito do tempo pré-histórico. A ciência cujas maravilhas modernas todos nós admiramos é bem-sucedida por divulgar seus dados incessantemente. Em todas as invenções práticas, na maioria das descobertas naturais sempre é possível aumentar as evidências por meio de experimento. Mas ela não pode experimentar criar homens, ou mesmo pesquisar para descobrir o que os primeiros homens faziam. Um inventor pode avançar passo a passo na construção de um avião, mesmo que esteja apenas testando varas e pedaços de metal. Mas não pode assistir ao Elo Perdido evoluindo em seu próprio quintal. Se ele cometeu um erro nos cálculos, o avião vai corrigi-los ao cair. Mas se cometeu um erro sobre o *habitat* arbóreo de seu ancestral, ele não pode ver seu ancestral arbóreo caindo da árvore. Não pode manter um homem das cavernas como um gato doméstico e observá-lo para ver se realmente é adepto do canibalismo ou se arrasta o cônjuge pelos princípios do casamento por captura. Não pode manter uma tribo de homens primitivos como uma matilha de cães e observar até que ponto eles são influenciados pelo efeito manada. Se vê um pássaro em particular se comportar de uma maneira, ele pode ver se outros também se comportam dessa maneira; mas, se encontrar uma caveira ou um fragmento dela na cavidade de uma colina, não poderá multiplicá-la a ponto de ter uma visão do vale dos ossos secos[41]. Ao lidar com um passado extinto quase por completo, ele só pode avançar por evidências, e não por experimentos. E dificilmente encontraria evidências que fossem claras o suficiente. Assim, enquanto grande parte da ciência se move em uma curva, corrigida de maneira constante por novas evidências, essa mesma ciência voa para o espaço em uma linha reta, livre de correção. Mas o hábito de tirar conclusões, como de fato podem ser obtidas em campos mais frutíferos, é tão intrínseco à mente científica que ela não se comunica de outro modo. Ela fala sobre a ideia sugerida por um fragmento ósseo fazendo uma analogia com o avião que é construído, enfim, a partir de pilhas de sucata. O problema com o professor universitário do período pré-histórico é que ele não pode esmiuçar ainda mais seus poucos pedaços. O maravilhoso e triunfante avião é feito de uma centena de erros. O que estuda as origens pode cometer apenas um erro e persistir nele.

Falamos muito sobre o aspecto resiliente da ciência, mas, nesse departamento, seria mais justo falar da sua impaciência. Em razão da dificuldade descrita aqui, o pesquisador tem muita pressa. Temos uma série de hipóteses tão precipitadas que podem muito bem ser chamadas de delírios e não podem mais, de forma alguma, ser corrigidas pelos fatos. O antropólogo mais empírico é aqui tão limitado quanto um antiquário. Ele só pode se apegar a um fragmento do passado e não tem como amplificá-lo para o futuro; só pode agarrá-lo com unhas e dentes, quase como o homem primitivo agarrava sua pedra lascada. E, de fato,

41 Referência à visão do profeta Ezequiel, registrada no capítulo 37 de seu livro. (N.T.)

o sentimento é o mesmo – é sua única ferramenta e sua única arma. Muitas vezes, ele a trata com um fanatismo muito superior a qualquer coisa mostrada pelos cientistas quando podem coletar mais fatos derivados da experiência e até adicionar outros novos. Às vezes, o professor universitário que não larga o osso se torna quase tão perigoso quanto um cachorro. E o animal pelo menos não deduz uma teoria a partir do osso que guarda, provando que a humanidade está voltando à sua origem canina.

Como exemplo, apontei a dificuldade de manter um macaco e vê-lo evoluir até tornar-se um homem. Sendo impossível ter evidências experimentais de tal evolução, o professor universitário não se contenta em dizer (como a maioria de nós faria) que tal evolução é, de qualquer modo, bastante provável. Ele cria seu pequeno osso, ou sua pequena coleção de ossos, e deduz as coisas mais maravilhosas a partir dele. Ele encontrou em Java um fragmento de caveira, que aparenta, por seu contorno, ser menor que a humana. Em algum lugar próximo dali, ele encontrou um fêmur vertical e, também alguns dentes que não eram humanos. Se todos esses achados fizessem parte de uma mesma criatura, o que é bem difícil, nossa concepção seria tão duvidosa quanto. Mas o efeito dessas teorias na ciência popular foi criar uma figura completa e até mesmo complexa, terminada nos últimos detalhes até os cabelos e hábitos. Ele recebeu um nome como se fosse um personagem histórico comum. As pessoas falavam de *Pithecanthropus* como se referissem a Pitt, Fox ou Napoleão[42].

Histórias populares publicaram retratos do homem pré-histórico como os de Carlos I e Jorge IV[43]. Um desenho minucioso foi reproduzido,

---

42 William Pitt, o Novo (1759-1806), político britânico que desempenhou a função de primeiro--ministro em duas ocasiões. Chesterton provavelmente se refere a George Fox (1624–1691), dissidente inglês que fundou a Sociedade Religiosa dos Amigos, mais comumente conhecida por Quacres. Napoleão Bonaparte (1769-1821), líder militar francês, foi imperador da França. (N.T.)

43 Carlos I (1600-1649), rei da Inglaterra que morreu decapitado por traição. Sua morte pôs fim à autoridade inquestionável e ao caráter divino dos reis. Jorge IV (1762-1830), rei da Grã--Bretanha e da Irlanda, cujo reinado foi marcado por escândalos pessoais. (N.T.)

sombreado de maneira cuidadosa, para mostrar que até os seus cabelos eram contados[44]. Nenhuma pessoa leiga, olhando para aquele rosto acuradamente delineado e olhos pensativos, imaginaria por um momento que esse era o retrato de um osso da coxa ou de alguns dentes e um fragmento de crânio. Do mesmo modo, as pessoas falavam dele como um indivíduo cuja influência e caráter fossem familiares a todos nós. Acabei de ler uma história sobre Java em uma revista, sobre como os habitantes brancos modernos dessa ilha são obrigados a se comportar mal pela influência pessoal do pobre e velho *Pithecanthropus*. Posso acreditar muito prontamente que os modernos habitantes de Java se comportem mal, mas não creio que precisem de algum incentivo para isso pela descoberta de alguns ossos bem questionáveis.

De qualquer forma, esses ossos são muito poucos, fragmentários e duvidosos para preencher todo o vazio que existe na razão e na realidade entre o homem e seus ancestrais bestiais – se é que realmente os foram. Tomando essa conexão evolucionária (a qual não estou nem um pouco preocupado em negar) como pressuposto, o fato realmente impressionante e notável é a relativa ausência de qualquer vestígio que registre essa conexão naquele momento. A própria sinceridade de Darwin a admitiu, e foi assim que passamos a usar um termo como o Elo Perdido. Mas o dogmatismo dos darwinistas tem impactado o agnosticismo de Darwin, e os homens, sem pensar, cometeram a falha de transformar esse termo tão negativo em uma imagem positiva. Eles falam em procurar os hábitos e o *habitat* do Elo Perdido, como se alguém falasse em termos amistosos com a brecha de uma narrativa ou um argumento sem base, de passear com um *non-sequitur* ou de jantar com um silogismo capenga.

Portanto, no presente esboço do homem em relação a certos problemas religiosos e históricos, não desperdiçarei mais espaço a essas

44 Referência a Lucas 12:7. (N.T.)

especulações sobre sua natureza antes de se tornar humano. Seu corpo pode ter se desenvolvido a partir dos animais, mas nada sabemos dessa transição que lance a menor luz sobre sua alma, como ela se tem mostrado na história. Infelizmente, a mesma escola de escritores segue a mesma linha de raciocínio quando chega à primeira evidência real sobre os primeiros humanos reais. A rigor, é claro que nada sabemos sobre o homem pré-histórico – por razões óbvias – cuja história é uma contradição em termos. É o tipo de irracionalidade à qual apenas os racionalistas podem se entregar. Se um pároco por acaso observasse que o Dilúvio era antediluviano, provavelmente seria um pouco zombado por sua lógica. Se um bispo dissesse que Adão era pré-adâmico, poderíamos achar um pouco estranho. Mas não é esperado que notemos essas inconsistências quando historiadores céticos falam do tempo pré-histórico. A verdade é que eles usam os termos *histórico* e *pré-histórico* sem nenhum embasamento ou definição claros. Ou seja, querem dizer que já existiam traços de vidas humanas antes do início de suas histórias; e, nesse sentido, sabemos pelo menos que a humanidade é predecessora da história.

A civilização é mais antiga que os registros humanos. Esse é o modo sensato de afirmar nossas relações com eras tão longínquas. A humanidade deixou exemplos de suas outras artes antes da escrita; ou, pelo menos, de qualquer símbolo que possamos ler. Mas é certo que as artes e civilizações primitivas eram, em sua essência, artes e civilizações do modo como as conhecemos hoje. O homem deixou um desenho das renas, mas não uma narrativa sobre como ele as caçava; portanto, o que dizemos é hipótese, e não história. Mas a arte que ele praticava era bem primorosa, seu desenho era brilhante, e não há razão para duvidar que sua história da caçada fosse muito inteligente – apenas o fato de existir não a torna inteligível. Em suma, o período pré-histórico não precisa ser considerado como primitivo, no sentido bárbaro ou bestial. Não se trata do tempo antes da civilização ou o precedente às artes e aos ofícios, mas aquele anterior a quaisquer narrativas conectadas que possamos ler. Isso de fato faz toda a diferença entre lembrança e esquecimento na prática; mas é perfeitamente possível que houvesse todo tipo de forma esquecida de civilização e barbárie. De qualquer forma, tudo indicava que muitos desses estágios sociais esquecidos ou pouco abordados eram muito mais civilizados e muito menos bárbaros do que é vulgarmente imaginado hoje. Mas, mesmo a respeito dessas histórias não escritas, quando a humanidade era, com certeza, humana, só podemos conjecturar com a maior dúvida e cautela. É uma pena que essas duas últimas quase não sejam encorajadas pelo evolucionismo raso da cultura atual, movida pela curiosidade – a única coisa que não pode suportar é a agonia do agnosticismo[45]. Foi na era darwiniana que a palavra pela primeira vez se tornou conhecida e a coisa pela primeira vez se tornou impossível.

É necessário esclarecer que toda essa ignorância é coberta pelo véu fino do cinismo. As declarações são feitas de maneira tão clara e positiva que os homens dificilmente têm a moral de fazer uma pausa para pensar sobre elas e descobrir que não têm o menor fundamento. Outro dia, um resumo científico sobre a condição de uma tribo pré-histórica começou de maneira convincente com as palavras "Eles não usavam roupas". Provavelmente, nem um leitor em cada cem parou para se perguntar como seria possível saber se pessoas que não deixaram rastros, exceto algumas lascas de osso e pedra, usavam roupas. Era de se esperar, sem dúvida, encontrar um chapéu de pedra ou uma machadinha. Evidentemente, previa-se que poderíamos achar um par de calças feito da mesma substância que a rocha, sólida e durável. Mas, para os menos otimistas, é bem óbvio que as pessoas podem vestir roupas simples, ou altamente ornamentadas, sem que uma deixe mais vestígios que outras. O trançado de junco e capim, por exemplo, pode ter se tornado cada vez

45 Negação da possibilidade de conhecer fatos tais como eles realmente são ou mesmo se existem fatos fora do conhecedor. Uma versão do *ceticismo*. (BUNGE, M. *Dicionário de Filosofia*. Tradução de Gita K. Guinsburg. São Paulo: Perspectiva, 2002.) (N.T.)

mais elaborado, mas não a ponto de se tornar eterno. Uma civilização pode se especializar em produzir coisas perecíveis, como tecelagem e bordado, e não em coisas mais permanentes, como arquitetura e escultura. Existem muitos exemplos de sociedades especializadas. Um homem do futuro descobrindo as ruínas de nossas máquinas industriais poderia dizer com toda a razão que estávamos familiarizados com ferro e com nenhuma outra substância, e anunciar a descoberta de que o proprietário e o gerente da fábrica, sem dúvida, andavam nus – ou possivelmente usavam chapéus e calças de ferro.

Não será discutido aqui se esses homens primitivos usavam roupas ou se teciam juncos, mas apenas que não temos evidências suficientes para confirmar essas hipóteses. Pode valer a pena olhar por um momento para trás, para algumas das poucas coisas que sabemos e que eles fizeram. Se as levarmos em consideração, certamente não as acharemos inconsistentes a respeito de ideias como vestuário e decoração. Não sabemos se os homens primitivos fizeram outros desenhos. Não sabemos se produziram bordados, e, mesmo se os tivessem feito, não poderíamos esperar que estes resistissem ao tempo. Mas as pinturas permaneceram. E, como já foi dito, elas carregam o testemunho de algo absoluto e único: pertencem ao homem, e a nada mais além dele – é apenas diferente, não se trata de hierarquia. Um macaco não desenha mal enquanto o homem, habilmente; um macaco não inicia a arte da representação e um homem a leva à perfeição. Um macaco não faz coisa alguma; ele não começa nada nem pensa na possibilidade. Uma fronteira é cruzada antes de começar a primeira linha tênue.

Outro notável escritor, mais uma vez, ao comentar os desenhos rupestres atribuídos aos homens neolíticos do período das renas, disse que nenhuma daquelas pinturas parecia ter algum propósito religioso; e por isso poderia inferir que eles não tinham religião. Tenho dificuldade em imaginar um argumento mais fraco do que esse, que reconstrói as disposições mais íntimas da mente pré-histórica a partir do fato de que alguém que rabiscou alguns esboços em uma rocha, por motivos inimagináveis, com o propósito que não sabemos, agindo sob costumes ou convenções que não conhecemos, pode ter achado mais fácil desenhar renas do que cruzes. Talvez aquelas figuras fossem seu símbolo religioso – ou não. Ele pode ter desenhado qualquer coisa, exceto seu símbolo religioso. Ele pode ter representado seu verdadeiro símbolo religioso em outro lugar, ou aquilo pode ter sido deliberadamente destruído. Ele pode ter feito meio milhão de coisas ou nada; mas, de qualquer forma, é um surpreendente salto de lógica inferir que ele não tinha símbolo religioso, ou mesmo deduzir, por esse motivo, que ele não tinha religião. Ocorre que esse caso em particular ilustra de modo muito evidente a fragilidade dessas suposições.

Algum tempo depois, pessoas descobriram não apenas pinturas, mas esculturas de animais nas cavernas. Algumas foram danificadas por pancadas ou furos que podem ser marcas de flechas; e conjecturou-se que as imagens danificadas eram restos de algum ritual mágico para matar animais, enquanto as imagens não danificadas tinham conexão com outro ritual mágico, que invocava fertilidade para os rebanhos. Aqui, de novo, há algo meio cômico sobre o hábito científico de explicar em dois sentidos. Se a imagem está danificada, ela prova uma superstição; se não estiver danificada, prova outra. Aqui, uma vez mais, há um salto bastante imprudente para conclusões; parece ser difícil aos especuladores entender que uma turma de caçadores presos no inverno em uma caverna pudesse ter a ideia de fazer aquela marca por diversão, como uma espécie de brincadeira primitiva. Mas, de qualquer forma, se foi feita por superstição, o que aconteceu com a tese de que não havia relação com religião? A verdade é que todo esse trabalho de adivinhação não tem relação com coisa alguma. Não é nem um jogo tão bom quanto atirar flechas em uma rena esculpida, pois está atirando-as a esmo.

Esses especuladores tendem a esquecer, por exemplo, que os homens do mundo moderno às vezes também deixam marcas em cavernas.

Quando uma turma de viajantes é conduzida pelo labirinto da Gruta das Maravilhas ou pela Caverna Mágica de Estalactites[46], tem sido observado que os hieróglifos surgem à vista por onde passaram; iniciais e inscrições que os eruditos negam se referir a qualquer data remota. Mas chegará o momento em que essas inscrições serão realmente antigas. E se os professores universitários do futuro forem parecidos com os do presente, serão capazes de deduzir um vasto número de coisas muito vívidas e interessantes a partir desses escritos das cavernas do século XX. Conhecendo alguma coisa sobre essa classe, e se eles ainda honrarem a convicção de seus pais, poderão descobrir os fatos mais fascinantes sobre nós a partir das iniciais deixadas na Gruta Mágica[47] por Armando e Amanda, possivelmente na forma de duas letras "A" entrelaçadas. Só com isso eles saberão (1) que, como as letras são rudemente riscadas com um canivete, no século XX não havia ferramentas delicadas de gravação e o homem não conhecia a arte da escultura. (2) Como as letras são maiúsculas, nossa civilização nunca desenvolveu letras minúsculas ou algo parecido com uma caligrafia atual. (3) Como as letras iniciais se unem de maneira impronunciável, nossa linguagem seria talvez semelhante ao galês ou, provavelmente, do tipo semítico primitivo que ignorava as vogais. (4) Como as iniciais de Armando e Amanda não professam ser símbolos religiosos de nenhuma maneira específica, nossa civilização era agnóstica. Talvez a última descoberta seja a mais próxima da verdade, pois uma civilização que tivesse religião teria um pouco mais de razão.

Volto a dizer: é comum afirmar que a religião cresceu de maneira muito lenta e evolucionária, e também que não cresceu a partir de uma causa, mas de uma combinação de três fatores que pode ser chamada de

46 A primeira é uma caverna no centro da cidade espanhola de Aracena, com cerca de um quilômetro e duzentos metros. Não é possível estimar qual é a segunda. Talvez seja a gruta de Jeita, no Líbano, com nove quilômetros de extensão. (N.T.)

47 Aqui, Chesterton mistura o nome das duas cavernas que citou anteriormente. Talvez um erro involuntário de redação. (N.T.)

coincidência. De modo geral, os principais são, nesta ordem: o temor ao chefe da tribo (a quem o sr. Wells insiste em chamar, com lamentável familiaridade, o Velho), o fenômeno dos sonhos e as associações sacrificiais com a colheita e a ressurreição simbolizada no crescimento do milho. Posso observar de passagem que me parece uma psicologia bem questionável referir um espírito vivo e único a três causas mortas e desconectadas, isso se realmente as forem.

Suponha que o sr. Wells, em um de seus fascinantes romances sobre o futuro, nos diga que surgiria entre os homens uma paixão nova e ainda sem nome, que fará os homens sonharem como se fosse o primeiro amor, pela qual darão a vida, assim como o fazem por uma bandeira e uma pátria. Acho que ficaríamos um pouco confusos se ele nos dissesse que esse sentimento singular seria uma combinação do hábito de fumar Woodbines[48], do aumento do imposto de renda e do prazer de um motorista em exceder o limite de velocidade. Não é fácil imaginar tudo isso porque não conseguimos fazer nenhuma conexão entre os três fatos ou qualquer sentimento comum que englobasse todos. Ninguém poderia imaginar qualquer conexão entre milho, sonhos e um velho chefe com uma lança, a menos que já houvesse um sentimento comum. Nesse caso, só poderia ser o sentimento religioso; e esses fatos não poderiam ser o começo de um sentimento religioso já existente. O bom senso de qualquer pessoa dirá que é muito mais provável que esse tipo de sentimento já exista, e que, à luz disso, sonhos, reis e campos de milho poderiam parecer tão místicos na época como podem parecer agora.

Pois a pura verdade é que tudo isso não passa de um truque para fazer as coisas parecerem distantes e desumanizadas, apenas para que finjamos não entender o que já está mais do que entendido. É como dizer que os homens pré-históricos tinham o hábito feio e grosseiro de abrir bem a boca em intervalos e colocar substâncias estranhas nela, como se

48 Tradicional marca britânica de cigarros, criada em 1888. Não tendo filtro, tornou-se popular entre a classe trabalhadora e os soldados. (N.T.)

nunca tivéssemos ouvido falar de comer. É como dizer que os terríveis Trogloditas da Idade da Pedra levantavam as pernas alternadamente, como se não soubéssemos o que é caminhar. Se fosse para tocar o nervo místico e nos despertar para a maravilha de caminhar e de comer, poderia ser mesmo um delírio. Como aqui se pretende matar o nervo místico e nos deixar mortos para a maravilha da religião, isso é uma bobagem irracional. Ela finge encontrar alguma coisa incompreensível nos sentimentos que todos compreendemos. Quem não acha os sonhos misteriosos e sente que eles se encontram no limite penumbral do ser? Quem não sente a morte e a ressurreição das coisas crescentes da terra como algo próximo ao segredo do universo? Quem não entende que deve haver sempre o traço característico de algo sagrado a respeito da autoridade e da solidariedade que é a alma da tribo?

Se algum antropólogo realmente considera tais coisas remotas e impossíveis de perceber, nada podemos dizer sobre esse nobre cientista, exceto que sua mente não é tão grande e iluminada como a de um homem primitivo. Para mim, parece óbvio que nada além de um sentimento espiritual já existente poderia ter coberto de santidade essas coisas separadas e diversas. Dizer que a religião teve início ao se reverenciar um chefe ou fazer sacrifício por uma colheita é colocar uma carroça muito elaborada diante de um cavalo realmente primitivo. É como dizer que o impulso de desenhar surgiu da contemplação dos desenhos de renas na caverna. Em outras palavras, a pintura é justificada com o argumento de ter surgido após o trabalho dos pintores, ou seja, como se a arte tivesse nascido dela mesma. Ainda, é como dizer que a poesia surgiu como resultado de certos costumes, como o de uma ode sendo composta oficialmente para celebrar a chegada da primavera, ou o de um jovem que se levanta sempre na mesma hora para ouvir a cotovia e depois escreve um relatório em um papel. É bem verdade que os jovens frequentemente se tornam poetas na primavera, e que, quando há poetas, nenhum poder mortal pode impedi-los de escrever sobre a cotovia.

Mas os poemas não existiam antes dos poetas. A poesia não brotou das formas poéticas. Em outras palavras, não dá para perguntar como uma coisa apareceu pela primeira vez e receber como resposta que ela já existia. Da mesma forma, não podemos dizer que a religião surgiu das formas religiosas, pois é apenas outra maneira de dizer o mesmo. Era necessário certo tipo de mente para ver o que havia de místico nos sonhos ou nos mortos; que havia algo poético a respeito da cotovia ou da primavera. Provavelmente, era o que chamamos de mente humana, muito semelhante à que existe até hoje, pois os místicos ainda meditam sobre a morte e os sonhos assim como poetas ainda escrevem sobre primavera e cotovias. Mas não há o menor indício a sugerir que qualquer coisa além da mente que conhecemos faz alguma dessas associações místicas. Uma vaca no campo parece não despertar nenhuma inspiração lírica ou mostrar as oportunidades incomparáveis de ouvir uma cotovia. Da mesma forma, não há razão para supor que ovelhas vivas começarão a usar ovelhas mortas como base de um ritual de adoração aos ancestrais. É verdade que, na primavera, a fantasia de um jovem quadrúpede pode transformar-se aos poucos em pensamentos de amor, mas nenhuma sucessão de primaveras jamais os levou a se transformarem, mesmo que vagamente, em pensamentos de literatura. E, da mesma maneira, embora seja verdade que um cachorro tenha sonhos, enquanto a maioria dos outros quadrúpedes não parece mesmo tê-los, temos esperado por muito tempo para que o cão desenvolvesse seus sonhos em um sistema complexo ou em um cerimonial religioso. Esperamos tanto por isso que perdemos o interesse – temos tanta expectativa de ver um cachorro aplicar seus sonhos à construção eclesiástica quanto de vê-lo examinar seus sonhos conforme as regras da psicanálise.

Resumindo, é óbvio que por um motivo ou outro essas experiências naturais, e também a euforia, em qualquer criatura – exceto o homem – nunca ultrapassam a linha que as separa da expressão criativa como arte e religião. E agora, ao que parece, é mais improvável ainda. Não é impossível, em um sentido contraditório, que vacas façam jejum toda sexta-feira ou se ajoelhem como na antiga lenda sobre a véspera de Natal. Não é impossível, nesse sentido, que as vacas contemplem a morte até que possam exaltar um sublime salmo de lamentação à melodia da finada vaca velha. Não é impossível, nesse sentido, que elas expressem suas esperanças de uma vida celestial em uma dança simbólica, em homenagem à vaca que pulou sobre a Lua. Pode ser que o cão tenha finalmente separado uma reserva suficiente de sonhos que lhe permita construir um templo para Cérbero[49], como uma espécie de trindade canina. Pode ser que seus sonhos já tenham começado a se transformar em visões capazes de expressão verbal, em algumas revelações sobre a Estrela do Cão[50] como o lar espiritual de cães perdidos.

Essas coisas são logicamente possíveis, no sentido de que é logicamente difícil provar o veto universal que chamamos de impossibilidade. Mas todo esse instinto para o provável, que chamamos de senso comum, deve, há muito tempo, ter nos dito que os animais nem sempre parecem evoluir, e que, para dizer o mínimo, não é provável que haja qualquer evidência de que tenham passado da experiência animal para os experimentos humanos. Mas a primavera e a morte, e mesmo os sonhos, considerados apenas experiências, são tão deles quanto nossas. A única conclusão possível é que elas não despertam nada de religioso, exceto em uma mente como a nossa. Voltamos ao fato de que a mente humana já existia e era sem igual. Era única e podia tanto criar religiões como fazer desenhos em cavernas. Os símbolos usados para os rituais permaneceram ali por incontáveis eras, assim como todos os outros, mas o poder da religião estava na mente – o homem já podia entender os enigmas, as subjetividades e as promessas, como faz até hoje. Não

49 Na mitologia grega, cão de três cabeças que guardava as portas do inferno, a fim de impedir que os mortos saíssem de lá. Também devorava qualquer mortal que desejasse entrar. (N.T.)

50 Sírio, Sirius ou Alfa do Cão Maior é a estrela mais brilhante visível à noite a olho nu. Faz parte da constelação do Cão Maior. (N.T.)

era apenas ter sonhos, mas idealizá-los. Ele não só podia ver os mortos, mas também o prenúncio do luto, e estava possuído por essa misteriosa ilusão que sempre considera a morte assombrosa.

É bem verdade que temos esses indícios sobretudo em relação ao homem quando ele se mostra em sua verdadeira essência. Não podemos ter essa certeza ou qualquer outra sobre o suposto animal que originalmente fazia um elo entre o homem e as feras. Mas isso ocorre apenas porque ele não é um animal, mas um pretexto. Não podemos ter certeza de que o *Pithecanthropus* tenha feito alguma reverência um dia, porque não há certeza de que ele tenha existido. É apenas uma visão invocada para preencher o vazio que de fato se escancara entre as primeiras criaturas, que certamente eram homens, e quaisquer outras, como macacos ou animais em geral. Alguns fragmentos de origem bem duvidosa são agrupados para sugerir uma criatura intermediária, porque ela é exigida por certa filosofia, mas ninguém os considera suficientes para estabelecer uma teoria, mesmo que a corrobore. Um pedaço de crânio encontrado em Java não pode estabelecer nada sobre religião ou sobre a ausência dela. Se já houve tal homem-macaco, ele pode ter manifestado tanto ritual na religião quanto um homem ou tanta simplicidade na religião quanto um macaco. Ele pode ter sido um mitologista ou o próprio mito. Pode ser relevante investigar se essa qualidade mística apareceu em uma transição do macaco para o homem, se é que houve algum tipo de transição. Em outras palavras, o elo pode ser ou não místico se não estiver realmente perdido. Mas, comparando aos achados reais, não temos evidências de que ele era um ser humano, meio humano ou um apenas um ser. Mesmo os evolucionistas mais extremos não tentam deduzir nenhuma visão evolucionária sobre a origem da religião a partir do homem. Ao tentar provar que a religião se desenvolveu paulatinamente com origens rudimentares ou irracionais, eles começam sua justificativa com os primeiros indivíduos que eram homens. Mas essa mesma justificativa prova apenas que esses homens já eram místicos. Eles usaram os elementos rudimentares e irracionais, pois somente homens e místicos podem usá-los. Voltamos mais uma vez à simples verdade: em algum momento distante demais para esses críticos pesquisarem ocorreu uma transição da qual ossos e pedras não podem, por natureza, dar testemunho, e o homem se tornou uma alma vivente[51].

No tocante à origem da religião, a verdade é a seguinte: aqueles que tentam explicá-la também a complicam. De forma inconsciente, eles sentem que ela parece chamar menos atenção quando é divulgada em um processo gradual e quase invisível. Essa perspectiva, porém, na verdade falsifica totalmente a realidade da experiência. Eles reúnem duas coisas totalmente distintas – os vestígios dispersos de origens evolucionárias e o bloco sólido e evidente da humanidade – e tentam mudar os pontos de vista até vê-las em uma única linha curta. Mas isso é uma ilusão de óptica. De fato, homens não se relacionam com macacos nem com elos perdidos em nenhuma corrente como aquela em que homens permanecem ligados entre si. Pode ter havido criaturas intermediárias cujos tênues traços podem ser encontrados aqui e ali nessa imensa brecha. Pode ser verdade que esses seres, se é que existiram, eram muito diferentes dos homens – ou humanos muito diferentes de nós. Mas, com respeito aos pré-históricos, como os chamados homens das cavernas ou das renas, isso não tem cabimento. Homens pré-históricos eram exatamente humanos; nada a mais ou a menos que nós. Por acaso não sabemos muito sobre eles, pela simples razão de que não deixaram registros ou escritos, mas os achados que temos os tornam tão comuns quanto os habitantes de uma mansão medieval ou de uma cidade grega.

Olhando de nosso ponto de vista humano para a longa perspectiva da humanidade, é fácil reconhecê-la como humana. Se tivéssemos de identificá-la como animal, a consideraríamos como anormal. Se

51 Referência a Gênesis 2:7. (N.T.)

olhássemos pelo outro lado do telescópio, como já fiz mais de uma vez nessas especulações, se projetássemos a figura humana adiante de um mundo inumano, poderíamos dizer apenas que um dos animais obviamente enlouqueceu. Mas vendo pelo lado certo, ou melhor, de dentro, sabemos que há bom senso e que esses homens primitivos eram sensatos. Saudamos a maçonaria humana onde quer que a vejamos: em selvagens, em estrangeiros ou em personagens históricos. Por exemplo: tudo o que podemos deduzir a partir da lenda primitiva, e tudo o que sabemos da vida bárbara, ratifica certa ideia moral e até mística da qual o símbolo mais comum são as roupas. Pois as roupas são literalmente vestimentas, e o homem as veste porque é sacerdote. É verdade que, mesmo como animal, nessa situação ele é diferente dos animais. Nudez não é natural para ele; não é sua vida, mas sua morte, mesmo no sentido vulgar de morte pelo frio. Mas as roupas são usadas por motivo de dignidade, decência ou decoração, aspectos em que não são, de forma alguma, procuradas por proporcionarem calor. Às vezes, parece que elas têm mais valor como ornamento do que para o uso propriamente dito. Quase sempre parece haver uma obrigação em relação ao decoro. Convenções desse tipo variam muito de acordo com vários horários e lugares – há quem não consiga aceitar essa reflexão e quem a considere um argumento suficiente para deixar todas as convenções de lado. Eles nunca se cansam de repetir, com ingênua surpresa, que a veste é diferente nas Ilhas Canibais e em Camden Town[52]; não podem ir além e jogar fora toda a ideia de decência por desespero. Eles também podem dizer isso porque, em virtude da existência de chapéus com muitas formas diferentes, e algumas bastante excêntricas, os chapéus não importam ou não existem. Eles provavelmente acrescentariam que não existe insolação ou calvície. Em todos os lugares, os homens

52 O primeiro termo é o antigo nome da República de Fiji, país insular da Melanésia. O segundo é um distrito de Londres. (N.T.)

sentiram que certas normas eram necessárias para cercar e proteger algumas coisas particulares do desprezo ou do mal-entendido vulgar, e a manutenção dessas práticas, quaisquer que fossem, trazia dignidade e respeito mútuos. O fato deles se referirem principalmente, mesmo que de longe, às relações entre os sexos ilustra os dois fatos que devem ser colocados bem no início do registro da raça. O primeiro é que o pecado original é realmente original. Não apenas na teologia, mas também na história; é algo intrínseco às origens. Não importava no que os homens acreditassem: para todos havia algo de errado com a humanidade. Esse senso de pecado tornou tão impossível ser natural e sem roupas como ser natural e sem leis. Mas, acima de tudo, encontra-se nesse outro fato, que é o pai e a mãe de todas as leis, já que se baseia nesse princípio, o que está diante de todos os tronos e de todas as comunidades.

Esse fato é a família. Aqui, mais uma vez, devemos manter as enormes proporções de algo normal livres de maiores alterações, e graus e dúvidas não muito razoáveis, como nuvens que cercam uma montanha. Talvez o que chamamos de família tenha de abrir caminho partindo – ou por intermédio – de várias anarquias e aberrações, mas certamente sobreviveu a elas e é muito provável que também não as tenha precedido. Como veremos no caso do comunismo e do nomadismo, figuras disformes poderiam residir à margem das sociedades que tinham assumido uma forma fixa – e o fizeram –, mas não há nada mostrando que o amorfismo existia antes da forma. O essencial é que a forma é mais importante que a falta dela, e que o material chamado humanidade assumiu essa forma. Por exemplo: das regras que giravam em torno do sexo, mencionadas há pouco, nenhuma é mais curiosa do que o costume selvagem comumente chamado de couvade[53]. Isso parece uma lei

53 Prática de culturas pré-industriais em que o pai assume as tarefas pós-parto, como ficar de resguardo até o cordão umbilical cair, receber visitas e cumprimentos pelo nascimento do filho etc. Refere-se também a uma síndrome em que o pai sente os sintomas da gravidez da mulher, como crescimento do ventre, enjoo, azia. (N.T.)

que vem do, segundo a qual o pai é tratado como se fosse a mãe. De qualquer forma, envolve claramente o sentido místico do sexo; mas muitos sustentam que é de fato um ato simbólico pelo qual o pai aceita a responsabilidade da paternidade. Nesse caso, essa cena grotesca é na realidade um ato muito solene, pois é o fundamento de tudo o que chamamos de família e conhecemos como sociedade humana. Alguns tateando nesses primórdios sombrios disseram que a humanidade já esteve sob o matriarcado; suponho que, se assim fosse, ela não seria chamada de humanidade, mas de mulheridade[54]. Outros, porém, conjecturaram que o então matriarcado era simplesmente uma anarquia moral, em que a mãe permaneceu em seu posto porque todos os pais eram superficiais e irresponsáveis. Então, chegou o momento em que o homem decidiu proteger e orientar o que havia criado. Assim, ele se tornou o cabeça da família, não como um valentão com uma grande clava para espancar as mulheres, mas como uma pessoa respeitável tentando ser responsável. E tudo isso pode ser perfeitamente verdadeiro, e pode até ter sido o formato da primeira família, e ainda seria verdade que o homem agiu pela primeira vez como tal e, portanto, pela primeira vez, tornou-se homem. Mas poderia muito bem ser verdade que o matriarcado ou a anarquia moral, ou como quer que a chamemos, fosse apenas uma das cem dissoluções sociais ou desvios bárbaros que podem ter ocorrido de vez em quando na pré-história, como certamente aconteceram nos tempos históricos. Um símbolo como a couvade, se realmente fosse assim, pode ter comemorado a supressão de uma heresia em vez de comemorar a primeira ascensão de uma religião. Não podemos ter essa certeza, exceto em seus grandes resultados na edificação da humanidade, mas podemos dizer de que forma a maior parte e o melhor dela foram construídos. Podemos dizer que a família é a unidade do Estado,

54 Chesterton faz um jogo de palavras entre *mankind* (humanidade; *man* = homem) e *womankind*. (N.T.)

que é a célula que compõe a estrutura. Ao redor da família, de fato, reunimos os elementos sagrados que separam os homens de formigas e abelhas. A decência é a cortina daquela tenda; liberdade é o muro daquela cidade; a propriedade é somente a fazenda da família, e a honra, a bandeira da família. Nas proporções práticas da história humana, voltamos ao fundamento do pai, da mãe e do filho. Já foi dito que, se essa história não pode começar com pressupostos religiosos, deve, no entanto, iniciar com alguns pressupostos morais ou metafísicos, ou nenhum sentido pode ser dado à história do homem. E este é um exemplo muito bom dessa necessidade alternativa. Se não somos daqueles que começam invocando uma Trindade divina, devemos, no entanto, invocar uma Trindade humana e ver esse triângulo repetido em todos os lugares no arranjo do mundo. Pois o evento mais elevado da história, o qual toda a história aguarda com interesse e para o qual é conduzida, é apenas algo que, ao mesmo tempo, inverte e renova esse triângulo. Ou melhor, é o triângulo sobreposto de modo a cruzar o outro, formando um pentagrama sagrado do qual, em um sentido mais poderoso que o dos mágicos, os demônios têm medo. A antiga Trindade era de pai, mãe e filho e é chamada de família humana. A nova é de filho, mãe e pai e tem o nome de Sagrada Família. Nada foi, de forma alguma, alterado, exceto por ser totalmente invertido, assim como o mundo transformado não era nem um pouco diferente, exceto por ser virado de cabeça para baixo.

CAPÍTULO 3

A ANTIGUIDADE DA CIVILIZAÇÃO

O homem moderno que olha para as origens mais antigas é como um homem espreitando o romper do dia em uma terra estranha, e esperando ver essa alvorada nascendo atrás de planaltos nus ou picos solitários. Mas essa alvorada está rompendo atrás da massa negra de grandes cidades que há muito foram construídas e perdidas por nós na noite original. Cidades colossais, como as casas de gigantes, nas quais até os animais ornamentais esculpidos são mais altos que as palmeiras, em que o retrato pintado pode ter doze vezes o tamanho de um homem; com túmulos como montanhas quadradas feitas pelo homem e apontando para as estrelas; com enormes touros alados e barbudos em pé e olhando fixamente para os portões dos templos, permanecendo ali eternamente, como se uma batida de suas patas sacudisse o mundo. A alvorada da história revela uma humanidade já civilizada. Talvez ela revele uma civilização já antiga. E, entre outras coisas mais importantes, aponte a loucura da maioria das generalizações sobre o período anterior e desconhecido, quando era realmente jovem.

As duas primeiras sociedades humanas das quais temos registros confiáveis e detalhados são Babilônia e Egito. Ocorre que essas duas vastas e esplêndidas realizações do talento dos antigos testemunham contra duas das suposições mais comuns e cruéis da cultura moderna. Se queremos nos livrar de metade dos absurdos sobre nômades, homens das cavernas e o velho homem da floresta, precisamos apenas focar nos dois fatos sólidos e estupendos chamados Egito e Babilônia.

É claro que a maioria desses especuladores que fala de homens primitivos está pensando em selvagens modernos. Eles provam sua evolução progressiva assumindo que grande parte da raça humana não progrediu ou evoluiu, ou que não mudou nada. Não concordo com a teoria da mudança que eles apresentam nem com o dogma deles a respeito do imutável. Posso não acreditar que o homem civilizado tenha tido um progresso tão rápido e recente, mas não consigo entender por que o homem não civilizado deve ser tão misticamente imortal e imutável. Uma linha um pouco mais simples de pensamento e de fala parece-me necessária ao longo dessa investigação. Os selvagens modernos não podem ser exatamente como o homem primitivo, porque não são primitivos nem antigos; são modernos. Algo aconteceu à raça deles tanto quanto à nossa durante os milhares de anos de nossa existência e passagem pela Terra. Eles tiveram algumas experiências e, presumivelmente, agiram de acordo com elas, isso se não tiraram algum proveito. Como o restante de nós. Eles ocuparam algum ambiente, e passaram por alguma mudança, e supostamente se adaptaram a ele de uma maneira evolutiva adequada e honesta. Isso seria verdade mesmo se as experiências fossem brandas ou o ambiente, lúgubre, pois há um efeito no tempo genuíno quando assume a forma padrão da monotonia.

Mas, para muitas pessoas inteligentes e bem informadas, parece bastante provável que a experiência dos selvagens tenha sido com o declínio da civilização. A maioria dos que criticam essa visão não parece ter uma noção muito clara de como isso teria acontecido. Que Deus as ajude, pois é provável que logo descubram. Elas parecem estar contentes se homens das cavernas e ilhéus canibais tiverem algumas coisas em comum, como certos aparatos específicos. Mas é óbvio que quaisquer pessoas diminuídas por qualquer motivo a uma vida mais rudimentar teriam coisas em comum. Se não usarmos todas as armas de fogo, deveríamos fazer arcos e flechas, mas não vamos necessariamente nos parecer em todos os aspectos com os primeiros homens que os fizeram. Dizem que os russos em sua grande retirada[55] tinham armamentos tão escassos que lutaram com clavas cortadas da floresta. Mas um professor universitário do futuro erraria ao supor que o exército russo de 1916 era uma tribo de citas nus que nunca havia saído da floresta. É como dizer que um homem em sua segunda infância deve copiar exatamente a primeira. Um bebê é tão careca quanto um velho, mas seria um erro para um leigo a respeito da infância deduzir que o bebê tinha uma longa barba branca. Tanto um bebê quanto um idoso andam com dificuldade, mas quem espera que o idoso cavalheiro se deite de costas e fique agitando as pernas alegremente ficará desapontado.

Portanto, é absurdo argumentar que os primeiros desbravadores da humanidade devem ter sido idênticos a alguns dos últimos e mais inertes restos dela. É quase certo que havia algumas coisas, é muito provável que havia muitas, nas quais ambas eram muito distintas ou totalmente contrárias. Um exemplo da maneira pela qual essa distinção funciona, e um exemplo essencial para nosso argumento, é o da natureza e origem do governo. Eu já mencionei o sr. H. G. Wells e o Velho Homem, com quem ele parece ter uma relação bastante íntima. Se considerássemos os fatos frios da evidência pré-histórica para representar o chefe pré-histórico da tribo, poderíamos apenas justificá-la dizendo que seu

55 A Grande Retirada Russa, também chamada de Batalha de Varsóvia, ocorreu durante a Primeira Guerra Mundial. Os exércitos russos, derrotados pelos alemães, retiraram-se da Galícia e da Polônia. (N.T.)

autor brilhante e versátil simplesmente esqueceu por um momento que se supunha que ele estivesse escrevendo uma história, e sonhou estar escrevendo um de seus próprios romances maravilhosos e imaginativos. Pelo menos, não consigo imaginar como ele pode saber que o governante pré-histórico era chamado de Velho Homem ou que a etiqueta da corte exigia que fosse escrito com letras maiúsculas. Wells diz do mesmo potentado: "Ninguém era autorizado a tocar sua lança ou ocupar seu assento". Tenho dificuldade em acreditar que alguém tenha desenterrado uma lança pré-histórica com um aviso: "Visitante: favor não tocar", ou um trono completo com a inscrição: "Reservado para o Velho Homem".

Mas pode-se presumir que o escritor, que dificilmente assume estar apenas inventando coisas da própria cabeça, considerou como certo esse paralelo muito duvidoso entre o homem pré-histórico e o descivilizado. Pode ser que, em certas tribos selvagens, o chefe fosse chamado de Velho Homem e ninguém pudesse tocar sua lança ou ocupar seu assento. Pode ser que, nesses casos, ele estivesse cercado de terrores supersticiosos e ancestrais, ou, pelo que sei, ele poderia ser despótico e tirânico. Mas não há um grão de evidência de que o governo primitivo fosse realmente assim. A possibilidade existe, é claro, pois pode ter sido qualquer coisa ou coisa alguma; talvez nem tenha existido. Mas o despotismo em certas tribos bárbaras e decadentes no século XX não prova que os primeiros homens foram governados de modo ditatorial nem sequer o sugere. Nem fala sobre isso. Se existe um fato que podemos realmente provar a partir da história que conhecemos, é que o despotismo pode ser um desenvolvimento, em geral tardio e muitas vezes, sem dúvida, o fim de sociedades que haviam sido altamente democráticas. Pode quase ser definido como uma democracia cansada. À medida que a exaustão assola a comunidade, os cidadãos são menos inclinados a essa vigilância eterna que foi, de modo bem verdadeiro, chamada de *o preço da liberdade*, e eles preferem armar um único sentinela para vigiar a cidade enquanto dormem[56]. Também é verdade que eles às vezes precisavam do sentinela para alguma ação repentina e combativa de reforma; e que ele com frequência se aproveitava de sua força armada para ser um tirano como alguns dos Sultões do Oriente. Mas não vejo por que o Sultão deveria ter aparecido mais cedo na história do que muitas outras figuras humanas. Pelo contrário, é evidente que o homem forte armado depende da austeridade de sua armadura, e armamentos desse tipo vêm por meio de uma civilização mais complexa. Um homem pode matar vinte com uma metralhadora; obviamente, é menos provável que ele consiga fazê-lo com um pedaço de pederneira. Quanto ao dito atual sobre o homem mais forte governar pela força e pelo medo, trata-se apenas de um conto de fadas sobre um gigante com cem mãos. Vinte homens poderiam segurar o homem mais forte de qualquer sociedade, antiga ou moderna. Sem dúvida, eles poderiam admirar, em um sentido romântico e poético, o homem que era mesmo o mais forte, mas isso é outra coisa, tão somente íntegra e até mística como a admiração pelo mais puro ou mais sábio. Mas o espírito que suporta as triviais crueldades e os caprichos de um déspota estabelecido é o espírito de uma sociedade antiga, firmada e provavelmente tratada com aspereza, não é o espírito de uma nova. Como o próprio nome indica, o Velho Homem é o governante de uma velha humanidade.

É muito mais provável que uma sociedade primitiva fosse algo como uma pura democracia. Até hoje, as comunidades agrícolas mais simples são, de longe, as mais democratas. A democracia está sempre desconstruindo a complexidade da civilização. Quem optar, pode fazer essa afirmação dizendo que a democracia é inimiga da civilização. Mas deve se lembrar de que alguns de nós realmente preferem democracia à civilização, no sentido de preferir democracia à complexidade. De qualquer forma, os camponeses que cultivam sua própria terra em

56 Referência a Salmos 127:1. (N.T.)

lotes de tamanho aproximado e se reúnem sob uma árvore da vila para fazer uma votação direta são os homens que mais verdadeiramente se autogovernam. Sem dúvida, é tão provável quanto não que uma ideia simples assim tenha surgido na primeira condição de homens ainda mais simples. De fato, a visão despótica é exagerada, mesmo que não consideremos os homens como tal. Mesmo em uma suposição evolucionária do tipo mais materialista, não há realmente nenhuma razão para que os homens não tenham tido ao menos tanta camaradagem quanto ratos ou gralhas.

Liderança de algum tipo eles com certeza tinham, assim como os animais gregários, mas liderança não implica uma servidão cega como a atribuída aos supersticiosos súditos do Velho Homem. Sem dúvida, havia um corpo correspondente, para usar a expressão de Tennyson[57], ao corvo de muitos invernos que guia a colônia grasnando para casa. Mas imagino que, se essa venerável ave começasse agir ao modo de alguns sultões da antiga Ásia decadente, se tornaria uma colônia muito barulhenta e o corvo não veria mais tantos invernos. Pode-se observar, a esse respeito, que mesmo entre os animais parece haver algo mais respeitado que a selvageria, mesmo que seja só a familiaridade ou a experiência – entre os homens chamadas de tradição e sabedoria, respectivamente. Não sei se os corvos de fato seguem a hierarquia dos mais velhos, mas, se o fazem, certamente não estão seguindo o corvo mais forte. E eu sei, no caso humano, que se algum ritual ligado a ter mais idade mantém selvagens reverenciando alguém chamado Velho Homem, eles pelo menos não têm nossa passividade servil da adoração ao Homem Forte.

Pode-se dizer, então, que o governo primitivo, como a arte e a religião primitivas e tudo o mais, não é conhecido em sua totalidade; na verdade, é mais pressuposto, mas ao menos é um bom palpite sugerir

57 Lord Alfred Tennyson (1809-1892), poeta inglês considerado o principal representante da era vitoriana; sua poesia era caracterizada por variedade métrica, imaginário rico e melodias verbais. Definia-se como inclinado para o agnosticismo e para uma espécie de panteísmo. (N.T.)

que fosse tão popular quanto uma vila dos Bálcãs ou dos Pirineus quanto dizer que era tão excêntrico e secreto quanto um Conselho de Estado na Turquia otomana.

Tanto a democracia da montanha quanto o palácio oriental são modernos no sentido de ainda existirem – são algum tipo de desenvolvimento da história, mas, entre os dois, o palácio parece muito mais ser o resultado de um acúmulo e uma corrupção, enquanto a vila mostra ser realmente inalterada e primitiva. Mas minhas sugestões neste momento não vão além de expressar uma dúvida pertinente sobre o que é presumido nos dias de hoje. Acho interessante, por exemplo, que a história das instituições liberais tenha sido traçada, mesmo pelos modernos, voltando-se a Estados bárbaros ou subdesenvolvidos quando foi conveniente para apoiar alguma raça, nação ou filosofia. Assim, os Socialistas professam que seu ideal de propriedade coletiva já existia desde tempos muito remotos. Os Judeus se orgulham dos Jubileus ou das mais justas redistribuições sob sua lei antiga. Os Teutonistas[58] se vangloriavam de encontrar parlamentos e júris e outras coisas populares entre as tribos germânicas do norte. Os Celtófilos[59] e os que testemunharam os erros da Irlanda pleitearam uma justiça mais igualitária do sistema de clãs, a qual os chefes irlandeses presenciaram diante de Strongbow[60]. A força do argumento varia em cada caso, mas como há uma justificativa para todos eles, suspeito que exista alguma para a proposição geral de que instituições populares de algum tipo não eram nada incomuns em sociedades primitivas e rudimentares. Cada uma dessas distintas escolas estava fazendo o reconhecimento para provar alguma tese moderna; mas, tomadas em conjunto, sugerem uma verdade mais antiga e geral

58 O teutonismo é um sistema político que busca a homogeneidade absoluta das raças germânicas. (N.T.)

59 Amantes das coisas ligadas à cultura celta ou, mais especificamente, irlandesas. Chesterton dedica a eles o capítulo XIII, "Os celtas e os celtófilos", de sua obra clássica *Hereges*. (N.T.)

60 Alcunha de Richard Fitz Gilbert de Clare (1130-1176), nobre que desempenhou papel de liderança na invasão anglo-normanda à Irlanda. (N.T.)

– nos conselhos pré-históricos havia mais do que ferocidade e medo. Cada teórico tinha seu próprio machado para afiar, mas estava disposto a usar um machado de pedra; e ele ainda sugere que o machado de pedra possa ter sido tão republicano quanto a guilhotina.

Mas a verdade é que a cortina se levanta depois que a peça já começou. Em certo sentido, é um verdadeiro paradoxo que a história tenha começado antes do seu início. Mas não é o paradoxo irracional implícito na era pré-histórica, pois não a conhecemos. É muito provável que fosse extremamente parecida com a história que conhecemos, exceto no único detalhe que nos escapa. É, portanto, o exato oposto da pretensiosa história pré-histórica, que afirma seguir toda a trajetória de maneira consistente, da ameba ao antropoide e do antropoide ao agnóstico. Longe de ser uma questão de sabermos tudo sobre criaturas estranhas muito diferentes de nós, elas provavelmente devem ter sido pessoas muito parecidas conosco, o problema é que nada sabemos sobre elas. Em outras palavras, nossos registros mais antigos remontam apenas a uma época em que a humanidade já era humana e até civilizada há muito tempo. Os registros mais antigos que temos não apenas mencionam, mas consideram como fato a existência de reis, sacerdotes, príncipes e assembleias do povo; eles descrevem comunidades do mesmo modo como as reconhecemos. Algumas delas eram despóticas, mas não podemos dizer que sempre o foram. Outras podem já ser decadentes, e quase todas são mencionadas como se fossem antigas. Não sabemos o que de fato aconteceu no mundo antes desses registros, mas o pouco que conhecemos nos deixaria bem surpresos se entendêssemos que era muito parecido com o que acontece no mundo agora. Não haveria nada inconsistente ou confuso sobre a descoberta de que aquelas eras desconhecidas estavam cheias de repúblicas entrando em colapso sob monarquias e ressurgindo como repúblicas, impérios se expandindo; estabelecendo e perdendo colônias. Reinos voltando a se unificar em Estados mundiais e em seguida se fracionando em pequenas nacionalidades, classes se vendendo como escravas e marchando novamente para a liberdade – toda aquela procissão da Humanidade que pode ou não ser um progresso, mas é certamente um romance. No entanto, os primeiros capítulos foram arrancados do livro e nunca os leremos.

É assim também com a concepção mais específica sobre evolução e estabilidade social. De acordo com os registros reais disponíveis, barbárie e civilização não foram estados sucessivos no progresso do mundo. Eram condições que coexistiam, como ainda ocorre até hoje. Havia civilizações antes como existem agora; há selvagens agora como já havia antes. Sugere-se que todos os homens passaram por um estágio nômade, mas é certo que alguns nunca passaram desse estado, e não parece improvável que outros que nunca o tenham sido. É viável que desde tempos muito primitivos o agricultor seguro e o pastor errante fossem dois homens distintos, e a reorganização cronológica deles é apenas uma marca dessa mania por estágios progressivos que deturpou muito a história. Sugere-se que tenha havido uma fase comunista, na qual a propriedade privada era desconhecida em qualquer parte, uma humanidade inteira vivendo na negação da propriedade, mas as próprias evidências dessa negação são bastante negativas. As redistribuições, jubileus e leis agrárias ocorrem em vários intervalos e de várias formas, mas que a humanidade tenha inevitavelmente passado por um estágio comunista parece tão duvidoso quanto a proposição de que a humanidade um dia retornará a ele. É muitíssimo interessante como evidência que os planos mais ousados para o futuro invoquem a autoridade do passado e que mesmo um revolucionário procure se convencer de que ele também seja um reacionário. Há um exemplo cômico parecido no caso do feminismo. Apesar de todas as tagarelices pseudocientíficas sobre o casamento por rapto e o homem das cavernas batendo na mulher com um tacape, pode-se notar que, assim que o feminismo se tornou um clamor da moda, ele insistiu que a civilização humana, em seu primeiro estágio, foi um matriarcado. Aparentemente, era a mulher das cavernas que carregava o tacape.

Em qualquer caso, todas essas ideias são um pouco melhores do que suposições; curiosamente, parecem seguir o mesmo destino das teorias e modismos modernos. De qualquer forma, não se constituem história no sentido de registro; e podemos repetir que, quando se trata de registrar, a grande verdade é que a barbárie e a civilização sempre coexistiram no mundo: a civilização às vezes se espalhando para domar os bárbaros, às vezes decaindo em relativa barbárie, e, em quase todos os casos, fazendo melhor uso de certas ideias e instituições que os bárbaros tratam de forma mais rudimentar, tais como governo ou autoridade social, as artes, especialmente as artes decorativas, mistérios e vários tabus, especialmente no que diz respeito ao sexo, e alguma forma daquela matéria fundamental que é o ponto principal dessa investigação: o que chamamos de religião.

Assim, o Egito e a Babilônia, esses dois monstros primitivos, com certeza poderiam ser apresentados como exemplos no tocante a esse assunto. São praticamente modelos que servem para mostrar como essas teorias modernas não funcionam. As duas grandes verdades que conhecemos sobre essas grandes culturas contradizem totalmente as duas falácias atuais que acabamos de considerar. A história do Egito pode ter sido inventada para apontar a máxima de que o homem não começou necessariamente com o despotismo por ser bárbaro, mas muitas vezes encontrou o caminho para o despotismo por ser civilizado. O homem o encontra porque é experiente ou está exausto, o que em geral significa a mesma coisa. E a história da Babilônia pode ter sido criada para apontar a máxima de que o homem não precisa ser nômade ou comunista antes de se tornar um camponês ou cidadão, e que essas culturas nem sempre estão em sequência, mas frequentemente em estados contemporâneos. Mesmo referindo-nos a essas grandes civilizações com as quais nossa história começa, nos sentimos tentados, é claro, a escrevê-la de forma muito complexa ou vangloriosa. Podemos ler os tijolos da Babilônia de um jeito muito diferente do qual deciframos as pedras com entalhes de Copa e Anel[61]; e dizemos sem hesitar o que significam os animais no hieróglifo egípcio assim como nada sabemos sobre o animal na caverna neolítica. Mas mesmo aqui os admiráveis arqueólogos que decifraram linha após linha de quilômetros de hieróglifos podem ser tentados a ler demais nas entrelinhas - até a verdadeira autoridade sobre a Babilônia pode esquecer quão raso é seu conhecimento conquistado com tanto esforço; pode esquecer que a Babilônia lhe ergueu apenas meio tijolo, embora ainda seja melhor do que nenhum cuneiforme. Mas algumas verdades, históricas e não pré-históricas, dogmáticas e não evolutivas, fatos e não fantasias, realmente emergem do Egito e da Babilônia, e essas duas verdades estão entre elas.

O Egito é uma faixa verde ao longo do rio, cercando o vazio vermelho-escuro do deserto. É um provérbio - e um dos mais antigos - criado pela generosidade enigmática e pela benevolência quase sinistra do Nilo. Quando ouvimos falar dos egípcios pela primeira vez, eles viviam em aldeias à beira do rio, em comunidades pequenas e separadas, mas cooperativas, ao longo da margem do Nilo. Onde o rio se ramificava no amplo Delta, tradicionalmente havia o começo de um distrito ou povo um tanto diferente - mas isso não precisa complicar a verdade principal. Esses povos quase independentes, embora interdependentes, já eram consideravelmente civilizados. Eles tinham uma espécie de heráldica, isto é, arte decorativa usada para fins simbólicos e sociais; cada um navegava no Nilo sob sua própria bandeira representando algum pássaro ou animal. A heráldica envolve duas coisas de enorme importância para

61 Os tijolos mais famosos da Babilônia são os que trazem o nome do imperador Nabucodonosor II (c. 605 a.C.), usados para a construção do palácio real. As pedras com entalhes, também chamadas de petroglifos ou arte em pedra, são designações genéricas para descrever traçados não lineares esculpidos de arte pré-histórica. São encontradas em todos os continentes, formadas normalmente por círculos concêntricos (os anéis) e por pequenas depressões côncavas (as copas ou taças). (N.T.)

a humanidade normal; a combinação de ambas resulta em uma atitude nobre chamada cooperação, sobre a qual repousam todos os camponeses e povos que são livres. A arte da heráldica significa independência: uma imagem escolhida pela imaginação para expressar a individualidade. A ciência da heráldica significa interdependência: um acordo entre diferentes grupos para reconhecer imagens diferentes – uma ciência da imagem. Temos aqui, portanto, exatamente esse compromisso de cooperação entre famílias ou grupos livres, o qual é o modo de vida mais normal para a humanidade e é particularmente visível onde quer que os homens possuam a própria terra e vivam nela.

Com a simples menção da imagem de pássaro ou de animal, o estudante de mitologia murmura a palavra "totem" quase durante o sono. Mas, em minha opinião, muitos dos problemas surgem de seu hábito de dizer essas palavras como se estivesse dormindo. Ao longo deste esboço simples, fiz uma tentativa necessariamente falha de observar o interior e não o exterior de tais coisas – considerá-las sempre que possível em termos de pensamento e não apenas em terminologia. Há muito pouco valor em falar sobre totens, a menos que tenhamos alguma noção do que realmente era ter um totem. Considerando que eles tinham totens e nós não temos totens: era porque eles tinham mais medo de animais ou mais familiaridade com eles? Um homem cujo totem era um lobo se sentia como um lobisomem ou como um homem fugindo de um lobisomem? Ele se sentia como o tio Remus em relação ao Brer Wolf[62] ou como São Francisco com respeito a seu irmão lobo, ou como Mogli com respeito a seus irmãos lobos? Um totem era parecido com o leão ou com o buldogue britânico? O culto a um totem era como o sentimento dos negros em relação a Mumbo Jumbo ou de

62 Tio Remus é personagem e narrador de uma coleção de contos de negros sulistas americanos compilada por Joel Chandler Harris (1848-1908). Br'er (contração de *Brother*, "irmão") Rabbit (coelho), outro personagem dos contos, era um espertalhão que provocava as autoridades. Chesterton aqui o transformou em Wolf (lobo) e usou uma contração inglesa. (N.T.)

crianças sobre o Jumbo[63]? Nunca li nenhum livro de folclore, por mais que abordasse, que me desse uma luz sobre essa questão, que acho de longe a mais importante. Vou me limitar a repetir que as comunidades egípcias mais antigas tinham um entendimento comum sobre as imagens que representavam sua posição individual, e esse intercâmbio é pré-histórico, pois já estava lá no início da história. Mas, à medida que a história se desdobra, a comunicação se torna claramente a principal questão dessas comunidades ribeirinhas.

Com a necessidade de comunicação, vem a necessidade de um governo unificado, com a nobreza auspiciosa e a visão predominante do rei. A outra força de união além do rei, e talvez mais antiga, é o sacerdócio, que provavelmente tem ainda mais relação com esses símbolos e sinais ritualísticos pelos quais os homens se comunicam. E ali no Egito talvez tenha surgido a invenção basilar e, com certeza, emblemática que rege toda a história, e toda a diferença entre o histórico e o pré-histórico: o manuscrito arquetípico, a arte de escrever.

As imagens desses impérios primitivos não são tão populares quanto poderiam. São carregadas de uma melancolia desmedida, mais do que a tristeza normal e até saudável dos homens pagãos. Fazem parte do mesmo tipo de pessimismo secreto que adora fazer do homem primitivo uma criatura rastejante, de corpo imundo e alma fraca. É claro que isso resulta do fato de os homens serem mais motivados por sua religião, especialmente quando é herege. Para eles, qualquer coisa primária e elementar deve ser má. Mas é a curiosa consequência de que, embora tenhamos sido inundados com as experiências mais desenfreadas do romance primitivo, todas elas perderam sua essência original. Elas descreveram cenas totalmente imaginárias, nas quais os homens da

63 Mumbo Jumbo deriva de uma palavra africana que designa um dançarino mascarado que participava de cerimônias religiosas. No século XVIII, passou a designar um deus da África Ocidental. Jumbo, conhecido como o maior elefante do mundo (1861-1885), foi atração em Londres desde 1865, indo, em 1882, para a América. Inspirou o personagem principal de *Dumbo*, da Disney, e o apelido do Boeing 747. (N.T.)

Idade da Pedra são estátuas ambulantes, em que assírios ou egípcios são tão densos ou tão pintados quanto sua arte mais arcaica. Mas nenhum desses criadores de cenas imaginárias tentou imaginar como deve ter realmente sido ver essas coisas que consideramos familiares como se fossem novas. Eles não viram um homem descobrindo o fogo como uma criança que vê fogos de artifício pela primeira vez, ou brincando com a maravilhosa invenção chamada roda como um garoto que monta uma estação de telégrafo sem fio. Eles nunca descreveram a juventude do mundo de uma forma deveras juvenil. Segue-se que, em meio a todas as suas fantasias primitivas ou pré-históricas, não há piadas. Não há nem piadas objetivas, relacionadas às invenções práticas. E isso fica bem claro no caso particular dos hieróglifos, pois ao que tudo indica, toda a elevada arte humana da escritura ou da escrita começou com uma piada.

Há quem ensine com pesar que parece ter começado com um trocadilho. O rei ou os sacerdotes ou algumas pessoas responsáveis, desejando enviar uma mensagem pelo rio naquele território tortuoso, tiveram a ideia de enviá-la em uma escrita pictográfica, igual àquela dos peles-vermelhas. Como a maioria das pessoas que escrevem mensagens pictográficas por diversão, ele descobriu que as palavras nem sempre se adequavam. Mas quando a palavra para *impostos* soou como a palavra para *porco*, ele corajosamente colocou um porco como um trocadilho ruim e arriscou. Assim, um hieroglifista moderno pode representar "vespa" por desenhar sem escrúpulos repetidas vezes a letra V seguidas do desenho de uma pá. Foi muito bom para os faraós e deveria ser para ele também. Mas deve ter sido muito divertido escrever ou mesmo ler as mensagens quando tudo era uma novidade. E se as pessoas forem escrever romances sobre o Egito antigo (já que nem orações, lágrimas ou maldições podem impedi-las desse hábito), adianto que cenas como essa representam os antigos egípcios como seres humanos. Sugiro que alguém descreva a cena do grande monarca sentado entre seus sacerdotes, e todos rindo às gargalhadas e o bombardeando com sugestões, à medida que os trocadilhos reais se tornavam cada vez mais mirabolantes e absurdos. Poderia haver outra cena animada quase igual para decifrar esse código, com suposições, pistas e descobertas, com toda a ambientação de um *thriller*.

É assim que o romance e a história primitivos devem, de fato, ser escritos. Qualquer que fosse a natureza da vida religiosa ou moral de épocas remotas – provavelmente muito mais humana do que se supõe –, o interesse científico a respeito de tal época deve ter sido intenso. As palavras devem ter sido mais prodigiosas que a telegrafia sem fio, e experimentos com coisas comuns, como circuitos elétricos. Ainda estamos esperando alguém escrever uma história empolgante da vida primitiva. Esse ponto é, em certo sentido, um parêntese aqui, mas está ligado à questão geral do desenvolvimento político por meio da instituição mais ativa nesse primeiro e mais fascinante de todos os contos de fadas da ciência.

Admite-se que a maior parte dessa ciência deve-se aos sacerdotes. Escritores modernos como o sr. Wells não podem ser acusados de nenhuma antipatia por uma hierarquia pontificial, mas pelo menos concordam em reconhecer o que os sacerdócios pagãos fizeram pelas artes e pelas ciências. Entre os mais ignorantes dos esclarecidos, havia de fato uma convenção – diziam que os sacerdotes obstruíram o progresso em todas as épocas, e um político me disse certa vez, em um debate, que eu estava resistindo às reformas modernas como algum sacerdote antigo talvez tenha sido contra a descoberta da roda. Afirmei, em resposta, que era muito mais provável que o sacerdote antigo tenha descoberto a roda.

É bem possível que o sacerdote antigo tenha muito a ver com a descoberta da arte de escrever. É bastante óbvio no fato de que a própria palavra *hieróglifo* se assemelhe à palavra *hierarquia*. A religião desses sacerdotes era aparentemente um politeísmo meio confuso de um tipo que é descrito com mais detalhes em outros lugares. Atravessou um período em que cooperou com o rei, outro em que foi por um tempo destruído pelo rei, que por acaso era um príncipe com um teísmo particular próprio, e um terceiro período em que praticamente tomou o lugar do rei. Mas o mundo tem de agradecê-lo por muitas coisas que considera comuns e necessárias: e os criadores dessas coisas merecem de fato um lugar entre os heróis da humanidade. Se estivéssemos tranquilos em um paganismo real, em vez de reagir irracionalmente ao cristianismo, poderíamos prestar algum tipo de honra pagã a esses anônimos criadores da humanidade. Deveríamos ter reverenciado estátuas do homem que encontrou fogo pela primeira vez ou do homem que construiu o primeiro barco ou o primeiro homem que domou um cavalo. E haveria mais sentido em lhes trazermos ornamentos ou sacrifícios do que em profanar nossas cidades com monumentos populares de políticos e filantropos antiquados. Mas uma das marcas surpreendentes da força do cristianismo é que, desde que surgiu, nenhum pagão em nossa civilização foi capaz de ser realmente humano.

No entanto, a questão é que o governo egípcio, seja pontifício, seja da realeza, achou cada vez mais necessário estabelecer a comunicação; mas sempre com algum elemento de coerção. Não é necessariamente absurdo que o Estado se tornou mais despótico à medida que ficou mais civilizado; é discutível que ele tenha crescido mais despótico para crescer mais civilizado. Esse é o argumento da autocracia em todas as eras, e o interesse é esclarecê-lo desde a era mais antiga. Mas, de modo enfático, não é verdade que tenha sido mais despótico nas primeiras eras e tenha se tornado mais liberal em eras posteriores; o decurso real da história é exatamente o contrário. Não é verdade que a tribo tenha começado no extremo terror do Velho Homem, de seu trono e de sua lança; é provável, pelo menos no Egito, que o Velho Homem fosse um Novo Homem armado para enfrentar novas adversidades. Sua lança cresceu mais e mais e seu trono se tornou mais e mais alto, à medida que o Egito se transformava em uma civilização complexa e completa. É isso o que quero dizer com a história do território egípcio ser a narrativa da terra; e nega diretamente a suposição banal de que o terrorismo só pode aparecer no começo e não no fim. Não sabemos qual foi a primeira condição do amálgama quase feudal de proprietários de terra, camponeses e escravos nas pequenas comunidades ao longo do Nilo, mas pode ter sido um campesinato ainda mais popular. Sabemos que por meio da experiência e da educação pequenas comunidades perderam a liberdade; que a soberania absoluta não é apenas antiga, mas relativamente moderna; e é no final do caminho chamado progresso que os homens retornam ao rei.

O Egito mostrou, naquele breve registro de suas origens mais remotas, o principal problema de liberdade e civilização – os homens de fato se privam da diversidade por causa da complexidade. Não resolvemos o problema de um jeito melhor do que eles, mas é vulgarizar a dignidade humana do próprio problema sugerir que até a tirania tivesse razão, exceto no terror tribal. E, assim como o exemplo egípcio refuta a falácia sobre despotismo e civilização, o exemplo babilônico nega a mentira sobre civilização e barbárie.

Também ouvimos sobre a Babilônia pela primeira vez quando ela já era civilizada – pela simples razão de que não podemos ouvir nada a respeito até que fosse erudita o suficiente para ser comentada. Ela fala sobre o que chamamos de cuneiforme, aquele simbolismo triangular estranho e fixo que contrasta com o pitoresco alfabeto do Egito. Por mais que a arte egípcia seja um tanto rígida, sempre há algo diferente do espírito babilônico, que era rigoroso demais para ter qualquer arte. Há sempre uma graça viva nas linhas do lótus e algo ligeiro, mas restrito, no movimento das flechas e dos pássaros. Talvez lembre algo da curva contida, mas viva, do rio, que nos faz falar da serpente do antigo Nilo e quase vê-la rastejar no curso das águas. Babilônia era uma civilização de diagramas, e não de desenhos.

W. B. Yeats[64], cuja imaginação histórica se combina à mitológica (e, de fato, a primeira é impossível sem a segunda), escreveu de modo acertado sobre os homens que observavam as estrelas "de sua pedante Babilônia". O cuneiforme era cortado em tijolos, com os quais toda a sua arquitetura foi edificada; os tijolos eram de barro cozido, e talvez o material não permitisse o sentido da forma em se desenvolver em escultura ou relevo. A civilização deles era estável, mas científica, muito avançada na rotina da vida doméstica e, de certa forma, muitíssimo moderna. Dizem que eles guardavam muito do culto moderno do mais elevado grau de celibato e legitimaram uma classe oficial de mulheres trabalhadoras independentes. Talvez haja algo naquela poderosa fortaleza de barro semelhante à funcionalidade de uma enorme colmeia. Mas, apesar de imensa, era humana; com muitos dos mesmos problemas sociais presentes no Egito antigo ou na Inglaterra moderna, e, quaisquer que fossem seus males, essa também foi uma das primeiras obras-primas do homem. Ficou, é claro, no triângulo formado pelos quase lendários rios Tigre e Eufrates, e a vasta agricultura de seu império, da qual dependiam suas cidades, foi aperfeiçoada por um sistema altamente tecnológico de canais. Por tradição, tinha uma vida intelectual de alto nível, embora mais filosófica que artística; e presidem sua fundação primordial aquelas figuras que sustentaram a sabedoria astronômica da antiguidade, os professores de Abraão: os Caldeus.

Contra essa sociedade sólida – como uma vasta e visível parede de tijolos – surgiram, era após era, os exércitos sem nome dos Nômades. Eles saíram dos desertos onde havia vida nômade desde o começo e ainda existe até hoje. É desnecessário insistir nesse modo de viver; era bastante óbvio e até fácil seguir uma manada ou um rebanho que geralmente encontrava o próprio lugar de pastagens e viver com o leite

64 William Butler Yeats (1865-1939), poeta irlandês, considerado um dos maiores do século XX, prêmio Nobel de literatura em 1923. (N.T.)

ou a carne que fornecia. Tampouco há razão para duvidar de que essa rotina funcionasse com quase tudo que não fosse um lar. Muitos desses pastores ou homens de rebanho podem ter falado nos mais antigos tempos de todas as verdades e enigmas do livro de Jó; e, dentre esses, saíram Abraão e seus filhos, que deram ao mundo moderno, para um enigma sem-fim, o monoteísmo quase monomaníaco dos judeus. Eram um povo selvagem, sem noção de organização social complexa, e um espírito, vindo como o vento[65], os fez guerrear contra aquela sociedade várias vezes. A história da Babilônia é, em grande parte, a história de sua defesa contra as hordas do deserto, que surgiam em sabidos intervalos de um ou dois séculos e geralmente recuavam tão logo vinham. Alguns dizem que uma mistura de invasões nômades edificou em Nínive o arrogante reino dos Assírios, o qual esculpiu grandes monstros em seus templos, touros barbudos com asas como querubins e enviou muitos conquistadores militares que pisotearam e marcaram o mundo como se tivessem cascos colossais. A Assíria era um interlúdio imperial, mas acabou sendo um hiato. A história principal envolvendo aquela terra é a guerra entre os povos errantes e um Estado mais do que estabelecido. Presume-se que nos tempos pré-históricos, e, com certeza, nos tempos históricos, esses andarilhos dirigiram-se para o oeste a fim de arruinar o que pudessem encontrar. A última vez que vieram, encontraram uma Babilônia apagada; mas isso foi em tempos históricos e o nome de seu líder era Maomé.

Agora vale a pena fazer uma pausa nesse relato porque, como foi sugerido, contradiz totalmente a impressão ainda atual de que o nomadismo é apenas algo pré-histórico e o estabelecimento social é recente. Nada mostra que os babilônios tenham vagado em algum momento; há poucas evidências de que as tribos do deserto tenham se assentado em algum período. De fato, é provável que essa noção de uma fase nômade

65 Referência a João 3:8 (N.T.).

seguida por uma fase estável já tenha sido abandonada pelos estudiosos honestos e fidedignos a cujas pesquisas todos devemos tanto. Mas não estou em debate neste livro com eles, e sim com uma vasta e vaga opinião pública que se espalhou prematuramente a partir de certas investigações falhas e que transformou em tendência uma noção falsa de toda a história da humanidade. É toda a vaga noção de que um macaco evoluiu para um homem e, da mesma forma, um bárbaro evoluiu para um homem civilizado e, portanto, em todos os estágios, temos de voltar-nos para a barbárie e avançar para a civilização. Infelizmente, essa noção está, em um duplo sentido, inteiramente no ar. É uma atmosfera na qual os homens vivem, e não uma tese que defendem. Os homens com esse humor aceitam com mais facilidade objetos do que teorias como resposta, e será bom que alguém propenso a fazer essa suposição, em alguma rodada trivial de conversa ou por escrito, detenha-se por um momento, feche os olhos e veja por instantes, vasta e vagamente cheia de pessoas, como um precipício lotado, a maravilha da muralha da Babilônia.

Um fato decerto incide sobre nós como a sombra da muralha. Nossos vislumbres de ambos os primitivos impérios mostram que a primeira relação doméstica havia sido complicada por algo menos humano, mas muitas vezes considerado igualmente doméstico. O gigante sombrio chamado Escravidão havia sido invocado como um gênio e trabalhava em obras gigantescas de tijolo e pedra. Aqui, uma vez mais, não devemos afirmar com muita certeza que a barbárie ficou para trás – na questão da alforria, a servidão anterior parece, de certa forma, mais liberal do que a posterior; talvez mais liberal do que a servidão do futuro. Garantir alimento para a humanidade forçando parte dela a trabalhar era, ao fim das contas, um expediente muito humano; é provável que, por isso, será aplicado novamente.

Mas, em certo sentido, há um significado na antiga escravidão. Representa um fato fundamental sobre toda a antiguidade antes de Cristo;

a ser assumido do princípio ao fim. É a insignificância do indivíduo perante o Estado. Isso era tão verdadeiro para a Cidade-Estado mais democrática da Hélade[66] quanto para qualquer despotismo da Babilônia. Um dos sinais dessa consciência é que toda uma classe de indivíduos possa ser insignificante ou até invisível. Devia ser normal, pois era necessário para o que agora seria chamado de "assistência social". Alguém disse: "O Homem não é nada e o Trabalho é tudo"[67], o que significa um lugar-comum e alegre de Carlyle[68]. Esse era o lema sinistro do Estado Servil pagão. Nesse sentido, há verdade na visão tradicional de vastos pilares e pirâmides subindo sob aqueles céus infinitos graças ao trabalho de inumeráveis e anônimos homens, trabalhando como formigas e morrendo como moscas, exterminados pelo trabalho das próprias mãos.

Mas há duas outras razões para começar com os dois pontos determinantes do Egito e da Babilônia. Por um lado, eles fazem parte da tradição como os modelos da antiguidade; e a história sem tradição está morta. Babilônia ainda é o fardo de uma rima infantil[69], e Egito (com sua longa dinastia de princesas aguardando reencarnação) ainda é o tema de um sem-número de romances. Mas uma tradição é, em geral, uma verdade, desde que seja popular o bastante, mesmo que seja quase vulgar. E há um significado nesse elemento babilônico e egípcio em rimas infantis e em romances; até os jornais, normalmente muito atrasados, já chegaram ao reinado de Tutancâmon.

---

66 A forma latinizada "Grécia" passou a ser usada após a conquista do país pelos romanos no século III a.C. "Grego" seria um termo pejorativo para "escravo". Hélade é o nome oficial do país (*Hellas*, em grego), de onde vêm os termos helênico, helenização, helenismo. (N.T.)

67 Excerto de uma carta de Gustave Flaubert para George Sand, o qual é citado também por Sherlock Holmes, o detetive criado por Arthun Conan Doyle, no parágrafo final da história "Liga dos Cabeças Vermelhas". (N.T.)

68 Thomas Carlyle (1795-1881), historiador e ensaísta escocês, considerava a história como "Escritura Divina", que deveria ser interpretada pelo viés da vida de seus heróis e líderes. (N.T.)

69 Chesterton se refere à canção infantil em inglês, com origem, talvez, no tempo das Cruzadas, "How many miles to Babylon" [Quantas milhas até a Babilônia]. A versão escocesa da canção é que traz a rima de "Babylon" com "Cantelon". (N.T.)

A primeira razão é fundamentada no senso comum da lenda popular: é o simples fato de conhecermos mais as coisas tradicionais do que outras contemporâneas, e sempre fizemos assim. Todos os viajantes, de Heródoto a Lorde Carnarvon[70], seguem essa rota. As especulações científicas de hoje, sem dúvida, estão disseminadas em um mapa de todo o mundo primitivo, com fluxos de emigração ou mistura racial identificados por linhas pontilhadas em todos os lugares, até mesmo sobre espaços que o cartógrafo medieval não científico se contentaria em chamar de "Terra incógnita", se não preenchesse o convidativo espaço em branco com a imagem de um dragão para indicar a provável recepção dada aos peregrinos. Mas são apenas especulações, na melhor das hipóteses; e, na pior das hipóteses, as linhas pontilhadas podem ser muito mais fabulosas que o dragão.

Infelizmente, há uma falácia aqui, na qual é muito fácil os homens caírem, mesmo os mais inteligentes e até os mais espertos: supor que, se uma ideia é maior no sentido de mais ampla, também é melhor no sentido de ser mais fundamental, consolidada e certa. Se um homem vive sozinho em uma cabana de palha no meio do Tibete, podemos dizer que ele está vivendo no Império Chinês; e o Império Chinês é certamente algo esplêndido, abrangente e impressionante. Ou, como alternativa, pode ser dito que ele faz parte do Império Britânico e ficarmos igualmente impressionados. Mas o curioso é que, em certas condições mentais, ele pode se sentir tão convicto sobre o Império Chinês que não pode ver além da cabana de palha que sua visão alcança. Sua mente faz algum estranho malabarismo mágico pelo qual seu argumento começa com o império, embora sua experiência comece com a cabana. Às vezes, ele enlouquece e parece querer provar que

70 Heródoto (485 a.C.-425 a.C.), historiador grego, é chamado de "Pai da História" por ter sido o pioneiro a estudar de modo ordenado e objetivo as inter-relações entre eventos históricos. George Edward Stanhope Molyneux Herbert, 5º Conde de Carnarvon (1866-1923), mais conhecido como Lorde Carnarvon, financiou a conhecida expedição liderada por Howard Carter que resultou na descoberta da tumba do faraó Tutancâmon em 1922. (N.T.)

uma cabana de palha não pode existir sob os domínios do Trono do Dragão, que é impossível para uma civilização que ele admira conter um casebre no qual ele habita. Mas essa insanidade surge do deslize intelectual de supor que, como a China é uma hipótese ampla e todo-abrangente, ela é, portanto, mais do que uma hipótese. Hoje as pessoas modernas estão sempre discutindo dessa maneira, e elas usam o mesmo raciocínio para coisas muito menos reais e certas do que o Império Chinês. Elas parecem esquecer, por exemplo, que um homem pode não ter certeza do Sistema Solar tanto quanto afirma a existência das South Downs[71]. O Sistema Solar é um silogismo e, sem dúvida, verdadeiro, mas muito vasto e extenso e, portanto, ele esquece que é uma completa dedução e a trata como um princípio fundamental. Ele pode descobrir que todo o cálculo é incorreto, e assim, o Sol, as estrelas e as lâmpadas das ruas teriam exatamente a mesma aparência. Mas ele esqueceu que isso é apenas um cálculo, e está quase a ponto de negar o Sol se este não fizer parte do Sistema Solar. Se isso é uma falácia, mesmo no caso de fatos tão estudados, como o Sistema Solar e o Império Chinês, é uma falácia ainda mais devastadora em relação às teorias e outras coisas que não são realmente bem investigadas. Assim, a história, especialmente a pré-histórica, tem o péssimo hábito de começar com certas generalizações sobre raças. Não vou mencionar a confusão e a desconfiança que essa inversão causou na política moderna. Como se supõe, de modo vago, que a raça tenha gerado a nação, os homens falam como se a nação fosse algo mais indefinido que a raça. Como eles mesmos criaram uma razão para explicar um resultado, quase o negam a fim de justificá-la. Eles primeiro tratam um celta como um axioma e depois tratam um irlandês como uma inferência[72]. E, então, ficam

71 Cordilheira de colinas calcárias de cerca de 670 quilômetros quadrados na região costeira da Inglaterra. (N.T.)

72 O termo "celtas" designa um povo indo-europeu que, nos tempos pré-romanos, habitou a Gália, a Espanha e outras partes da Europa Central e Ocidental. Aplica-se também aos modernos irlandeses, entre outros povos. (N.T.)

surpresos que um irlandês grandão e marrento esteja com raiva de ser tratado como uma inferência. Eles não conseguem ver que os irlandeses têm identidade própria, sendo eles celtas ou não, tenham havido celtas ou não. E o que os ilude mais uma vez é dimensão da teoria, a sensação de que a fantasia é maior que o fato. Uma grande raça celta dispersa deve conter os irlandeses; portanto, é claro que os irlandeses devem depender disso para sua existência. A mesma confusão, é claro, eliminou os ingleses e os alemães por incorporá-los à raça teutônica; e alguns tentaram provar, a partir do fato das raças serem unas, que as nações não poderiam estar em guerra.

Mas apenas dou, de passagem, esses exemplos vulgares e banais como exemplos mais familiares da falácia; o assunto em questão aqui não é sua aplicação a essas coisas modernas, mas às mais antigas. Porém, quanto mais remoto e sem registro era o problema racial, mais firme era essa curiosa certeza invertida no cientista vitoriano. Até hoje, questionar essas coisas, que foram apenas as últimas inferências de um homem que adota essas tradições científicas e as transformou em princípios fundamentais, causa o mesmo tipo de choque. Ele está mais certo de ser ariano do que anglo-saxão, assim como está mais certo de ser anglo-saxão do que inglês. Ele nunca soube se realmente é europeu, mas nunca duvidou ser um indo-europeu. Essas teorias vitorianas mudaram bastante em sua forma e em seu escopo, mas esse hábito de transformar a hipótese rapidamente em teoria, e uma teoria em opinião, ainda não saiu de moda. As pessoas não podem se livrar facilmente da confusão mental de sentir que os fundamentos da história com certeza devem ser reais; que os primeiros passos devem ser seguros; que a maior generalização deve ser óbvia. Mas, embora a contradição possa lhes parecer um paradoxo, é exatamente o contrário da verdade. O maior de tudo é secreto e invisível; o detalhe é evidente e enorme.

Toda raça na face da terra foi objeto dessas especulações, e é impossível sequer sugerir um esboço do assunto. Mas se considerarmos apenas a raça europeia e sua história, ou melhor, sua pré-história, elas passaram por muitas revoluções retrospectivas no curto período de minha própria vida. Antes era chamada de raça caucasiana; e li na infância um relato de sua colisão com a raça mongol que foi escrito por Bret Harte[73] e iniciado com a pergunta: "O caucasiano foi excluído?". Aparentemente, sim, pois em muito pouco tempo se transformou no homem indo-europeu; às vezes, lamento dizer, orgulhosamente apresentado como homem indo-germânico. Parece que o hindu e o alemão têm palavras semelhantes para mãe ou pai; havia outras semelhanças entre sânscrito e várias línguas ocidentais, e, com isso, todas as diferenças superficiais entre um hindu e um alemão pareciam logo desaparecer. De modo geral, essa pessoa híbrida era descrita de forma mais conveniente como o ariano, e o ponto mais importante era que ele havia marchado para o oeste saindo daquelas terras altas da Índia, onde traços de sua língua ainda podiam ser encontrados. Ao ler isso quando criança, tive a ideia de que, afinal, o ariano não precisava marchar para o Oeste e deixar sua língua para trás; ele também podia ter marchado para o Leste e levado seu idioma. Se eu fosse ler isso agora, deveria me resignar em confessar minha ignorância total sobre o assunto. Mas, na verdade, tenho grande dificuldade em entendê-lo hoje, porque não foi escrito agora. Parece que o ariano também foi descartado. De qualquer forma, ele não apenas mudou de nome, mas de endereço, de ponto de partida e de itinerário. Uma nova teoria sustenta que nossa raça não chegou a seu lar atual vinda do Leste, mas do Sul. Alguns dizem que os europeus não vieram da Ásia, mas da África. Outros chegaram a ter a ousada ideia de que os europeus vieram da Europa; ou melhor, de que eles nunca a deixaram. Assim, há certa quantidade de evidências de uma pressão mais ou menos pré-histórica vinda do Norte, como a que

73 Bret Harte (1836-1902), humorista, crítico, ensaísta e escritor americano. A citação é o sexto e o último versos de seu poema "Further Language from Truthful James" [Estilo adicional do sincero Tiago], escrito em 1870. (N.T.)

parece ter levado os gregos a herdar a cultura cretense e, muitas vezes, trouxe os gauleses das colinas para os campos na Itália.

Mas mencionei esse exemplo da etnologia europeia somente para apontar que os eruditos terminaram no ponto em que tinham começado nessa época; e eu, que não sou um dos eruditos, não posso fingir por um momento decidir onde esses doutores discordam. Posso apenas usar meu próprio senso comum, e às vezes imagino que o deles esteja um pouco enferrujado por falta de uso. O primeiro ato de bom senso é reconhecer a diferença entre uma nuvem e uma montanha. E afirmo que ninguém sabe nada sobre isso, da mesma forma que todos sabemos da existência das Pirâmides do Egito.

Pode-se repetir que a verdade é o que realmente vemos, e não o que podemos adivinhar – nessa fase inicial da história há trevas cobrindo a terra e grandes trevas sobre povos, com uma ou duas luzes brilhando aqui e ali em alguns *flashes* de humanidade; e que duas dessas chamas queimam nas altas cidades primitivas: nos altos terraços da Babilônia e nas enormes pirâmides do Nilo. De fato, existem outras luzes antigas, ou que podem ser consideradas longínquas, em partes muito remotas daquele vasto deserto da noite. Muito longe, a leste, há uma elevada civilização milenar na China; existem vestígios de civilizações no México, na América do Sul e em outros lugares, algumas delas aparentemente tão evoluídas que criaram os mais refinados rituais de adoração ao diabo. Mas a diferença está no elemento da antiga tradição; a tradição dessas culturas perdidas foi rompida, e, embora a da China ainda viva, não a conhecemos de verdade. Além disso, um homem que tenta medir a antiguidade chinesa precisa usar parâmetros culturais chineses – e ter a estranha sensação de passar para outro mundo, sob outras leis do tempo e do espaço. O tempo é telescópico para o exterior, e os séculos assumem o movimento lento e rígido dos éons; o homem branco tentando vê-lo com o olhar do homem amarelo sente sua cabeça girar e se pergunta sem querer se não está crescendo nela um rabo de cavalo. De qualquer maneira, ele não pode entender, no sentido científico, a esquisita perspectiva que leva ao templo primitivo do primeiro dos Filhos do Céu[74]. Ele é o verdadeiro antípoda, o único mundo alternativo verdadeiro para a cristandade, e está seguindo uma moda de andar de cabeça para baixo. Eu falei do cartógrafo medieval e seu dragão, mas que viajante medieval, por mais interessado em monstros que fosse, esperaria encontrar um país onde um dragão é um ser benevolente e amável? Do lado mais sério da tradição chinesa há alguma conexão; mas estou apenas falando de tradição e teste de antiguidade. E somente menciono a China como uma antiguidade que não é por nós alcançada por meio de uma ponte da velha tradição; e Babilônia e Egito como antiguidades que são alcançadas. Heródoto é um ser humano, mas um chinês com chapéu-coco, sentado à nossa frente em uma loja de chá de Londres, dificilmente será humano da mesma maneira.

É como se soubéssemos como Davi e Isaías[75] se sentiam, mas nunca estivemos certos de como Li Hung Chang[76] se sentia. Os próprios pecados que arrebataram Helena ou Bate-Seba[77] se tornaram um provérbio sobre fraqueza humana pessoal, sobre *pathos* e até sobre perdão. As próprias virtudes do chinês têm seu lado aterrorizante. Essa é a diferença causada pela destruição ou pela preservação de uma herança histórica contínua, do Egito antigo até a Europa moderna. Mas quando perguntamos qual mundo herdamos e por que essas pessoas e lugares em particular parecem pertencer-lhe, somos levados ao fato central da história civilizada.

---

74 Título imperial sagrado do imperador chinês. Seu significado é "governante de todo o universo". (N.T.)

75 Davi (c. 1040 a.C.) foi o rei mais importante de Israel. Isaías (c. 765 a.C.) é um dos maiores profetas do Antigo Testamento, tendo predito com detalhes a morte de Cristo. (N.T.)

76 Li Hongzhang (1823-1901), estadista chinês que se empenhou em modernizar seu país. (N.T.)

77 Helena, segundo a mitologia grega, era filha de Zeus com uma rainha e era a mulher mais bela do mundo. A Guerra de Troia foi causada pelo rapto de Helena por Páris, príncipe daquela cidade. Bate-Seba era esposa de Urias, um fiel soldado de Davi. Para ocultar o adultério que cometera com ela, e a consequente gravidez, o rei providenciou que Urias morresse em batalha. (N.T.)

Aquele centro era o Mediterrâneo, que não era só um pedaço de água, mas um mundo. Tinha algo característico além do seu litoral, pois se tornou cada vez mais um ponto de unificação no qual se encontravam as correntes de culturas estranhas e muito diversas. O Nilo e o Tibre fluem para o Mediterrâneo; os egípcios e os etruscos também contribuíram para uma civilização mediterrânea. O *glamour* do grande mar espalhou-se de fato por milhas adiante em terra, e a união foi percebida apenas entre os árabes, nos desertos, e nos gauleses, além das colinas do norte. Mas a construção gradual de uma cultura comum que percorre toda a costa desse mar interior era a principal ocupação da antiguidade. Como será visto, tinha seus pontos negativos e positivos. Naquele *orbis terrarum,* ou círculo de terras, havia maldade e piedade extremas, havia raças contrastantes e religiões ainda mais antagônicas. Foi palco de uma luta interminável entre Ásia e Europa, da noite dos navios persas em Salamina até o ataque dos navios turcos em Lepanto[78]. Foi a cena, como será descrito adiante de modo mais específico, de uma luta espiritual violenta entre os dois tipos de paganismo, enfrentando-se nas cidades latinas e fenícias, no fórum romano e no mercado púnico. Era o mundo de guerra e paz, do bem e do mal, o mundo de tudo o que significa, com todo o respeito aos astecas e aos mongóis do Extremo Oriente, em que eles eram insignificantes, pois a tradição mediterrânea era mais importante e ainda o é. Entre ela e o Extremo Oriente houve, é claro, vários cultos e conquistas relevantes, também em relação à época e na proporção em que eram inteligíveis também para nós. Os persas vieram cavalgar para acabar com a Babilônia – está registrado em uma história grega como esses bárbaros aprenderam a estender o arco e a dizer a

78 Na Batalha de Salamina (480 a.C.), o rei persa Xerxes I (519 a.C.-465 a.C.) utilizou 1.207 navios, com uma tripulação de 241.400 homens, contra trezentos navios gregos. Os gregos a venceram. A Batalha de Lepanto (7 de outubro de 1571) pôs fim ao domínio islâmico na região do Mediterrâneo, quando toda a frota muçulmana de cerca de duzentos navios foi afundada e mais de vinte mil de seus homens foram mortos pela Liga Santa, composta por reinos cristãos do sul da Europa, de quem foram afundadas menos de vinte embarcações e mortos cerca de nove mil homens. (N.T.)

verdade. Alexandre, o grande grego, marchou com seus macedônios para o horizonte e trouxe de volta exóticos pássaros da mesma cor das nuvens do amanhecer e estranhas flores e joias dos jardins e tesouros de reis sem nome. O Islã foi para o leste desse mundo e o tornou até certo ponto previsível para nós, também porque o próprio Islã nasceu naquele círculo de terras que margeavam o mesmo mar antigo e ancestral. Na Idade Média, o império dos mongóis aumentou sua majestade sem perder seu mistério; os tártaros conquistaram a China, e os chineses aparentemente os notaram muito pouco. Todas essas coisas são interessantes em si mesmas, mas é impossível mudar o centro de gravidade do mar europeu para o interior da Ásia.

Isso posto, se não houvesse nada no mundo além do que foi dito, feito, escrito e construído nas terras ao redor do Mediterrâneo, ainda assim suas influências estariam em todas as coisas mais vitais e valiosas do mundo em que vivemos. Quando essa cultura meridional se espalhou para o noroeste, criou muitas coisas, das quais, sem dúvida, nós mesmos somos as mais maravilhosas. Quando se espalhou para colônias e novos países, ainda continuava a mesma cultura em tanto tempo. Mas, ao redor daquele mar, pequeno como um lago, estava o essencial, além de todas as ramificações, todos os ecos e comentários: a República e a Igreja, a Bíblia e os épicos heroicos, Islã e Israel e as memórias dos impérios perdidos, Aristóteles e a medida de todas as coisas[79]. A primeira luz sobre este mundo é luz verdadeira, sob a qual ainda caminhamos hoje, e não apenas a visita suspeita de novas estrelas – por isso comecei aqui observando onde essa luz chegou primeiro nas cidades dominantes do Mediterrâneo oriental.

Porém, embora Babilônia e Egito tenham, assim, uma espécie de primeira reivindicação, quanto ao fato de serem familiares e tradicionais

---

79 Protágoras (c. 490 a.C.-c. 415 a.C.), sofista grego, disse: "O homem é a medida de todas as coisas, das coisas que são, enquanto são, das coisas que não são, enquanto não são", indicando que a verdade depende da experiência do indivíduo. (N.T.)

– enigmas fascinantes tanto para nós como para nossos pais –, não devemos imaginar que eram as únicas civilizações antigas no mar do sul, ou que toda a civilização era meramente suméria ou semítica ou copta, muito menos asiática ou africana. Pesquisas sérias exaltam cada vez mais a civilização antiga da Europa e, de modo especial, o que ainda podemos quase chamar de gregos. Para isso, devemos pensar que já havia gregos antes, pois em muitas de suas mitologias já havia deuses preexistentes. A ilha de Creta era o centro da civilização agora chamada minoica, depois de Minos, que ficou guardado na lenda antiga e cujo labirinto foi realmente descoberto pela arqueologia moderna[80]. Essa sociedade europeia sofisticada, com seus portos, sistema de drenagem e maquinário doméstico, parece ter caído diante de uma invasão de seus vizinhos do norte, que fizeram ou herdaram a Hélade que conhecemos pela história. Mas esse período anterior não passou até nos ter dado presentes tão grandes que, desde então, o mundo se esforçou em vão para pagá-los, mesmo que somente por plagiá-los.

Em algum lugar ao longo da costa jônica, em frente a Creta e às ilhas, havia alguma cidade, provavelmente do tipo que deveríamos chamar de vila ou aldeia com muro. Era chamada de Ílion, mas veio a ser chamada de Troia, e esse nome nunca será esquecido. Um poeta que já pode ter sido um mendigo e cantor andarilho, incapaz de ler e escrever, e foi descrito pela tradição como cego, compôs um poema[81] sobre os gregos que entraram em guerra com essa cidade para resgatar a mais bela mulher do mundo. Tal mulher morar naquela cidadezinha parece uma lenda – o mais belo poema do mundo ter sido escrito por alguém que não conhecia nada maior que essas pequenas cidades é um fato histórico. Dizem que o poema apareceu no final do período; que a cultura

80 Na mitologia grega, o rio Minos, de Creta, filho de Zeus, encomendou ao artesão e arquiteto Dédalo a construção de um labirinto a fim de nele prender o Minotauro, um ser com corpo de homem e cabeça de touro. (N.T.)

81 Referência a Homero, alegado poeta grego antigo, a quem é atribuída a autoria da *Ilíada* (em que é narrada a Guerra de Troia) e da *Odisseia*, continuação da primeira obra. (N.T.)

primitiva o criou na decadência; nesse caso, gostaríamos de ter presenciado essa cultura em seu auge. De qualquer forma, é verdade que esse primeiro poema poderia muito bem ser o último. A última palavra, bem como a primeira palavra dita pelo homem sobre seu destino fatal, vista apenas sob a óptica mortal. Se o mundo se tornar pagão e perecer, o último homem vivo faria bem em citar a *Ilíada* antes de morrer.

Mas nessa grande revelação humana da antiguidade há outro elemento de notável importância histórica, que mal foi reconhecido na história. O poeta concebeu o poema de tal maneira que suas simpatias parecem, assim como as de seu leitor, estar mais do lado dos vencidos do que do vencedor. E esse sentimento aumenta na tradição poética, mesmo quando a própria origem poética recua. Aquiles[82] tinha alguma posição como semideus nos tempos pagãos, mas desaparece completamente nos tempos posteriores. Porém, Heitor cresce à medida que as eras passam, e seu nome identifica um Cavaleiro da Távola Redonda – é sua espada que a lenda coloca nas mãos de Rolando, depositando sobre ele a arma do derrotado Heitor, na última ruína e no esplendor de sua própria derrota[83]. O nome antecipa todas as derrotas pelas quais nossa raça e nossa religião deveriam passar; a sobrevivência a cem derrotas é seu triunfo.

A história do fim de Troia não acabou, pois será exaltada para sempre em ecos vivos, imortais como nosso desespero e nossa esperança. Troia em pé era uma coisa pequena que pode ter ficado sem nome por eras. Mas ao cair, Troia foi envolta em chamas e suspensa em um instante imortal de aniquilação; e porque foi destruída pelo fogo, enquanto

---

82 Filho do rei Peleu e da deusa Tétis, herói e guerreiro. A *Ilíada* trata de sua ira contra Agamenon, comandante dos exércitos gregos em Troia. (N.T.)

83 Heitor era príncipe e guerreiro de Troia. Foi morto por Aquiles em um duelo. A lenda dos Cavaleiros da Távola Redonda fala de homens condecorados com a mais alta honraria pelo rei Artur, da Bretanha. Entre os cavaleiros havia Heitor (chamado em algumas fontes de Heitos das Lagoas), meio-irmão do cavaleiro Lancelot. A canção de Rolando, poema épico escrito em anglo-normando, datado de entre o final do século IX e meados do século XII, narra, de maneira fantasiosa, uma batalha em que morre Rolando, sobrinho de Carlos Magno (724-814). (N.T.)

este nunca será destruído. E assim ocorreu com a cidade, como o herói; traçada em linhas arcaicas naquele crepúsculo original, encontra-se a primeira figura do cavaleiro. Há uma coincidência profética em seu título; falamos da palavra cavalaria e de como ela parece misturar o cavaleiro ao cavalo. Isso foi quase antecipado eras antes, no trovão do hexâmetro homérico, e naquela palavra longa e saltitante com a qual a *Ilíada* termina[84]. É mesma unicidade para a qual não podemos encontrar outro nome além do santo centauro da cavalaria. Mas há outras razões para dar, nesse vislumbre da antiguidade, o nome da cidade sagrada. O caráter sagrado dessas cidades se alastrou como fogo em volta da costa e ilhas do norte do Mediterrâneo, um povoado cercado por muros altos pelo qual os heróis morreram. Da pequenez da cidade veio a grandeza do cidadão. Hélade, com suas centenas de esculturas, não produziu nada mais impressionante do que aquela estátua ambulante: o ideal do homem com livre-arbítrio. A Hélade das centenas de estátuas virou lenda e literatura, e todo aquele labirinto de pequenas nações muradas reverberava com o lamento de Troia.

Uma lenda posterior, uma reflexão tardia, mas não um acidente, disse que os retardatários de Troia fundaram uma república na costa italiana. Era verdade em espírito que a virtude republicana teve essa raiz. Um mistério de honra, que não nasceu da Babilônia ou do orgulho egípcio, ali brilhava como o escudo de Heitor, desafiando a Ásia e a África; até que a luz de um novo dia fosse libertada, com a revoada das águias e a chegada do nome, que veio como um trovão quando o mundo acordou em Roma.

84 A última palavra no texto grego de vários manuscritos é ἱππόδαμος (*hippódamos*), "domador de cavalos", com referência a Heitor. (N.T.)

CAPÍTULO 4

DEUS E RELIGIÃO COMPARADA

Uma vez fui acompanhado pelas fundações romanas de uma antiga cidade britânica por um professor universitário e ele disse algo que me parece uma sátira sobre muitos outros professores. Possivelmente, o professor viu a piada, apesar de manter um impassível ar circunspecto, e pode ou não ter percebido que era uma piada contra grande parte do que conhecemos como religião comparada. Eu apontei para uma escultura da cabeça do Sol com o habitual halo de raios, mas com a diferença de que o rosto no disco, em vez de juvenil como Apolo, era barbudo como Netuno ou Júpiter. "Sim", ele disse com certa precisão delicada, "isso deve representar Sul, o deus local. As melhores autoridades identificam Sul com Minerva, mas isso foi feito para mostrar que a identificação não está completa"[85].

85 Sul, também chamada de Sulis, era uma deidade local celta, deusa da cura e das águas sagradas, as fontes termais de Bath (Inglaterra), as únicas naquele país. Quando os romanos chegaram à Bretanha, construíram um complexo de banhos, no qual havia um templo à deusa, em torno das fontes e deram ao lugar o nome de *Aquæ Sulis* (As águas de Sulis). Os romanos a equipararam à deusa Minerva, passando a ser conhecida como Sulis Minerva. Sulis também foi considerada uma deidade solar, pelo menos em tempos pré-romanos. (N.T.)

Isso é o que chamamos de eufemismo poderoso. O mundo moderno é mais louco do que qualquer sátira sobre ele. Há muito tempo, o sr. Belloc não fez seu burlesco fidalgo dizer que havia sido provado pelas pesquisas modernas que um busto de Ariadne era um Sileno[86]? Mas isso não é melhor do que a aparência real de Minerva como a Mulher Barbada do sr. Barnum[87]. Ambos são muito parecidos com muitas coisas identificadas pelas "melhores autoridades" em religião comparada; e, quando credos católicos são confrontados com vários mitos selvagens, eu não rio nem xingo nem me porto mal – limito-me a dizer com decoro que a identificação não está completa.

Nos dias de minha juventude, Religião da Humanidade era um termo comumente aplicado ao Comtismo, a teoria de certos racionalistas que adoravam a humanidade corporativa como um Ser Supremo[88]. Mesmo jovem, observei que havia algo um pouco estranho em desprezar e descartar a doutrina da Trindade como uma contradição mística e até maníaca, e, depois, voltando a adorar uma divindade que é de cem milhões de pessoas em um Deus, sem confundir as pessoas nem dividir a substância.

Mas existe outra entidade, um tanto definível e muito mais imaginável do que o ídolo de muitas cabeças e monstruoso da humanidade. E ela tem uma luz muito melhor para ser chamada, em um sentido razoável, de religião da humanidade. O homem não é realmente o

---

86 Joseph-Hilaire-Pierre-René Belloc (1870-1953), poeta, historiador e ensaísta anglo-francês, um dos mais versáteis autores ingleses do início do século XX. Seus ensaios eram caracterizados por extrema lucidez. Devotamente católico, exerceu grande influência sobre Chesterton. Na mitologia grega, Ariadne era a bela filha do rei Minos, de Creta, que se apaixonou pelo herói Teseu, a quem ajudou a vencer o Minotauro no labirinto. Sileno, pai adotivo de Zeus, sempre bêbado, era parte homem, parte animal, semelhante a um sátiro. Era o deus da fabricação do vinho. (N.T.)

87 Phineas Taylor Barnum (1810-1891), empresário do ramo de entretenimento, criador de fraudes, de circo de aberrações e dono de museu de curiosidades. Em seu circo apresentava-se o elefante Jumbo. (N.T.)

88 A Religião da Humanidade é uma doutrina criada pelo filósofo francês Auguste Comte (1798-1857), de perfil agnóstico, não transcendental, sem um Deus sobrenatural nem vida após a morte, e fundamentalmente humana. Aqui é conhecida como Igreja Positivista do Brasil. (N.T.)

ídolo, mas o idólatra em quase todo lugar. E essas numerosas idolatrias da espécie humana dizem algo sobre si que é, de muitas maneiras, mais humano e compreensivo do que as abstrações metafísicas modernas. Se um deus asiático tem três cabeças e sete braços[89], há nele pelo menos uma ideia de encarnação material que traz para perto de nós, e não para longe, um poder desconhecido. Mas se nossos amigos Brown, Jones e Robinson, quando saírem para um passeio no domingo, se transformassem e se amalgamassem em um ídolo asiático diante de nossos olhos, eles certamente pareceriam mais distantes. Se os braços de Brown e as pernas de Robinson acenassem do mesmo corpo híbrido, pareceriam estar tristes, se despedindo. Se as cabeças de três cavalheiros aparecerem sorrindo no mesmo pescoço, hesitaríamos até mesmo em saber o nome pelo qual devemos nos dirigir ao nosso novo e um tanto anormal amigo. No ídolo oriental de muitas cabeças e muitas mãos, há certo senso de mistérios que nos chegam, pelo menos parcialmente, inteligíveis; das forças disformes da natureza assumindo alguma forma sombria, mas material; mas, ainda que isso possa ser verdade com respeito ao deus multiforme, não é assim para o homem. Os seres humanos se tornam menos humanos quando menos separados; podemos dizer: menos humano por ser menos solitário. Tornam-se menos inteligíveis à medida que estejam menos isolados; podemos dizer, com muita verdade, que quanto mais próximos eles estão de nós, mais distantes estão. Um Hinário Ético desse tipo humanitário de religião foi cuidadosamente selecionado e expurgado sob o princípio de preservar qualquer coisa humana e eliminar qualquer coisa divina. Uma consequência foi que um hino apareceu na forma alterada de "Mais perto, humanidade, de ti, mais perto de ti"[90]. Isso

89 Agni, deus hindu do fogo. (N.T.)

90 O hino cristão "Nearer, My God, to Thee" (em português, "Mais perto quero estar") foi escrito por Sarah Flower Adams (1805-1848). Uma lenda diz que esse hino foi tocado pelos músicos do Titanic enquanto o navio afundava. (N.T.)

sempre me sugeriu o que sentem os passageiros em pé espremidos no metrô. Mas é estranho e maravilhoso quão distante a alma dos homens parece estar quando os corpos estão tão perto assim.

A unidade humana da qual trato aqui não deve ser confundida com essa multidão industrial moderna e monótona, que é mais um congestionamento do que uma comunhão. Algo que os grupos humanos se permitiram, e também os indivíduos, é em toda parte guardar um instinto que pode realmente ser chamado de humano. Como todas as coisas humanas saudáveis, ele variou muito dentro dos limites de um caráter geral, pois é análogo a tudo o que pertence àquela antiga terra da liberdade que fica antes e ao redor da cidade industrial servil. O industrialismo realmente se orgulha de seus produtos seguirem um padrão; de que homens na Jamaica ou no Japão podem romper o mesmo rótulo e beber o mesmo uísque ruim que um homem no Polo Norte e outro no Sul, com o mesmo otimismo, aceitam como verdadeiro o mesmo duvidoso salmão enlatado. Mas o vinho, presente dos deuses para os homens, pode variar de acordo com cada vale ou vinhedo, pode se transformar em cem vinhos sem qualquer álcool que nos lembre o uísque; e os queijos podem mudar de um condado a outro sem perder as características que os tornam completamente distintos. Quando falo disso, portanto, me refiro a algo que, sem dúvida, inclui diferenças muito amplas; no entanto, vou manter que isso é uma coisa só. Insisto que a maior parte da preocupação moderna vem de não perceber esse fato. Eu avançarei a tese de que, antes de falar sobre religião comparada e os distintos fundadores religiosos do mundo, o mais essencial é reconhecer essa coisa como um todo, algo quase nativo e normal à grande comunhão que chamamos de humanidade. Essa coisa é o paganismo, e proponho mostrar nessas páginas que ele é o único rival real da Igreja de Cristo.

A religião comparada é de fato muito comparativa. Ou seja, é tanto uma questão de grau, de distância e de diferença que só é relativamente bem-sucedida ao confrontar. Quando olhamos de perto, vemos que ela está fazendo analogias realmente bem incompatíveis. Estamos acostumados a ver uma tabela ou um catálogo das grandes religiões do mundo em colunas paralelas, até acharmos que elas são de fato simétricas. Estamos habituados a ver o nome dos grandes fundadores religiosos, um após o outro: Cristo, Maomé, Buda, Confúcio. Mas, na verdade, é apenas um truque, outra dessas ilusões ópticas pelas quais algum objeto pode ser colocado em uma relação ao ser mudado para um ponto de vista específico. Essas religiões e seus fundadores, ou melhor, aqueles a quem escolhemos agrupar como tais, não mostram na realidade nenhum caráter comum. A ilusão é, em parte, criada pelo Islã logo abaixo do cristianismo na lista, pois o Islã de fato veio depois e é em grande parte uma imitação do cristianismo. Mas as outras religiões orientais, ou o que denominamos assim, além de não se assemelharem à Igreja, também não se parecem entre si. Quando chegamos ao confucionismo, no final da lista, notamos algo em um mundo de pensamento totalmente diferente. Comparar a religião cristã e a confucionista é como defrontar um teísta a um fazendeiro inglês ou perguntar se um homem acredita na imortalidade ou em cem por cento dos americanos. O confucionismo pode ser uma civilização, mas não é uma religião.

Na verdade, a Igreja é unificada demais para se revelar única – a prova mais popular e fácil é por meio de paralelos, e aqui não os temos. Não é fácil, portanto, expor a falácia pela qual uma classificação falsa é criada a fim de submergir uma coisa única, quando ela realmente o é. Como não há em outro lugar exatamente o mesmo fato, não há também exatamente a mesma falácia. Mas tomarei a referência mais próxima que puder encontrar para tal fenômeno social solitário, a fim de mostrar como ele é assim submergido e assimilado. Imagino que a maioria de nós concordaria que há algo incomum e único na posição dos judeus. Não há nada que seja, no mesmo sentido, uma nação internacional;

uma cultura antiga espalhada em diferentes países, mas ainda distinta e indestrutível. Bem, esse negócio é como uma tentativa de fazer uma lista de Nações Nômades para amenizar o estranho isolamento dos judeus. Seria bastante fácil fazê-lo, pelo mesmo processo de estabelecer uma analogia plausível em primeiro lugar e, depois, partir para coisas totalmente diferentes, lançadas de alguma forma a fim de compor a lista. Assim, na nova lista de nações nômades, os judeus seriam seguidos pelos ciganos, os quais, pelo menos, são realmente nômades se não forem, de fato, nacionais.

Então, o professor da nova ciência dos Nômades Comparados poderia passar facilmente para outro assunto, mesmo que fosse muito diferente. Ele poderia comentar sobre a aventura errante dos ingleses que disseminaram suas colônias por tantos mares e chamá-los de nômades. É bem verdade que muitos ingleses não parecem confortáveis na Inglaterra. É verdadeiro que nem todos deixaram seu país para favorecê-lo. No momento em que mencionamos o império errante dos ingleses, devemos acrescentar o notável império exilado dos irlandeses. Pois é um fato curioso, a ser observado em nossa literatura imperial, que as mesmas ubiquidades e perturbações que provam as iniciativas e os triunfos ingleses são uma prova da futilidade e do fracasso irlandeses. Então, o professor universitário de Nomadismo olharia em volta, pensativo, e se lembraria de que havia muita conversa recente sobre garçons alemães, barbeiros alemães, clérigos alemães, alemães se naturalizando na Inglaterra, nos Estados Unidos e nas repúblicas sul-americanas. Os alemães entrariam como a quinta raça nômade; as expressões "sede de correr o mundo" e "povo errante" seriam muito úteis aqui. Pois realmente houve historiadores que explicaram as Cruzadas sugerindo que os alemães foram encontrados vagando (como diz a polícia) no que passou a ser o bairro da Palestina. Então o professor, sentindo que estava agora perto do fim, daria um último salto em desespero. Ele recordaria o fato de que o exército francês tomou quase todas as capitais da Europa, que marchou por inúmeras terras conquistadas sob Carlos Magno ou Napoleão; e isso seria sede de correr o mundo, característica de uma raça nômade. Assim, ele teria suas seis nações nômades, todas sólidas e plenas, e sentiria que o judeu não era mais uma exceção misteriosa nem mística. Mas as pessoas mais sensatas provavelmente perceberiam que ele só havia estendido o nomadismo ao expandir seu significado, que foi dilatado até o ponto de desaparecer. É bem verdade que o soldado francês fez algumas das melhores marchas de toda a história militar. Mas também é verdadeiro, e muito mais autoevidente, que se o camponês francês não for uma realidade intrínseca, então essa realidade não existe no mundo; ou, em outras palavras, se ele for um nômade, todos também são.

Esse é o tipo de truque que foi colocado em prática no caso da religião comparada e de todos os fundadores religiosos do mundo respeitosamente alinhados. Isso procura classificar Jesus como outro classificaria os judeus: inventando uma nova classe para esse fim e preenchendo o restante com tapa-buracos e cópias de segunda categoria. Não quero desmerecer o que é diferente em seu próprio caráter e classe reais. Confucionismo e budismo são importantes, mas não é correto chamá-los de igrejas, assim como os franceses e os ingleses são povos importantes, mas não faz sentido chamá-los de nômades. Existem alguns pontos de semelhança entre a cristandade e sua imitação no Islã; e também entre judeus e ciganos. Mas, depois disso, as listas são compostas por qualquer coisa que esteja à mão e possa ser colocada no mesmo catálogo sem estar na mesma categoria.

Nesse esboço da história religiosa, com todo o decoro aos homens muito mais instruídos do que eu, proponho interromper e desconsiderar esse método moderno de classificação, que certamente falsificou os fatos da história. Apresentarei aqui uma classificação religiosa alternativa, que acredito ser capaz de cobrir todos os fatos e, o mais importante, todas as utopias. Em vez de classificar a religião geográfica e verticalmente em cristã, muçulmana, brâmane, budista e assim por diante, eu a dividiria psicológica e, em algum sentido, horizontalmente; nos estratos de elementos e influências espirituais que às vezes podem existir no mesmo país, ou até no mesmo homem. Deixando a Igreja à parte por um momento, eu estaria disposto a segmentar a religião natural da massa da humanidade sob títulos como estes: Deus; os Deuses; os Demônios; os Filósofos. Acredito que algumas dessas classificações nos ajudarão a categorizar as experiências espirituais dos homens com muito mais êxito do que o trato convencional de comparar religiões, e que muitas figuras famosas *naturalmente* se encaixarão em seu lugar dessa maneira, as que são *forçadas* a se encaixar na outra. Como usarei esses títulos ou termos mais de uma vez na narrativa e nas menções, será bom definir, nesta etapa, o que quero argumentar. E começarei com o primeiro, o mais simples e o mais sublime, neste capítulo.

Ao considerar os elementos da humanidade pagã, devemos começar por uma tentativa de descrever o indescritível. Muitos superam essa dificuldade por meio do expediente de negá-lo, ou de pelo menos ignorá-lo; mas o ponto principal é falar de algo que nunca foi completamente eliminado mesmo quando ignorado. Eles são obcecados por sua monomania evolucionária: de que tudo que é grandioso cresce a partir de uma semente, ou de algo menor ainda. Eles parecem esquecer que toda semente vem de uma árvore, ou de algo ainda maior. Há boas razões para imaginar que a religião originalmente não provinha de alguns detalhes esquecidos, porque eram pequenos demais para serem seguidos. É muito mais provável que tenha sido uma ideia abandonada porque era muito grande para sair do papel. Há boas razões para supor que muitos povos começaram com a ideia simples, porém avassaladora, de um Deus que governa tudo, e, depois, caíram em rituais como adoração a demônios quase como um fetiche secreto. Mesmo o teste de crenças selvagens, das quais os estudantes de folclore gostam tanto, é admitido com frequência para apoiar essa visão. Alguns dos selvagens mais incivilizados, primitivos em todos os sentidos em que os antropólogos usam a palavra, os aborígines australianos, por exemplo, têm um monoteísmo puro com elevado teor moral. Um missionário estava pregando para uma tribo muito selvagem de politeístas, que lhe haviam contado todas as suas histórias, e, em troca, o homem lhes contou sobre a existência do único Deus bom que é um espírito e julga os homens por padrões espirituais. E houve um repentino zum-zum-zum de empolgação entre esses pacatos bárbaros, como se alguém lhes tivesse revelado um segredo, e eles gritaram um para o outro: "Atahocan[91]! Ele está falando de Atahocan!".

Provavelmente, era um ponto de polidez, e até de decência entre aqueles politeístas, não falar em Atahocan. Talvez o nome não seja tão adaptado, quanto alguns dos nossos, para a exortação religiosa direta e solene, mas muitas outras forças sociais estão sempre encobrindo e confundindo ideias simples. Possivelmente, o velho deus significava uma antiga moralidade considerada entediante em momentos mais animados; quiçá o intercurso com os demônios estivesse mais em voga entre as melhores pessoas, como na moda recente do espiritismo.

De qualquer forma, existem vários exemplos semelhantes. Todos eles testemunham a psicologia inconfundível de algo que é considerado um fato, distinto de algo falado. Há um exemplo impressionante de um conto plagiado palavra por palavra de um pele-vermelha na Califórnia, que começa com um prazer lendário e literário: "O Sol é o pai e o

91 Esse missionário é o jesuíta Paul Le Jeune (1591-1664), que pregou aos huronianos (1633), indígenas americanos que habitavam a região dos lagos Huron, Erie e Ontário. Segundo o relato de Le Jeune, os indígenas lhe perguntaram quem era Deus. Ao responder: "O Todo-Poderoso, Aquele que criou céus e terra", eles começaram a dizer um ao outro: "Atahocan, Atahocan, Ele é Atahocan". (N.T.)

governante dos céus. Ele é o grande chefe. A Lua é sua esposa e as estrelas são seus filhos"[92]; e assim por diante, ao longo de uma história bastante envolvente e complexa, no meio da qual há um súbito parêntese dizendo que o Sol e a Lua precisam fazer algo porque "assim manda o Grande Espírito, que vive acima do lugar de todos".

Essa é exatamente a atitude da maior parte do paganismo em relação a Deus. Ele é assumido, esquecido e lembrado por acidente – um hábito não muito peculiar aos pagãos. Às vezes, a divindade mais sublime é lembrada nos graus morais mais elevados e é também um mistério. Mas sempre – essa é uma verdade a ser dita –, o selvagem é falador sobre sua mitologia e taciturno sobre sua religião. Os selvagens australianos, de fato, denotam uma absoluta confusão, como os antigos poderiam ter pensado verdadeiramente ser digna dos antípodas. O selvagem que, apenas para ser sociável, não trata como uma pequena bobagem uma lenda em que o Sol e a Lua são partes de um bebê cortado ao meio, ou conversa sobre uma colossal vaca cósmica ordenhada para fazer a chuva, vai, então, se retirar nas cavernas secretas seladas contra mulheres e homens brancos, templos de terrível iniciação onde, ao trovoar do rombo[93] e ao gotejamento de sangue sacrificial, o padre sussurra os segredos finais, conhecidos apenas pelo iniciado: que a honestidade é a melhor política, que um pouco de bondade não prejudica ninguém, que todos os homens são irmãos e que há apenas um Deus, o Pai Onipotente, Criador de todas as coisas visíveis e invisíveis[94].

Em outras palavras, temos aqui a curiosidade da história religiosa em que o selvagem parece exibir todas as partes mais repulsivas e

---

92 Esse texto, de autenticidade questionável, foi, segundo Andrew Lang (*Myth, Ritual & Religion* [Mito, ritual e religião], vol. 1, Nova York: Cosimo Classics, 2005; p. 130), impresso como se anotado por um sr. De Quille, conforme dito por Tooroop Eenah (Pai Deserto), um chefe dos paiutes, tribo norte-americana, e, posteriormente, publicado em um jornal de San Francisco. (N.T.)

93 Instrumento musical e de comunicação composto de uma tábua achatada, com serrilhas ou não, com um furo, no qual é amarrada uma corda. A tábua é girada no ar, fazendo sons. (N.T.)

94 Cláusulas iniciais do Credo Niceno. (N.T.)

impossíveis de sua crença e ocultar as partes mais sensatas e dignas de crédito. Mas a explicação é que elas não são, nesse sentido, partes de sua crença, ou, pelo menos, não do mesmo tipo de crença. Os mitos são apenas histórias elevadas, embora tão altas quanto o céu, a gárgula de água ou a chuva tropical. Os mistérios são histórias verdadeiras e são mantidos secretamente para serem levados a sério. De fato, é fácil demais esquecer que há uma emoção no teísmo. Um romance em que vários personagens separados vêm a ser o mesmo personagem certamente seria sensacional. É assim com a ideia de que Sol e árvore e rio sejam os disfarces de um só deus e não de vários. Infelizmente, também achamos fácil demais aceitar Atahocan como algo certo. Mas, se ele estiver fadado a desaparecer como uma premissa ou ser preservado na qualidade de comoção por ser mantido em segredo, é claro que ele será sempre uma premissa ou tradição antiga. Não há nada que o mostre como um produto aprimorado da mera mitologia nem tudo para mostrar que ele a precedeu. Ele é adorado pelas tribos mais rudimentares, sem vestígios de fantasmas ou oferendas em sepulturas, ou qualquer uma das complexidades nas quais Herbert Spencer e Grant Allen[95] buscavam a origem da mais simples de todas as ideias. Não importa o que tenha havido, nunca houve algo como a Evolução da Ideia de Deus. A ideia foi ocultada, evitada, quase esquecida e até explicada, mas nunca evoluiu.

Não são poucos os indícios dessa mudança em outros lugares. Ela está implícita, por exemplo, no fato de que mesmo o politeísmo quase sempre parece a combinação de vários monoteísmos. Um deus ganhará apenas um lugar inferior no Monte Olimpo após possuir a terra, o céu e todas as estrelas enquanto vivia em seu próprio vale. Assim como muitas

95 Herbert Spencer (1820-1903), sociólogo e filósofo inglês, um dos primeiros defensores da teoria da evolução, aplicando seus conceitos a outras áreas, como política e ética. Charles Grant Blairfindie Allen (1848-1899), escritor de ciência e romancista britânico, também pioneiro defensor da teoria da evolução. (N.T.)

nações pequenas que se fundem em um grande império, ele desiste da universalidade local apenas para ficar sob limitação universal. O próprio nome de Pan sugere que ele se tornou um deus do bosque quando era um deus do mundo[96]. O nome de Júpiter é quase uma tradução pagã das palavras "Pai nosso, que estás no céu". Assim como o Grande Pai simbolizado pelo céu, o mesmo acontece com a Grande Mãe, a quem ainda chamamos de Mãe Terra. Deméter, Ceres e Cibele[97] muitas vezes parecem quase capazes de assumir todas as tarefas da divindade, de modo que os homens não precisem de outros deuses. Parece plausível que muitos homens não tivessem outros deuses além de um deles, adorado como o criador de tudo e de todos.

Em algumas das áreas mais imensas e populosas do mundo, como a China, parece que a ideia mais simples do Grande Pai nunca foi muito complexa em relação aos cultos rivais, embora possa, em certo sentido, ter deixado de ser um culto em si mesma. As autoridades supremas parecem pensar que, embora o confucionismo seja, de alguma maneira, agnóstico, ele não contradiz muito o antigo teísmo, justamente porque se tornou bastante vago. É aquele em que Deus se chama Céu, como no caso de pessoas educadas que se reprimem para não praguejar nas salas de estar. Mas o Céu ainda está lá em cima, mesmo longínquo. Temos toda a impressão de uma verdade simples que retrocedeu, até que se tornasse remota sem deixar de ser verdadeira. E essa frase apenas nos traria de volta à mesma ideia, mesmo na mitologia pagã do Ocidente. Com certeza, há algo dessa própria noção de afastamento de algum poder superior em todos esses mitos enigmáticos e fantasiosos sobre a separação

---

96 Pan, ou Pã, na mitologia grega é o deus dos bosques e dos pastores. Tem tronco e cabeça de homem, mas orelhas, chifres e pernas de bode. Como prefixo de origem grega, "pan" significa "todo, por inteiro, totalidade", como em pan-americano, pancracia ou pancontinental. Chesterton tem isso em mente ao fazer um jogo de palavras entre *wood* (bosque) e *world* (mundo). (N.T.)

97 Deméter é, na mitologia grega, a deusa da agricultura, uma das doze divindades do Olimpo. É Ceres na mitologia romana. Cibele, deusa frígia, era chamada de "Mãe dos deuses" ou "deusa-mãe", criadora da humanidade. (N.T.)

da terra e do céu. De uma centena de maneiras, somos informados de que o céu e a terra já foram amantes, ou que já foram um só em certo tempo, quando alguma insolência, muitas vezes de uma criança desobediente, os separou; e o mundo foi construído em um abismo, sobre uma divisão e uma separação. Uma de suas versões mais grosseiras foi dada pela civilização grega no mito de Urano e Saturno[98]. Outra mais encantadora foi a de alguns selvagens negros, segundo os quais uma pequena pimenteira crescia cada vez mais alto e erguia o céu inteiro como uma tampa – uma bela visão bárbara do amanhecer para alguns de nossos pintores que amam esse lusco-fusco tropical.

Dos mitos, e das explicações altamente míticas que os modernos lhes oferecem, algo será dito em outra seção, pois não posso deixar de pensar que a maioria das mitologias está em outro plano, mais superficial. Mas nessa visão primeva da fragmentação de um mundo em dois certamente há algo mais das ideias definitivas. Quanto ao que isso significa, um homem aprenderá muito mais sobre isso deitado em um campo e apenas olhando para o céu do que lendo todas as bibliotecas, mesmo as do folclore mais erudito e valioso. Ele saberá o que significa dizer que o céu deveria estar mais próximo de nós do que está, que talvez já tenha estado mais perto dele, que não é algo apenas estranho e abismal, mas, de alguma forma, se separou de nós e disse adeus. Cruzará sua mente a curiosa sugestão de que, afinal, talvez o criador de mitos não fosse apenas um palerma ou um idiota da aldeia pensando que poderia cortar as nuvens como um bolo, mas tivesse nele algo mais do que está na moda atribuir ao troglodita; é possível que Thomas Hood[99] não estivesse falando como um troglodita quando disse que, com o passar do tempo, a

98 Urano era um deus primitivo, que representava o céu. Ele foi castrado com uma foice de diamante por Cronos, seu filho mais novo, coroado, então, como o novo governante supremo. Na mitologia romana, Cronos é Saturno, deus do tempo, e seu pai é Júpiter. (N.T.)

99 Thomas Hood (1799-1845), poeta, jornalista, humorista humanitário, denunciava, em seus escritos, os males sociais de seus dias. (N.T.)

copa das árvores apenas lhe diziam que ele estava mais longe do céu do que quando era menino. Mas, de qualquer maneira, a lenda de Urano, o Senhor do Céu destronado por Saturno, o Espírito do Tempo, significaria algo para o autor desse poema. E significaria, entre outras coisas, esse banimento da primeira paternidade. Existe a ideia de Deus na própria noção de que os deuses já existiam antes. Existe uma ideia de maior simplicidade em todas as menções a essa ordem mais antiga. A sugestão é apoiada pelo processo de propagação que vemos nos tempos históricos. Deuses, semideuses e heróis se reproduzem como cardumes diante de nossos olhos e sugerem em si mesmos que a família pode ter tido um fundador; a mitologia se torna cada vez mais complexa, e a própria complexidade sugere que no começo era mais simples. Mesmo nas evidências externas, científicas, há, portanto, um argumento muito bom para a sugestão de que o homem tenha começado com o monoteísmo antes de se desenvolver ou acabar em politeísmo. Mas estou mais preocupado com uma verdade interna do que externa; e, como eu já disse, a verdade interna é quase indescritível. Temos de falar sobre algo que é o ponto principal a respeito do que as pessoas não falavam; não devemos apenas traduzir uma língua ou fala estranha, mas um silêncio estranho.

Suspeito de uma imensa implicação por trás de todo politeísmo e paganismo – que tenhamos apenas uma sugestão aqui e ali nesses credos selvagens ou origens gregas. Não é exatamente o que entendemos por presença de Deus; de algum modo, poderia na verdade ser chamada de ausência de Deus. Mas ausência não significa inexistência; e um homem fazendo um brinde aos amigos ausentes não significa que a amizade não exista em sua vida. É um vazio, mas não é uma negação; é tão positivo quanto uma cadeira vazia. Seria um exagero dizer que o pagão via acima do Olimpo um trono vazio. Seria mais próximo da verdade tomar as imagens gigantescas do Antigo Testamento, atrás das quais o profeta via Deus; era como se uma presença imensurável tivesse virado as costas para o mundo. No entanto, o significado será novamente esquecido, caso se pense que seja algo tão consciente e vívido quanto o monoteísmo de Moisés e seu povo. Não quero dizer que os povos pagãos tenham sido apossados por essa ideia apenas por ser dominadora. Pelo contrário, era tão generosa que todos a carregavam de modo leve, como todos carregamos o peso do céu. Observando alguns detalhes, como um pássaro ou uma nuvem, todos podemos ignorar seu sublime fundo azul; podemos esquecer o céu e, precisamente porque nos atinge com uma força aniquiladora, nós o sentimos como se não fosse nada. Só pode ser uma impressão bastante marcante e sutil; mas para mim é uma impressão muito forte causada pela literatura e pela religião pagãs. Repito que, em nosso sentido sacramental especial, há, é claro, a falta da presença de Deus. Mas há, em um sentido muito real, a presença dessa ausência. Sentimos isso na tristeza insondável da poesia pagã; pois duvido que tenha havido em toda a admirável masculinidade da antiguidade um homem que fosse feliz como era São Francisco. Nós sentimos isso na lenda de uma Era de Ouro e, depois, na confusa implicação de que os próprios deuses estão em última instância relacionados a algo mais, mesmo quando esse Deus Desconhecido[100] se transformou em um Destino. Acima de tudo, sentimos isso naqueles momentos imortais em que a literatura pagã parece retornar a uma antiguidade mais inocente e falar com uma voz mais direta, de modo que nenhuma palavra lhe é digna, exceto nosso próprio monossílabo monoteísta. Não podemos dizer nada além de "Deus" em uma frase como a de Sócrates ao se despedir de seus juízes: "Eu vou morrer e vocês permanecem para viver, e só Deus sabe qual de nós segue o melhor caminho"[101]. Não po-

100 Referência a Atos 17:23. (N.T.)

101 Aparente paráfrase de uma citação de Platão, em sua *Apologia* ou *A defesa de Sócrates*. Nessa obra, deus, com inicial minúscula, se refere ao deus de Delfos que teria dado ao filósofo a missão de sua vida: dialogar com as pessoas de modo a mostrar a fragilidade e a inconsistência das opiniões e dos argumentos delas. (N.T.)

demos usar nenhuma outra palavra para os melhores momentos de Marco Aurélio: "Eles podem dizer *Querida Cidade de Cécrope*, e tu não podes dizer *Ó querida Cidade de Deus*?"[102]. Não podemos usar nenhuma outra palavra com respeito àquela linha poderosa na qual Virgílio falou a todos os que sofrem com o verdadeiro clamor de um cristão diante de Cristo: "Ó tu que carregaste coisas mais terríveis, a isso também Deus dará um fim"[103].

Em suma, há um sentimento de que exista algo mais elevado que os deuses; mas, por esse motivo, também está mais distante. Virgílio ainda não entendia o enigma e o paradoxo dessa outra divindade, que é tanto mais elevada quanto mais próxima. Para eles, o que era, de fato, divino estava muito distante, tanto que eles o repudiavam gradativamente. Isso tinha cada vez menos relação com a pura mitologia da qual escreverei mais tarde. No entanto, mesmo nisso, havia uma espécie de admissão tácita de sua pureza intangível, quando consideramos como é a maioria das mitologias. Assim como os judeus não o degradavam por meio de imagens, os gregos não o aviltavam nem pela imaginação. Quando os deuses eram cada vez mais lembrados apenas por brincadeiras e orgias, isso era relativamente um movimento de reverência. Foi um ato de piedade esquecer Deus.

Em outras palavras, há algo em todo o sistema daquela época sugerindo que os homens haviam aceitado um nível mais baixo e ainda não estavam muito conscientes disso. É difícil encontrar palavras para coisas assim; no entanto, a única realmente precisa está pronta. Esses homens estavam conscientes da *Queda* mesmo se não tivessem consciência de mais nada; e o mesmo se aplica a uma humanidade pagã. Aqueles que caíram podem se lembrar da queda, mesmo quando tenham esquecido a altura. Alguns desses torturantes momentos em branco ou lacunas de

102 Marco Aurélio, *Meditações*, IV.23. No original, temos "Zeus", que era considerado o deus dos deuses, e não "Deus". (N.T.)

103 Virgílio, *Eneida*, I.211-213. No original, temos "o deus". (N.T.)

memória estão por trás de todo sentimento pagão. Existe algo como o poder momentâneo de lembrar que esquecemos. E os mais ignorantes da humanidade sabem pela própria aparência da Terra que esqueceram o céu. Mas é verdade que, mesmo para esses homens, houve momentos, como as lembranças da infância, em que eles se ouviam falando com uma linguagem mais simples; em que o romano, como Virgílio no trecho já citado, abriu caminho para si com um golpe de espada de uma canção a fim de sair da confusão das mitologias, a multidão heterogênea de deuses e deusas afundou subitamente e saiu de vista – o Céu-Pai estava sozinho no céu.

Esse último exemplo é muito relevante para a próxima etapa do processo. Uma luz branca como uma manhã perdida ainda se demora na figura de Júpiter, de Pan ou do ancião Apolo; e pode muito bem ser, como já observado, que cada um deles já tenha sido uma divindade tão solitária quanto Jeová ou Alá. Eles perderam essa universalidade solitária por meio de um processo que é aqui muito necessário observar; uma fusão muito parecida com o que mais tarde foi chamado sincretismo. Todo o mundo pagão se propôs a construir um panteão. Os pagãos admitiram mais e mais deuses, não apenas dos gregos, mas dos bárbaros; não apenas da Europa, mas da Ásia e da África. Quanto mais tinham, mais alegres ficavam, apesar de alguns deuses asiáticos e africanos não serem muito alegres. Os pagãos permitiam que tivessem tronos iguais aos seus, às vezes os identificavam como seus. Eles podem ter considerado essa admissão como um engrandecimento de sua vida religiosa, mas significou a perda final de tudo o que chamamos de religião. Dessa forma, a antiga luz da simplicidade, que tinha uma única fonte como o Sol, finalmente desapareceu em um ofuscar de Luzes e cores conflitantes. Deus é realmente sacrificado aos Deuses[104]; em um sentido bem literal da ironia, foram demais para ele.

104 Com inicial maiúscula no original. (N.T.)

O politeísmo, portanto, era realmente uma espécie de *pool*; no sentido de os pagãos terem consentido em agrupar suas religiões pagãs. E esse ponto é muito importante em várias controvérsias antigas e modernas. Considera-se uma opinião liberal e esclarecida dizer que o deus do estrangeiro pode ser tão bom quanto o nosso; e, sem dúvida, os pagãos se consideravam muito liberais e esclarecidos quando concordaram em acrescentar aos deuses da cidade ou do lar algum Dionísio selvagem e fantástico descendo das montanhas, ou algum Pã desgrenhado e rude rastejando pela floresta. Mas exatamente a grande ideia que ficou perdida no meio de outras é a maior de todas – a ideia da paternidade que torna o mundo inteiro um só. E o inverso também é verdadeiro. Sem dúvida, aqueles homens mais velhos da antiguidade, que se apegavam a suas estátuas solitárias e a seus nomes sagrados, foram considerados supersticiosos selvagens ignorantes e deixados para trás. Mas eles estavam preservando algo muito mais parecido com o poder cósmico concebido pela filosofia, ou mesmo pela ciência. Esse paradoxo por meio do qual o rude reacionário se tornava uma espécie de progressista profético tem uma consequência muito importante. Em um sentido puramente histórico, e à parte de outras controvérsias conectadas ao mesmo tópico, lança uma luz, única e invariável, que brilha desde o início em pessoas humildes e solitárias. Nesse paradoxo, como em algum enigma da religião cuja resposta foi selada por séculos, reside a missão e o significado dos judeus.

É verdade, humanamente falando, que o mundo deve Deus aos judeus. O mundo deve essa verdade a muito do que é atribuído – ou atribuível – aos judeus. Já observamos a posição nômade semita entre os outros povos pastorais à margem do Império Babilônico, e em meio àquele misterioso caminho errático algo brilhou no território sombrio de extrema antiguidade, quando passaram da sede de Abraão e dos príncipes pastores para o Egito; voltaram às colinas palestinas e as guardaram dos filisteus de Creta e caíram cativos na Babilônia; e mais uma vez retornaram a sua cidade montanhosa por conta da política sionista dos conquistadores persas; e assim continuou aquele romance turbulento, do qual ainda não vimos o fim. Mas por intermédio de todas as suas andanças, e especialmente as primeiras, eles de fato levaram o destino do mundo naquele tabernáculo de madeira, que continha talvez um símbolo insosso e certamente um deus[105] invisível. Podemos dizer que sua característica mais essencial era a indefinição. Por mais que optemos pela liberdade criativa da cultura cristã e pela qual até as artes da antiguidade foram eclipsadas, não devemos subestimar a importância determinante à época da restrição hebraica com respeito a imagens. É um exemplo típico de uma dessas limitações que de fato preservam e perpetuam a grandeza, como uma parede construída em torno de um amplo espaço aberto. O Deus que não podia ter uma estátua permaneceu em espírito. De qualquer forma, sua estátua não teria a dignidade e a graça encantadoras das estátuas gregas da época ou das cristãs que vieram depois. Ele estava vivendo em uma terra de monstros. Teremos ocasião de considerar mais detalhadamente o que esses monstros eram: Moloque, Dagon e Tanit, a terrível deusa[106]. Se a divindade de Israel fosse representada em uma imagem, provavelmente seria fálica. Apenas por darem-lhe um corpo, nele estariam todos os piores elementos da mitologia, toda a orgia do politeísmo, a visão do harém no céu.

Esse ponto sobre a recusa da arte é o primeiro exemplo das limitações que frequentemente são alvo de críticas, apenas porque os próprios críticos são limitados. Mas um argumento ainda mais sólido pode ser encontrado em outras críticas apresentadas por eles. Costuma-se dizer com zombaria que o Deus de Israel era apenas um Deus de batalhas,

---

105 Com inicial minúscula no original. (N.T.)

106 Moloque era um deus amonita, povo cananeu, caracterizado pelos sacrifícios de crianças. Dagon era um deus da agricultura adorado pelos filisteus, um dos principais inimigos de Israel. Tanit era a principal deusa de Cartago, ligada à fertilidade, a quem também eram sacrificadas crianças, provavelmente os primogênitos. (N.T.)

"apenas um bárbaro Senhor dos Exércitos" colocado em rivalidade com outros deuses somente como um inimigo invejoso. Era bom para o mundo que ele fosse um Deus de Batalhas e bom para nós que ele fosse, com todo o resto, apenas um rival e um inimigo. No desenrolar comum das coisas, teria sido fácil demais eles caírem na armadilha de imaginá-lo como amigo. Seria muito fácil vê-lo estendendo as mãos em amor e reconciliação, abraçando Baal e beijando o rosto pintado de Astarte, festejando em comunhão com os deuses; o último deus a vender sua coroa de estrelas pelo Soma do panteão indiano ou pelo néctar do Olimpo ou pelo hidromel de Valhalla[107]. Teria sido muitíssimo fácil para seus adoradores seguirem o iluminado curso do Sincretismo e a associação de todas as tradições pagãs. É óbvio que seus seguidores estivessem sempre descendo essa ladeira fácil; e isso exigia a energia quase demoníaca de certos demagogos inspirados, que testemunhavam sobre a unidade divina em palavras que ainda são como ventos de inspiração e ruína. Quanto mais entendermos de verdade as condições antigas que contribuíram para a cultura final da Fé, mais teremos uma reverência real e até realista pela grandeza dos Profetas de Israel.

Ao mesmo tempo, enquanto o mundo inteiro se fundiu nessa massa de mitologia confusa, essa Deidade que é chamada de tribal e tacanha, precisamente porque o mundo também era assim, preservou a religião principal de toda a humanidade. O mundo era tribal o suficiente para ser universal. Era tão tacanho quanto o universo. Em uma palavra, havia um deus pagão popular chamado Júpiter-Amon. Nunca houve um deus chamado Jeová-Amon ou Jeová-Júpiter. Se houvesse, certamente

107 Baal era o principal deus cananeu, ligado à chuva e à fertilidade. Astarte, ou Astarote, era uma divindade fenícia ligada à fecundidade e à guerra e era, em algumas tradições, filha de Baal. Soma é uma bebida utilizada em antigos rituais hindus, a qual, acreditava-se, conferia imortalidade. Segundo a mitologia, os deuses gregos habitavam o Monte Olimpo, onde bebiam o néctar, bebida derivada do mel, a qual lhes dava imortalidade. Valhalla é uma sala de Asgard, cidade dos deuses nórdicos governada por Odin, para onde vão metade dos vikings mortos em combate. Lá está a cabra Heidrun, de cujo úbere flui hidromel, bebida fermentada à base de mel e água ou vinho. (N.T.)

haveria outro, chamado Jeová-Moloque. Muito antes dos amalgamadores liberais e esclarecidos chegarem tão longe quanto Júpiter, a imagem do Senhor dos Exércitos teria sido distorcida por toda sugestão de algum criador e governante monoteísta e se tornaria um ídolo muito pior do que qualquer fetiche selvagem, pois ele poderia ter sido tão civilizado quanto os deuses de Tiro e Cartago.

O que essa civilização significava, consideraremos mais detalhadamente no capítulo a seguir, observando como o poder dos demônios quase destruiu a Europa e até a saúde pagã do mundo. Mas o destino do mundo teria sido distorcido de maneira ainda mais fatal se o monoteísmo tivesse falhado na tradição mosaica. Espero, em uma seção mais adiante, mostrar que não me falta simpatia por toda aquela sanidade no mundo pagão, que fez seus contos de fadas e seus romances fantasiosos de religião. Mas espero também mostrar que eles estavam fadados ao fracasso no longo prazo; e o mundo estaria perdido se não pudesse retornar à nobre simplicidade original de uma autoridade única para todas as coisas. O fato de termos preservado algo dessa simplicidade, de poetas e filósofos ainda poderem, de certo modo, dizer uma Oração Universal, de vivermos em um mundo vasto e sereno sob um céu que se estende paternalmente sobre todos os povos da terra, de filosofia e filantropia serem truísmos em uma religião de homens razoáveis, tudo isso nós devemos, sob o céu, a um povo nômade reservado e diligente, que concedeu aos homens a bênção suprema e serena de um Deus ciumento.

A dominação única não fazia parte do mundo pagão, porque isso também significava possessividade. Os judeus eram impopulares, em parte por causa da restrição já observada no mundo romano, em parte talvez porque talvez já tivessem adotado aquele hábito de apenas negociar coisas via escambo em vez de trabalhar para fazê-las com as mãos. E também porque o politeísmo havia se tornado uma selva na qual o monoteísmo solitário podia se perder; mas é curioso perceber como isso foi completamente perdido. Além dos temas mais discutidos, havia assuntos na tradição de Israel que agora fazem parte de toda a humanidade e poderiam ter pertencido já naquela época. Eles tinham uma das pedras angulares colossais do mundo: o Livro de Jó. Ele obviamente se opõe à *Ilíada* e às tragédias gregas, e, mais do que elas, foi uma precoce união e separação de poesia e filosofia nas manhãs do mundo. É uma visão solene e edificante ver aqueles dois eternos tolos, o otimista e o pessimista, destruídos na aurora dos tempos. E a filosofia sem dúvida aperfeiçoa a ironia trágica pagã, justamente porque é mais monoteísta e, portanto, mais mística. De fato, o Livro de Jó apenas responde mistério com mistério. Jó é consolado com enigmas, mas ainda assim é confortado. O livro fala realmente com propriedade, no sentido de uma profecia. Pois se quem duvida só pode dizer: "Eu não entendo", quem sabe só pode responder ou repetir: "Você não entende". E, sob essa repreensão, sempre surgem uma esperança no coração e a sensação de algo que valeria a pena entender. Mas esse poderoso poema monoteísta foi pouco notado por todo o mundo da antiguidade, que estava repleto de poesia politeísta. O fato de os judeus terem mantido algo como o Livro de Jó alheio a todo o universo intelectual da antiguidade mostra como se separaram e mantiveram sua tradição inabalável e reservada. É como se os egípcios tivessem escondido discretamente a Grande Pirâmide.

Mas havia outras razões para uma contradição e um impasse, característicos de todo o fim do paganismo. Afinal, a tradição de Israel só se apossara de parte da verdade, mesmo se usarmos o paradoxo popular e a chamarmos de metade maior. Tentarei esboçar no próximo capítulo que o amor à localidade e à personalidade percorreu a mitologia; aqui só é preciso dizer que ela continha uma verdade que não podia ser divulgada, embora fosse mais leve e menos essencial. A tristeza de Jó teve de se juntar à tristeza de Heitor; enquanto o primeiro carregava o sofrimento do universo, o sofrer do último se limitava à cidade, pois Heitor só podia estar apontando para o céu como o pilar da sagrada Troia. Uma vez que Deus fala "do seio da tempestade"[108], ele pode muito bem falar no deserto. Mas o monoteísmo do nômade não era suficiente para toda a civilização variada de campos, cercas, cidades muradas, templos e vilas; e essas mudanças também estavam por vir, quando poderiam ser combinadas em uma religião mais definida e doméstica. Aqui e ali, em toda aquela multidão pagã, podia ser encontrado um filósofo cujo pensamento era de puro teísmo; mas ele nunca teve, ou supôs que tinha, o poder de mudar os costumes de toda a população. Tampouco é fácil, mesmo nessas filosofias, encontrar uma definição verdadeira desse negócio profundo da relação entre politeísmo e teísmo. Talvez o mais próximo que possamos tocar no assunto, ou de dar-lhe um nome, esteja em algo muito longe de toda essa civilização e mais distante de Roma do que o isolamento de Israel. É um ditado que ouvi uma vez de alguma tradição hindu: deuses e homens são apenas os sonhos de Brahma[109] e perecerão quando Brahma acordar.

De fato, nessa imagem vemos uma parte da alma da Ásia menos sensata do que a alma da cristandade. Deveríamos chamá-la de desespero, mesmo que eles a chamem de paz. Esse sinal de niilismo pode ser considerado posteriormente em uma comparação mais completa entre a Ásia e a Europa. Aqui, é suficiente dizer que há mais desilusão nessa ideia de um despertar divino do que está implícito para nós na passagem da mitologia para a religião. Mas o símbolo é muito sutil e exato em um aspecto; isso sugere a desproporção e mesmo a ruptura entre as próprias ideias de mitologia e religião, o abismo entre elas. É realmente o fim da religião comparada não haver comparação entre Deus e os deuses. É como contrastar um homem e os homens que apareciam

---

108 Jó 38:1. (N.T.)

109 No hinduísmo, é o deus da criação, o primeiro da *trimurti* (trindade hindu, composta também por Vishnu e Shiva). (N.T.)

em seus sonhos. No próximo capítulo, haverá uma tentativa de indicar o crepúsculo daquele sonho no qual os deuses andam como homens. Mas se alguém imagina que o contraste entre monoteísmo e politeísmo seja apenas uma questão de divergência espiritual, para essa pessoa estar mais próxima da verdade deve se deixar envolver pela tromba insólita da cosmologia brâmane[110], para que sinta um arrepio atravessando o véu, os criadores de muitas mãos, os animais metamorfoseados com auréolas e o novelo embolado de estrelas e soberanos da noite, enquanto os olhos de Brahma se abrem como o amanhecer ao observar a morte de tudo.

---

110 Segundo os textos sagrados hindus, os Vedas, o universo é ciclicamente criado e destruído, sendo, portanto, infinito, sem início nem fim. (N.T.)

CAPÍTULO 5

O HOMEM E AS MITOLOGIAS

O que aqui chamamos de Deuses[111] quase pode, em vez disso, ser chamado de Delírios. Compará-los aos sonhos não é negar que os sonhos podem se tornar realidade. Compará-los às histórias de viajantes não é negar que possam ser verdadeiras, ou, pelo menos, confiáveis. Na verdade, são aquelas histórias que o viajante conta para si mesmo. Todo esse assunto mitológico pertence ao lado poético dos homens. Hoje em dia muitos parecem esquecer que um mito é uma obra de imaginação e, portanto, uma obra de arte. É preciso um poeta para fazê-lo e, também, para criticá-lo. Há mais poetas do que não poetas no mundo, como é comprovado pela origem popular dessas lendas. Mas, por alguma razão para a qual nunca ouvi explicação, apenas a minoria de pessoas não poéticas é capaz de escrever estudos críticos sobre esses poemas populares. Não submetemos um soneto a um matemático ou uma música a um garoto que faz cálculos, mas aceitamos a ideia igualmente fantástica

111 Com inicial maiúscula no original. (N.T.)

de que o folclore pode ser tratado como uma ciência. Se essas coisas não forem apreciadas de modo artístico, elas não são de fato apreciadas.

Quando o polinésio diz ao professor universitário que outrora nada havia além de uma grande serpente emplumada, a menos que o homem instruído sinta-se emocionado e impelido a desejar que aquilo fosse verdade, não cabe a ele julgar. Quando ele tem certeza, fundamentado pela fiel autoridade dos peles-vermelhas, de que um herói primitivo carregava o Sol, a Lua e as estrelas em uma caixa, a menos que bata palmas e quase pule como uma criança faria com uma fantasia tão encantadora, ele nada sabe sobre o assunto. Esse teste não é absurdo; crianças primitivas e bárbaras riem e chutam como outras crianças; e devemos ter certa simplicidade para reimaginar a infância do mundo. Quando a ama-seca de Hiawatha[112] lhe disse que um guerreiro lançara a avó dele à Lua, ele riu como qualquer criança inglesa ouve da ama--seca que uma vaca pulou sobre a Lua[113]. A criança entende a piada tão bem quanto a maioria dos homens, e melhor do que alguns pesquisadores. Mas o teste final, mesmo com respeito ao fantástico, é a adequação de algo incoerente. E o teste pode parecer meramente arbitrário, porque é apenas artístico. Se algum estudante me disser que o bebê Hiawatha riu somente por respeito ao costume tribal de sacrificar os idosos às tarefas de economia doméstica, digo que ele não riu por isso. Se algum estudioso me disser que a vaca pulou sobre a Lua apenas porque uma novilha foi sacrificada a Diana, respondo que isso não ocorreu. Aconteceu porque é obviamente a coisa certa para uma vaca fazer: pular sobre a Lua. A mitologia é uma arte perdida, uma das poucas que realmente estão perdidas; mas é uma arte. A Lua com chifres e

112 Hiawatha (c. 1450) foi um lendário chefe de tribos indígenas norte-americanas, da região dos Grandes Lagos, a quem se atribui a formação da Confederação Iroquesa. (N.T.)

113 Referência à conhecida canção infantil inglesa com origem no século XVI, ou talvez antes. Como costumava ocorrer com composições desse tipo, ela não tem sentido especial, apenas brinca com rimas; nesse caso, entre *moon* (Lua, sobre a qual a vaca pulava) e *spoon* (colher, com quem um prato fugiu). (N.T.)

o bobão[114] com chifres formam um padrão harmonioso e quase inerte. E jogar sua avó para o alto não é um bom comportamento; mas é esteticamente agradável.

Assim, é raro os cientistas entenderem, do mesmo modo que os artistas, que o feio é uma ramificação do belo. É uma raridade eles permitirem a liberdade autêntica do grotesco. E rejeitarão um mito selvagem por considerá-lo meramente grosseiro e tosco e uma evidência de degradação, porque não tem toda a beleza do arauto Mercúrio[115] que acaba de pousar em uma colina que beija o céu – quando na verdade tem a beleza da Tartaruga Fingida ou do Chapeleiro Maluco[116]. A prova suprema de que um homem é prosaico reside em ele sempre insistir em que a poesia seja lírica. Às vezes, o humor está tanto no próprio assunto como no estilo da fábula. Os aborígines australianos, considerados os selvagens mais rudes, têm uma história sobre um sapo gigante que engoliu o mar e todas as águas do mundo, que só foi forçado a derramá-las quando o fizeram rir. Todos os animais com suas travessuras passaram diante dele e, como a rainha Vitória[117], ele não se divertiu. Por fim, acabou cedendo perante uma enguia que se equilibrava delicadamente na ponta da cauda, sem dúvida fazendo um grande esforço para manter a postura. Muita coisa boa em literatura fantástica pode ser feita a partir dessa fábula. Há filosofia nessa visão do mundo árido antes do Dilúvio beatífico do riso.

---

114 Chesterton faz mais um jogo de palavras intraduzível: "bobo, palerma, bobão" é *mooncalf*, e *calf* é "bezerro". Ele poderia também estar sugerindo os chapéus dos bobos da corte que, popularmente, traziam chifres ou pontas. (N.T.)

115 Deus romano, correspondente ao deus grego Hermes. Entre outras funções, ele é mensageiro dos deuses, caracterizado por sandálias aladas, capacete com asas e caduceu, o cetro mágico enfeitado com duas serpentes. (N.T.)

116 Personagens de *Alice no País das Maravilhas*, de Charles Lutwidge Dodgson (1832-1898), sob o pseudônimo de Lewis Carroll. A Tartaruga foi ilustrada, na primeira edição do livro, com cabeça, cauda e patas traseiras de vitela. Seu nome original, Mock-Turtle, é referência a uma sopa popular na Inglaterra: um caldo verde com cabeça de vitela que imita a sopa de tartaruga. (N.T.)

117 Alexandrina Vitória Regina (1819-1901), rainha da Inglaterra e da Irlanda, reinou por 63 anos. Inaugurou a chamada Era Vitoriana. De hábitos simples e puritanos, sem escândalos, mudou a imagem corrente da realeza. Austera, é dito que nunca sorria, o que, por outro lado, era considerado, à época, coisa do vulgo. (N.T.)

Há imaginação no monstro montanhoso em erupção como um vulcão aquoso; há muita diversão em pensar na sua cara de olhos arregalados quando o pelicano ou o pinguim passaram por ali. De qualquer forma, o sapo riu; mas o estudante de folclore permanece sério.

Além disso, mesmo onde as fábulas são tratadas como arte inferior, elas não podem ser adequadamente julgadas pela ciência e muito menos como ciência. Alguns mitos são muito toscos e esquisitos, como os primeiros desenhos de crianças; mas a criança está tentando desenhar. Não obstante, é um erro tratar seu desenho como se fosse um diagrama ou pretendesse sê-lo. O estudante não pode fazer uma declaração científica sobre o selvagem porque o selvagem não está fazendo uma declaração científica sobre o mundo. Ele está dizendo algo bem diferente, o que pode ser chamado de fofoca dos deuses. Podemos dizer, se quisermos, que isso é entendido antes que haja tempo para analisá-lo. Seria mais verdadeiro dizer que é aceito antes que haja tempo para ser entendido.

Confesso que duvido de toda a teoria da disseminação de mitos ou (como costuma ser) de um mito. É verdade que algo em nossa natureza e em nosso meio torna muitas histórias semelhantes, mas cada uma delas pode ser original. Um homem não toma emprestada a história de outro, embora possa contá-la pelo mesmo motivo. Seria fácil aplicar todo o argumento a respeito de lenda à literatura e transformá-la em uma reles monomania de plágio. Eu me comprometeria a rastrear uma noção como a do Ramo de Ouro[118] ao longo de cada romance moderno tão facilmente quanto o faria em mitos comunais e antiquados. Eu me comprometeria a encontrar algo parecido com um ramo de flores que aparecesse repetidamente, do buquê fatal de Becky Sharpe[119] ao buquê

118 Referência a uma passagem encontrada na *Eneida*, 6:124-211, de Virgílio. Quem arrancasse o ramo de ouro de certa árvore sagrada do bosque em que ficava um santuário para a deusa Diana podia ser seu sacerdote e assumir o título de rei do bosque. (N.T.)

119 Personagem de grande beleza do romance *A feira das vaidades*, de William Makepeace Thackeray (1811-1863), romancista britânico. Ela é inteligente, fluente em línguas, mas amoral e sem consciência, mentirosa e manipuladora. (N.T.)

de rosas enviado pela princesa da Ruritânia[120]. Mas, embora essas flores possam brotar do mesmo solo, não é a mesma flor murcha que passa de mão em mão. Elas são sempre viçosas.

A verdadeira origem de todos os mitos tem sido descoberta com muita frequência. Existem muitas chaves para a mitologia, assim como há muitos criptogramas em Shakespeare. Tudo é fálico; tudo é totemístico; tudo é tempo de semear e de colher; tudo são fantasmas e ofertas aos mortos; tudo é o ramo de ouro do sacrifício; tudo é Sol e Lua; tudo é tudo. Todo estudante de folclore que conhecesse um pouco mais do que a própria monomania, todo homem de leitura mais voraz e de cultura crítica como Andrew Lang[121], praticamente confessou que a perplexidade dessas coisas fez seu cérebro girar. No entanto, todo o problema vem de um homem tentando olhar para essas histórias de fora, como se fossem objetos científicos. Ele só deve olhar para elas por dentro e se perguntar como começaria uma história. Uma história pode começar com qualquer coisa e ir a qualquer lugar. Pode começar com um pássaro que não seja um totem; pode começar com o Sol sem que seja mito solar. Dizem que existem apenas dez enredos no mundo; e certamente haverá elementos comuns e recorrentes. Coloque dez mil crianças conversando ao mesmo tempo e contando mentiras sobre o que fizeram na floresta, e não será difícil encontrar paralelos análogos ao culto ao Sol ou aos animais. Algumas histórias podem ser bonitas e tolas, e outras, talvez sujas, mas só podem ser julgadas como histórias, ou, em linguagem moderna, esteticamente. É estranho que à estética, ou ao mero sentimento, a quem agora é permitido usurpar do que não tem direito algum – destruir a razão com o pragmatismo e a moral com a anarquia – aparentemente não seja permitido fazer um julgamento

---

120 Flávia é filha do rei Rudolfo V, da Ruritânia, país fictício criado pelo novelista inglês Anthony Hope (1863-1933) em seu romance *O prisioneiro de Zenda*. (N.T.)

121 Andrew Lang (1844-1912), escritor escocês, dono de amplíssima erudição, foi autor de livros sobre temas tão diversos quanto literatura grega e telepatia. Seus escritos mais destacados versam sobre folclore, mitologia e religião. (N.T.)

puramente estético sobre o que obviamente é uma questão apenas estética. Podemos ser fantasiosos sobre tudo, exceto a respeito de contos de fadas.

O primeiro fato é que as pessoas mais simples têm as ideias mais sutis. Todo mundo deveria saber isso, pois todo mundo já foi criança. Inocente, sabe mais do que pode dizer e sente não apenas atmosferas, mas delicados matizes – dos quais há vários nessa questão. Quem não teve o que só pode ser chamado de dor do artista para encontrar algum sentido e alguma história nas coisas bonitas que vê não entende isso; sua fome de segredos e sua raiva contra qualquer torre ou árvore são esquecidas com a história não contada. Ele sente que nada é perfeito, a menos que seja pessoal. Sem isso, a inconsciente beleza cega do mundo permanece no jardim como uma estátua sem cabeça. Alguém só precisa ser um poeta muito menor para lutar com a torre ou a árvore até que ela fale como um titã ou uma dríade.

Costuma-se dizer que a mitologia pagã era uma personificação dos poderes da natureza. A frase é verdadeira em certo sentido, mas muito insuficiente, pois implica que as forças são abstrações e a personificação é artificial. Mitos não são alegorias. Os poderes naturais não são abstrações nesse caso. Não é como se houvesse um Deus da Gravitação. Pode haver um gênio da cachoeira, mas não apenas da queda, e muito menos da mera água. A representação não é de algo impessoal. O ponto é que a personalidade aperfeiçoa a água com significado. O Papai Noel não é uma alegoria de neve e azevinho; ele não é apenas o material chamado neve ao qual, em uma etapa posterior, foi dada artificialmente uma forma humana, como um boneco de neve. Ele dá um novo significado ao mundo branco e às sempre-vivas, de modo que a própria neve parece mais quente do que fria. O teste, portanto, é puramente imaginativo – o que não significa imaginário. Não condiz ser tudo o que os modernos chamam de subjetivo, mas querem, na verdade, chamar de falso. Todo verdadeiro artista sente, consciente ou não, que está tocando verdades transcendentais; que suas imagens são sombras de coisas vistas através do véu. Em outras palavras, o místico natural sabe que há algo *lá*; algo atrás das nuvens ou dentro das árvores; mas ele acredita que a busca pela beleza é o caminho para encontrá-lo, que a imaginação é um tipo de encantamento que pode ser invocado.

Mas não compreendemos esse processo em nós mesmos, muito menos nas criaturas mais remotas de nossa espécie. E o perigo dessas coisas serem classificadas é que elas podem parecer compreendidas. Um trabalho muito bom do folclore, como *The Golden Bough*, deixará muitos leitores com a ideia, por exemplo, de que essa ou aquela história do coração de um gigante ou de um mago em um caixão ou em uma caverna apenas "significa" alguma superstição estúpida e estática chamada "a alma externa". Mas não sabemos o que essas coisas significam, simplesmente porque não entendemos o que é ser movidos por elas.

Suponha que alguém em uma história diga: "Colha esta flor, e uma princesa morrerá em um castelo além do mar" – não sabemos por que algo se agita no subconsciente ou por que o impossível parece quase inevitável. Suponha o trecho: "E na hora em que o rei apagou a vela, seus navios foram destruídos lá longe, na costa das Hébridas". Não sabemos por que a imaginação aceitou essa imagem antes que a razão a rejeitasse, ou por que essas correspondências parecem de fato se relacionar a algo na alma. Elementos muito profundos em nossa natureza, algum senso obscuro da dependência de grandes coisas em relação a pequenas, uma sugestão sombria de que as coisas mais próximas a nós se estendem muito além de nosso controle, algo sagrado na magia das substâncias materiais e muitas outras emoções passadas estão em uma ideia como a da alma externa. O poder, mesmo nos mitos dos selvagens, é equivalente nas metáforas dos poetas. A alma dessa metáfora é muitas vezes, sem dúvida, uma alma externa. Os melhores críticos observaram que, nos melhores poetas, o símile costuma ser uma imagem que parece bastante separada do texto. É tão irrelevante quanto o castelo remoto para a flor ou a costa hebridiana para a vela. Shelley compara a cotovia a uma jovempresa em uma torre, a uma rosa envolta por densa folhagem, a uma série de elementos que parecem tão diferentes de uma cotovia no céu quanto qualquer coisa que possamos imaginar[122]. Suponho que o fragmento mais convincente de pura magia na literatura inglesa seja a passagem tão citada no *Nightingale* de Keats sobre abrir "janelas encantadas ao perigo/dos mares maus"[123]. E ninguém percebe que a imagem parece vir do nada, que aparece de maneira abrupta depois de alguns comentários quase tão irrelevantes sobre Rute e que nada têm a ver com o assunto do poema. Se existe um lugar no mundo em que ninguém, com razão, poderia esperar encontrar um rouxinol, é o parapeito de uma janela à beira-mar. Mas é apenas no mesmo sentido de que ninguém esperaria encontrar o coração de um gigante em um caixão no fundo do mar. Note que seria muito perigoso classificar as metáforas dos poetas. Quando Shelley diz que a nuvem subirá "como uma criança saindo do ventre, como um fantasma da tumba"[124], seria bem possível chamar o primeiro de mito bruto do nascimento primitivo e o segundo de uma reminiscência da adoração a fantasmas que se transformou em adoração aos ancestrais. Mas essa é a maneira errada de lidar com uma nuvem – e é a responsável por deixar o erudito na condição de Polônio: pronto demais para pensar nela como uma doninha ou como uma baleia[125].

Dois fatos decorrem dessa psicologia dos devaneios, que devem ser lembrados ao longo de todo o seu desenvolvimento nas mitologias e

122 "A uma cotovia", concluído em 1820, é um famoso poema de Percy Bysshe Shelley (1792-1822), um dos maiores poetas românticos ingleses. (N.T.)

123 John Keats (1795-1821), poeta inglês, tido como o último dos poetas românticos da Inglaterra. O nome completo do poema mencionado é "Ode to a nightingale" [Ode a um rouxinol]. A tradução aqui citada é de Augusto de Campos, em *Byron e Keats – Entreversos* (Campinas-SP: Unicamp, 2009). (N.T.)

124 Penúltimo verso do poema "A nuvem", escrito em 1820. (N.T.)

125 Polônio é personagem da peça *Hamlet*, de William Shakespeare. No final do ato III, cena II, Hamlet, filho do falecido rei da Dinamarca, faz Polônio, seu camareiro-mor, ver uma nuvem em forma de camelo, depois o faz considerar que tem a forma de doninha e, por fim, de uma baleia. (N.T.)

até nas religiões. Primeiro: essas impressões imaginárias costumam ser estritamente locais. Longe de serem abstrações transformadas em alegorias, muitas vezes são imagens quase concentradas em ídolos. O poeta sente o mistério de uma floresta em particular; não da ciência da arborização ou do departamento de bosques e florestas. Ele adora o pico de uma montanha em particular, não a ideia abstrata de altitude. Então descobrimos que o deus é não apenas água, mas frequentemente um rio em especial; ele pode ser o mar, pois é único como um riacho: o rio que corre ao redor do mundo. Em última análise, sem dúvida, muitas divindades são amplificadas em elementos, mas são algo mais que onipresentes. Apolo não mora apenas onde quer que o Sol brilhe – sua casa está nas rochas de Delfos. Diana é grande o suficiente para estar em três lugares ao mesmo tempo: terra, céu e inferno, mas maior é a Diana dos efésios[126]. Esse regionalismo tem sua forma mais baixa no mero fetiche ou talismã, como milionários assentados em seus automóveis. Mas também pode consolidar-se em algo como uma religião edificante e séria, na qual está ligado a deveres elevados e austeros, aos deuses da cidade ou mesmo do lar.

A segunda consequência é esta: nesses cultos pagãos há toda sombra de sinceridade – e de falsidade. Em que sentido exatamente um ateniense de fato achou que tinha de sacrificar Palas Atena? Que estudioso está certo da resposta? Por qual razão o dr. Johnson de fato pensava que deveria tocar em todos os postes da rua ou recolher cascas de laranja[127]? Por qual razão uma criança pensa que deve pisar alternadamente em cada pedra da calçada? Duas coisas pelo menos são bastante claras.

126 Referência a Atos 19:28. (N.T.)

127 Samuel Johnson (1709-1784), mais conhecido por dr. Johnson, poeta, ensaísta e lexicógrafo inglês de conhecimento enciclopédico, autor de *A Dictionary of the English Language* [Dicionário da língua inglesa], entre muitas outras obras. Ele mesmo disse ter "grande amor" pelas cascas de laranja, que deixava secar, mas cuja finalidade nunca revelou. O episódio relativo aos postes é o relato de certo sr. Whyte, registrado em *Life of Johnson* [Vida de Johnson] (1791), de James Boswell (1740-1795). (N.T.)

A primeira é que, em tempos mais simples e despreocupados, essas formas podem se tornar mais consistentes sem de fato se tornarem mais sérias. Os devaneios podiam se manifestar em plena luz do dia, com mais liberdade de expressão artística, mas, ainda assim, talvez com algo instável do sonâmbulo. Envolva o sr. Johnson em um manto antigo, coroe-o (com sua permissão) com uma guirlanda, e ele se moverá com ar solene sob aqueles céus antigos da manhã, tocando uma série de postes sagrados esculpidos com as cabeças dos estranhos deuses terminais, que ficam nos limites da terra e da vida do homem. Liberte a criança dos mármores e mosaicos de alguns templos clássicos para brincar em um piso inteiro incrustado de quadrados pretos e brancos, e ela fará, de bom grado, dessa realização de seu devaneio ocioso e flutuante o espaço livre para uma dança solene e graciosa.

Mas os postes e as pedras do pavimento são um pouco mais e um pouco menos reais do que as que estão sob os limites modernos. Elas não são tão mais importantes pelo fato de serem levadas a sério. Elas têm o tipo de sinceridade que sempre tiveram: a arte como um símbolo que expressa espiritualidades muito reais sob a superfície da vida. Mas elas são sinceras apenas no mesmo sentido que a arte; não no mesmo sentido que a moralidade. A excêntrica coleção de casca de laranja pode se transformar em laranjas de um festival do Mediterrâneo ou maçãs douradas em um mito do Mediterrâneo. Mas elas nunca estarão no mesmo plano da diferença entre dar a laranja a um mendigo cego e colocar cuidadosamente a casca de laranja de modo que o mendigo caia e quebre a perna. Entre essas duas situações, há uma diferença de tipo e não de nível. A criança não acha errado pisar na pedra do pavimento assim como acha errado pisar no rabo do cachorro. E é muito certo que, não importa a brincadeira, o sentimento ou a fantasia que levou Johnson a tocar nos postes de madeira, ele nunca tocou a madeira com o sentimento pelo qual estendeu as mãos à madeira daquela árvore terrível, que foi a morte de Deus e a vida do homem.

Como já foi observado, isso não significa que não existisse realidade ou mesmo sentimento religioso nesse estado de espírito. De fato, a Igreja Católica assumiu com sucesso estrondoso todo esse negócio popular de dar às pessoas lendas locais e movimentos cerimoniais mais leves. À medida que todo esse tipo de paganismo era inocente e estava em contato com a natureza, não há razão para que ele não devesse ser apadrinhado tanto pelos santos patronos como pelos deuses pagãos.

E, de qualquer forma, há níveis de seriedade até no faz de conta mais bobo. Faz toda a diferença imaginar que há fadas na floresta – o que geralmente significa apenas pensar em como seria uma floresta adequada para fadas – e nos assustar até mesmo para dar uma volta de um quilômetro a mais em vez de passarmos por uma casa que acreditamos ser assombrada. Por trás de tudo isso está o fato de que a beleza e o terror são coisas muito reais e relacionadas a um mundo espiritual real; e tocá-las, mesmo em dúvida ou fantasia, é mexer com as profundezas da alma. Todos nós entendemos, e os pagãos também. A questão é que o paganismo não tocou, de fato, a alma, exceto com essas dúvidas e fantasia; e, por conta disso, hoje em dia podemos ter pouco além de dúvidas e fantasias sobre o paganismo.

Os melhores críticos concordam que todos os maiores poetas, na Hélade pagã, por exemplo, tinham uma atitude em relação a seus deuses nada convencional e intrigante para os homens na era cristã. Parecia haver um conflito declarado entre o deus e o homem, mas todo mundo parece estar em dúvida sobre qual era o herói ou o vilão. Essa dúvida não se aplica apenas a um cético, como Eurípides em *As bacantes*; aplica-se também a um conservador moderado, como Sófocles na *Antígona*; ou mesmo para um conservador[128] regular e reacionário,

128 Aqui Chesterton usa um termo mais específico, *Tory*, que se refere a um membro ou apoiador do Partido Conservador. (N.T.)

como Aristófanes em *Os sapos*[129]. Às vezes parece que os gregos acreditavam acima de todas as coisas em reverência, só que não tinham a quem reverenciar. Mas o ponto importante desse quebra-cabeça é: toda essa imprecisão e variação surgem do fato de que tudo começou com fantasia e sonho, e que não há regras de arquitetura para um castelo nas nuvens.

Essa é a árvore muito poderosa e cheia de galhos chamada mitologia, que se ramifica pelo mundo todo, cujos galhos remotos sob céus distintos sustêm como pássaros coloridos os preciosos ídolos da Ásia, os fetiches imaturos da África e os reis e as princesas das fadas dos contos populares das florestas, e, enterrados em meio a trepadeiras e azeitonas, os Lares[130] dos latinos, e carregava nas nuvens do Olimpo a supremacia flutuante dos deuses da Grécia. Esses são os mitos, e quem não tem simpatia por eles não a tem pelos homens. Mas quem se identifica perceberá plenamente que eles não são e nunca foram uma religião, do modo como o cristianismo ou mesmo o islamismo o são. Eles satisfazem algumas das necessidades às quais uma religião se propõe, de maneira notável os rituais em determinadas datas e a obrigação de conciliar festividade e formalidade. No entanto, embora eles forneçam um calendário a um homem, não lhe oferecem um credo. Um homem não se levantou e disse: "Eu creio em Júpiter, Juno e Netuno", etc., como quando se levanta e diz: "Eu creio em Deus-Pai Todo-Poderoso", e o restante do Credo dos Apóstolos. Muitos acreditavam em alguns e não em outros,

129 Em *As bacantes*, Eurípides (c. 480 a.C.-c. 406 a.C.), dramaturgo grego, trata do mito grego acerca do rei Penteu e sua mãe, Agave, punidos por Dionísio por se recusarem a adorá-lo. O mito grego de Antígona, filha da relação incestuosa entre Édipo e Jocasta, tem sua forma mais conhecida na tragédia de mesmo nome escrita pelo dramaturgo grego Sófocles (c. 497 a.C.-c. 405 a.C.). Aristófanes (c. 447 a.C.-c. 385 a.C.), também dramaturgo grego, é considerado o pai da comédia. Na peça *Os sapos* (ou *As rãs*, em algumas traduções), ele analisa a decadente Atenas e seus falsos heróis. (N.T.)

130 Na mitologia romana, esses filhos de Mercúrio e Lara eram deuses que cuidavam das casas e das encruzilhadas, a quem as famílias faziam oferendas em eventos importantes, como nascimento e morte. (N.T.)

ou mais em alguns e menos em outros, ou, apenas de um modo poético muito vago, em qualquer um deles. Não houve momento em que todos foram reunidos em uma ordem ortodoxa pela qual os homens brigavam e eram torturados para a manterem intacta. Muito menos alguém já disse assim: "Eu creio em Odin e Thor e Freya", pois fora do Olimpo até a ordem olímpica fica nublada e caótica. Parece-me claro que Thor não era um deus, mas um herói. Nada que lembre uma religião imaginaria alguém parecido com um deus tateando como um pigmeu em uma grande caverna, que era, na verdade, a luva de um gigante. Essa é a gloriosa ignorância chamada aventura. Thor pode ter sido um grande aventureiro, mas chamá-lo de deus é como tentar comparar Jeová com João e o Pé de feijão. Odin parece ter sido um verdadeiro chefe bárbaro, possivelmente da Idade das Trevas após o cristianismo.

O politeísmo se desvanece em seus extremos tornando-se contos de fadas ou memórias bárbaras; não é algo como o monoteísmo mantido por quem o leva a sério. Mais uma vez, satisfaz a necessidade de invocar algum nome superior ou alguma memória nobre em momentos sublimes e elevados, como o nascimento de uma criança ou a salvação de uma cidade. Mas o nome era deveras usado por muitos para quem era apenas um nome. Finalmente, o politeísmo satisfez, ou melhor, em parte, algo assaz profundo na humanidade – a ideia de entregar algo conforme a sina dos poderes desconhecidos; de derramar vinho no chão, de lançar um anel no mar; em uma palavra: a ideia de sacrifício. É o conceito sábio e digno de não tirar todo o proveito possível, de colocar algo no outro prato da balança a fim de lastrar nosso questionável orgulho, de pagar o dízimo à natureza por nossa terra.

A verdade abissal do perigo da insolência, ou de ter pés largos demais para nossas botas, percorre todas as tragédias gregas e as torna grandiosas. Mas isso corre lado a lado com um agnosticismo quase enigmático sobre a natureza real dos deuses a que se deve propiciação. Onde esse gesto de entrega é mais magnífico, como entre os grandes mitos gregos, está muito mais presente a ideia de que o homem será melhor por perder o boi do que o deus será melhor por obtê-lo. Diz-se que, em suas formas mais grosseiras, muitas vezes existem ações grotescamente sugestivas de que o deus deveras come o sacrifício. Mas esse fato é anulado pelo erro que destaquei em primeiro lugar nessa nota sobre mitologia: é entender mal a psicologia dos devaneios. Uma criança que finge ver um duende em uma árvore oca fará algo não refinado e material, como deixar um pedaço de bolo para ele. Um poeta pode ter uma atitude mais digna e elegante, como trazer frutas e flores para o deus. Mas o grau de *seriedade* em ambos os atos pode ser o mesmo ou pode variar em quase qualquer outro. A fantasia imperfeita não é um credo, assim como a fantasia ideal também não é. Certamente o pagão não é descrente como um ateu nem crê como cristão. Ele sente a presença de poderes sobre os quais supõe e inventa. São Paulo disse que os gregos tinham um altar para um deus desconhecido. Mas, na verdade, todos os seus deuses eram desconhecidos. E a verdadeira ruptura na história veio quando São Paulo lhes declarou a quem eles tinham adorado em sua ignorância.

A substância de todo esse paganismo pode ser resumida assim: é uma tentativa de alcançar a realidade divina somente por meio da imaginação; em seu próprio campo, a razão não a impede de modo algum. É vital ver em toda a história que a razão é algo separado da religião, mesmo na mais racional dessas civilizações. É apenas como uma reconsideração tardia, quando tais cultos ficam decadentes ou estão na defensiva, que alguns neoplatônicos ou brâmanes são encontrados tentando racionalizá-los e, mesmo assim, apenas tentando alegorizá-los. Mas, na realidade, os rios da mitologia e da filosofia correm paralelos e não se misturam até que se encontrem no mar da cristandade.

Secularistas simples ainda falam como se a Igreja tivesse introduzido uma espécie de cisma entre razão e religião. A verdade é que a Igreja foi, na realidade, a primeira que já tentou combinar razão e religião.

Nunca houve tal união de padres e filósofos. A mitologia, então, buscou a Deus por meio da imaginação, ou buscou a verdade por meio da beleza, no sentido em que a beleza inclui muito da mais grotesca feiura. Mas a imaginação tem suas próprias leis e, portanto, seus próprios triunfos, os quais nem lógicos nem homens da ciência podem entender. Permaneceu fiel a esse instinto criativo se manifestando em mil extravagâncias, em toda grosseira pantomima cósmica de porco que come a Lua ou do mundo ser cortado fora de uma vaca, em todas as confusas reviravoltas e malformações místicas da arte asiática, em toda a gritante rigidez de olhar fixo do retrato egípcio e do assírio, em todo tipo de espelho rachado da arte sem nexo que parecia deformar o mundo e deslocar o céu, permaneceu fiel a algo sobre o qual não se pode discutir, algo que torna possível para o artista de uma escola repentinamente ficar parado diante dessa deformidade específica e dizer: "Meu sonho se tornou realidade".

Portanto, todos sentimos que os mitos pagãos ou primitivos são infinitamente sugestivos, desde que sejamos sábios o suficiente para não perguntar o que eles sugerem. Dessa forma, todos sentimos o que significa Prometeu roubando o fogo do céu, até que algum pedante pessimista ou progressista explique o que isso significa. Todos sabemos o significado de João e o Pé de feijão, até que nos digam. Nesse sentido, é verdade que são os ignorantes que aceitam mitos, mas apenas porque são os ignorantes que apreciam poemas. A imaginação tem leis e triunfos, próprios e um grande poder começou a envolver suas imagens, sejam elas na mente ou na lama, sejam no bambu das Ilhas do Mar do Sul ou no mármore das montanhas de Hellas. Mas sempre houve um problema no triunfo, que nestas páginas tentei analisar em vão; mas talvez eu possa concluir como segue.

O ponto crucial e a crise é que o homem descobriu que a adoração era normal, inclusive de coisas anormais. A postura do ídolo pode ser rígida e aversa, mas o gesto do adorador foi generoso e bonito. Ele não apenas se sentiu mais livre quando se inclinou; ele de fato se sentiu mais alto quando se curvou. Daí em diante, qualquer coisa que levasse o gesto de adoração o tolheria e até o mutilaria para sempre. Doravante, ser apenas secular seria uma servidão e uma restrição. Se o homem não pode rezar, está amordaçado; se não pode se ajoelhar, está em grilhões. Sentimos, portanto, em todo o paganismo, um curioso sentimento ambíguo de confiança e desconfiança. Quando o homem faz o gesto de saudação e de sacrifício, quando derrama a libação ou ergue a espada, ele sabe que está sendo digno e viril, exercendo seu papel de homem. Seu experimento imaginativo é, portanto, justificado. Mas, precisamente porque começou com a imaginação, ela parece carregar algo de zombaria, em especial em seu objetivo. Essa zombaria, nos momentos mais tensos do entendimento, torna-se a ironia quase intolerável da tragédia grega. Parece haver uma desproporção entre o sacerdote e o altar ou entre o altar e o deus. O sacerdote parece mais solene e quase mais sagrado que o deus. Toda a ordem do templo é sólida, sã e satisfatória para certas nuances de nossa natureza, exceto para o centro, que parece, de um modo estranho, mutável e indefinido, como uma labareda. É o primeiro pensamento ao redor do qual o todo foi construído, e ainda é uma fantasia e quase uma frivolidade. Nesse novo lugar de encontro, o homem parece mais petrificado que a estátua. Ele próprio pode permanecer para sempre na atitude nobre e previsível da estátua do Menino que Ora[131]. Mas qualquer que seja o nome escrito no pedestal, seja Zeus, Amon ou Apolo, o deus a quem ele adora é Proteu[132].

Pode-se dizer que o Menino que Ora mais expressa uma necessidade do que a satisfaz. É por uma ação normal e necessária que suas mãos são levantadas, mas basicamente é uma parábola que suas mãos estejam

131 Estátua de bronze, datada de 300 d.C., de pouco mais de um metro de altura, de um garoto nu que parece caminhar com as mãos separadas e erguidas, com ar de adoração. (N.T.)

132 Zeus era o deus supremo da mitologia grega. Amon, na mitologia egípcia, era um dos mais antigos deuses. Apolo, um dos maiores deuses do Olimpo, era considerado justo e defensor da tolerância. Proteu era uma divindade grega dos mares, ancião pacífico, justo e sábio. (N.T.)

vazias. Sobre a natureza dessa necessidade, haverá mais a falar; mas, neste ponto, pode-se dizer que talvez, no fim das contas, esse verdadeiro instinto, de que oração e sacrifício libertam e dignificam, remeta a essa vasta e quase esquecida concepção de paternidade universal, que já vimos em toda parte desaparecendo do céu da manhã. Isso é verdade, e não é tudo. Permanece um instinto indestrutível, no poeta conforme é representado pelo pagão, de que ele não está totalmente errado em reconhecer seu deus. É algo na alma da poesia, se não da piedade. E o maior dos poetas, quando definiu o que era poeta, não disse que nos deu o universo ou o absoluto ou o infinito; mas, em sua própria linguagem mais ampla, uma habitação local e um nome. Nenhum poeta é só um panteísta; aqueles que são considerados mais panteístas, como Shelley, começam com alguma imagem local e particular, como os pagãos o fazem. Afinal, Shelley escreveu sobre a cotovia porque assim o quis. Não se pode fazer uma tradução universal ou internacional do poema para a América do Sul, no qual ela fosse substituída por um avestruz. Assim, a imaginação mitológica se move em círculos, pairando para encontrar um lugar ou para retornar a ele. Em uma palavra, mitologia é uma *busca*; é algo que combina um desejo constante a uma dúvida recorrente, misturando a sinceridade mais voraz na ideia de procurar um local com uma leviandade mais sombria, profunda e misteriosa sobre todos os ambientes encontrados. Até aí a imaginação solitária poderia nos levar, e voltaremos mais tarde à razão solitária. Em nenhum lugar ao longo dessa estrada as duas viajaram juntas.

É aí que todas essas coisas diferem da religião ou da realidade em que essas dimensões contrastantes se encontram em uma espécie de sólido. Elas se distinguem da realidade não na aparência, mas em essência. Uma pintura pode parecer uma paisagem; lembrá-la exatamente em cada detalhe. O único detalhe que a difere é não ser uma paisagem. A diferença é apenas o que distingue um retrato da própria rainha Elizabeth, por exemplo. Somente nesse mundo mítico e místico o retrato poderia existir diante da pessoa; e assim era, portanto, mais vago e questionável. Mas qualquer um que tenha sentido e desfrutado da atmosfera desses mitos me entende quando digo que, em certo aspecto, eles realmente não professam ser realidades. Os pagãos sonhavam com realidades; e teriam sido os primeiros a admitir, em suas próprias palavras, que alguns sonhos passaram pelo portão de marfim e outros, pelo portão de chifre. Na verdade, os sonhos tendem a ser muito vívidos quando revelam coisas ternas ou trágicas, que podem, sem dúvida, fazer um dorminhoco acordar com a sensação de que seu coração foi partido durante o sono. Eles tendem a mostrar continuamente certos temas apaixonados de encontro e despedida, de uma vida que termina em morte ou de uma morte que é o começo da vida. Deméter vagueia por um mundo arrasado à procura de uma criança roubada; Ísis estende os braços sobre a terra em vão para reunir os membros de Osíris; e há lamentações nas colinas por Atys e pelos bosques, por Adônis[133]. Mistura-se a todo esse luto a sensação mística e profunda de que a morte pode ser libertadora e pacificadora; que tal morte nos dá um sangue divino por meio de um rio que tudo renova e que todo o bem é encontrado ao juntar o corpo partido do deus. Podemos realmente chamar isso de prenúncio, sem nos esquecer de que são sombras. E essa metáfora atinge exatamente a verdade crucial – uma sombra é uma forma, algo que a reproduz, mas não a textura. Essas coisas eram uma representação do real; e falar sobre *como* elas eram é afirmar que eram diferentes.

Dizer que algo parece um cachorro é outra maneira de dizer que não é um cachorro; e é nesse sentido de identidade que um mito não é um homem. Ninguém realmente pensou em Ísis como um ser humano; em

133 Deméter é a deusa grega da agricultura. A criança que ela procurava era sua filha virgem Perséfone, sequestrada por Hades, deus do submundo. Ísis era esposa e irmã de Osíris, deus dos mortos e das lavouras. Set, irmão deles, matou Osíris ao trancá-lo em uma caixa e jogá-lo no Nilo. Ísis o procurou, encontrou, enterrou-o e lhe deu nova vida. Atys é personagem de *Os fastos*, longo poema inconcluso de Ovídio. Adônis, na mitologia grega, era um jovem de grande beleza, fruto de uma relação incestuosa. Ele morreu atacado por um javali. (N.T.)

Deméter como uma personagem histórica ou em Adônis como o fundador de uma Igreja. Não havia a ideia de que qualquer um deles tivesse mudado o mundo; mas antes sua morte e vida recorrentes carregavam o triste e belo fardo da imutabilidade universal. Nenhum deles foi revolucionário, exceto no sentido da revolução do Sol e da Lua. Todo o significado deles nos escapa se não percebermos que eles representam as sombras que carregamos e que perseguimos. Em certos aspectos sacrificiais e comunais, eles sugerem naturalmente que tipo de deus poderia satisfazer os homens, mas não professam estar satisfeitos. Quem diz que eles o fazem não é um bom crítico de poesia.

Aqueles que falam sobre os Cristos Pagãos têm menos simpatia pelo paganismo do que pelo cristianismo. Aqueles que chamam esses cultos de "religiões" e os "comparam" com a certeza e o desafio da Igreja têm muito menos apreço do que nós pelo que tornou o paganismo humano, ou por que a literatura clássica ainda é algo que paira no ar como uma canção. Não é muito empático aos famintos provar que a fome é o mesmo que comida. Não é um entendimento muito genial da juventude argumentar que a esperança torna a felicidade desnecessária. E é totalmente irreal argumentar que essas imagens na mente, admiradas inteiramente no abstrato, estavam no mesmo mundo com um homem e um político vivos que eram adorados por serem concretos. Poderíamos dizer também que um garoto brincando de ser ladrão é o mesmo que um homem em seu primeiro dia nas trincheiras; ou que as primeiras fantasias desse menino sobre "a não impossível garota" são iguais ao sacramento do casamento. Eles são diferentes de modo fundamental exatamente onde são semelhantes de maneira superficial; podemos quase dizer que eles não são a mesma coisa, mesmo quando o são. Eles são diferentes apenas porque um é real e o outro, não. Não quero apenas dizer que eu mesmo acredito que um é verdadeiro e o outro não é, mas que um nunca foi feito para ser verdadeiro no mesmo sentido que o outro. Tentei sugerir aqui vagamente o sentido em que isso foi pensado como verdadeiro, mas é, sem dúvida, muito sutil e quase indescritível. É tão sutil que os estudantes que professam colocar o paganismo como rival de nossa religião perdem todo o significado e propósito de seu próprio estudo. Sabemos melhor do que os eruditos, mesmo aqueles de nós que não são eruditos, o que havia naquele clamor vazio que surgiu sobre o morto Adônis e por que a Grande Mãe teve uma filha casada com a morte. Mergulhamos mais profundamente do que eles nos Mistérios Eleusinos[134] e passamos por um nível mais alto, onde vários portões guardavam a sabedoria de Orfeu[135]. Conhecemos o significado de todos os mitos e o último segredo revelado ao iniciado perfeito. E não é a voz de um sacerdote ou profeta dizendo: "Essas coisas são". É a voz de um sonhador e idealista que grita: "Por que essas coisas não podem ser?".

134 Famoso ritual secreto da Grécia Antiga, de iniciação, dedicado à Deméter, celebrado na cidade de Elêusis. (N.T.)

135 Orfeu era filho de Apolo e de Calíope. Do pai, ganhou uma lira, a qual tocava de tal modo que todas as criaturas eram por ela encantadas. Ele desceu ao mundo dos mortos para trazer de volta Eurídice, sua esposa. Conseguiu o prodígio graças a sua música. (N.T.)

CAPÍTULO 6

OS DEMÔNIOS E OS FILÓSOFOS

Demorei um pouco mais nesse tipo imaginativo de paganismo, que tem lotado o mundo de templos e é, em toda parte, a origem de festividades populares. Pois a história central da civilização, a meu ver, consiste em dois estágios sucessivos antes do final da cristandade. O primeiro foi o embate entre esse paganismo e algo menos digno, e o segundo foi o processo pelo qual ele se tornou menos digno. Nesse politeísmo muito diverso e também bastante vago, havia uma fraqueza do pecado original. Deuses pagãos eram retratados jogando homens como se fossem dados; e, além de tudo, viciados. Especialmente a respeito de sexo, os homens nascem desequilibrados; podemos quase dizer que nascem loucos. Raramente alcançam a sanidade antes da santidade. Essa disparidade pôs abaixo as fantasias aladas e encheu o fim do paganismo com o chorume e o lixo de deuses que se procriavam. Mas o primeiro ponto a ser notado é que esse tipo de paganismo teve uma colisão precoce com outro, e o acontecimento dessa luta – espiritual em essência – realmente determinou a história do mundo. Para entender o ocorrido, precisamos repensar o outro tipo de paganismo. Isso pode ser considerado de forma muito mais breve; de fato, quanto menos se falar sobre isso, melhor. Se chamamos o primeiro tipo de mitologia de devaneio, podemos muito bem chamar o segundo de pesadelo.

A superstição se repete em todas as eras, e especialmente nas eras racionalistas. Lembro-me de defender a tradição religiosa contra toda uma mesa em que distintos agnósticos almoçavam, e, antes do final da conversa, cada um deles havia sacado do bolso, ou exibido na corrente do relógio, algum amuleto ou talismã do qual, admitiam, nunca se haviam separado. Eu era o único presente que havia negligenciado prover-se de um fetiche. A superstição se repete na era racionalista porque repousa sobre algo que, se não for idêntico ao racionalismo, está conectado ao ceticismo ou, ao menos, intimamente ligado ao agnosticismo. Baseia-se em algo que é, sem dúvida, um sentimento muito humano e inteligível, como as invocações locais do *numen*[136] no paganismo popular. Mas esse é um sentimento agnóstico, pois repousa sobre duas percepções: a primeira é que desconhecemos as leis do universo; a segunda é que elas podem ser muito diferentes de tudo o que chamamos de razão. Tais homens compreendem a verdade real de que coisas grandiosas geralmente se voltam para os detalhes. Quando um sussurro vem, por tradição ou não, um detalhe em particular é a chave ou a pista, algo profundo e um tanto insensato na natureza humana diz a eles que é possível. Essa percepção existe nas duas formas de paganismo aqui consideradas. Porém, quando avançamos para a segunda forma, a encontramos transformada e preenchida com outro espírito mais terrível.

Ao lidar com a parte mais leve chamada mitologia, falei pouco sobre o aspecto mais discutível dela: até que ponto essa invocação dos espíritos do mar ou dos elementos pode realmente chamar espíritos do abismo;

136 Deus pagão sem rosto e sem forma ou ser sobrenatural que supostamente acompanha o homem para inspirá-lo ou protegê-lo. (N.T.)

ou melhor (como o escarnecedor shakespeariano coloca): se os espíritos vêm quando são chamados[137]. Acredito que estou certo ao pensar que esse problema, por mais simples que pareça, não teve um papel dominante nos aspectos poéticos da mitologia. Mas acho ainda mais óbvio, pelas evidências, que coisas desse tipo aparecessem de vez em quando, mesmo que fossem apenas aparições. Mas quando chegamos ao mundo da superstição, em um sentido mais sutil, há uma sombra de diferença: mais densa e escura.

Sem dúvida, a superstição mais popular é tão frívola quanto qualquer mitologia popular. Os homens não acreditam como dogma que Deus lhes lançaria um raio por passarem sob uma escada; eles se divertem mais com o exercício nada trabalhoso de desviarem-se dela. Nesse ato não há nada além do que já descrevi: uma espécie de agnosticismo tênue sobre as possibilidades de um mundo tão estranho. Mas há outro tipo de superstição que definitivamente busca resultados, o que pode ser chamado de realista. E, com isso, a questão de saber se os espíritos respondem ou aparecem se torna muito mais séria. Como eu já disse, parece-me bastante certo que eles, às vezes, o fazem; mas sobre isso há uma distinção que foi o gatilho para muitos males no mundo.

Seja porque a Queda na realidade aproximou os homens de vizinhos menos desejáveis no mundo espiritual, seja simplesmente porque o humor dos homens ansiosos ou gananciosos acha mais fácil imaginar o mal, acredito que a magia negra da bruxaria tenha sido muito mais prática e muito menos poética do que a magia branca da mitologia. Imagino que o jardim da bruxa fora preservado com muito mais cuidado do que a floresta da ninfa e que o campo do mal tenha sido ainda mais frutífero que o bom. Para começar, algum impulso, talvez desesperado, levou os homens aos poderes mais sombrios ao lidar com problemas práticos. Havia uma espécie de sentimento secreto e perverso de que esses

---

137 Fala de Hotspur, personagem de Shakespeare, em *Henrique IV*, ato III, cena I, cujos comentários sempre parecem prosaicos e sem graça. (N.T.)

poderes de fato existiam, não eram algo absurdo. E, deveras, essa fase popular expressa exatamente o argumento. Os deuses da genuína mitologia propagavam muita bobagem sobre eles, algumas boas, no sentido feliz e hilário em que falamos do absurdo de Jaguadarte ou da Terra onde vivem os Jumblies[138]. Mas o homem que buscou um demônio sentiu o mesmo que aquele que procurou um detetive, especialmente um particular: que o trabalho era sujo, mas sem dúvida seria feito. Um homem não entrou na floresta exatamente para encontrar uma ninfa; ele preferiu ir com a esperança de encontrá-la. Era uma aventura, não um encontro marcado. Mas o diabo realmente cumpriu seus compromissos e, em certo sentido, também suas promessas; mesmo que um homem às vezes desejasse depois, como Macbeth[139], que ele as tivesse quebrado.

Lendo relatos de muitas raças rudes ou selvagens, concluímos que o culto aos demônios com frequência vinha após o culto às divindades, e mesmo depois do culto a uma única e suprema divindade. Pode-se suspeitar que, em quase todos esses lugares, a divindade superior fosse considerada muito distante para se apelar em certos assuntos mesquinhos, e os homens invocaram os espíritos porque, em um sentido mais literal, estes eram familiares. Mas, com a ideia de que os demônios têm poderes, uma nova concepção parece mais digna. Na verdade, pode ser realmente descrita como a ideia de ser merecedor dos demônios: de alguém se tornar apto a uma sociedade obstinada e exigente. A superstição do tipo mais leve brinca com o conceito de que alguma insignificância, um pequeno gesto como bater na madeira, pode tocar a fonte oculta que opera as forças misteriosas do mundo. Afinal, existe algo na

138 Jaguadarte é o nome de um monstro e de um poema que estava no livro do espelho encontrado pela personagem principal de *Alice através do espelho*, de Lewis Carroll. Os Jumblies são personagens de um poema *nonsense* de mesmo nome escrito por Edward Lear (1812-1888), poeta inglês. (N.T.)

139 *Macbeth*, peça de Shakespeare, ato IV, cena III. (N.T.)

ideia de um "Abre-te, sésamo!"[140]. Mas, com o apelo aos espíritos inferiores, surge a terrível noção de que o gesto não deve ser apenas muito pequeno, mas muito baixo; deve ser um truque bem arriscado e indigno. Mais cedo ou mais tarde, um homem se propõe, de modo deliberado, a fazer a coisa mais cruel que pode imaginar. Considera-se que o mal extremo extorquirá uma espécie de atenção ou resposta dos poderes do mal sob a superfície do mundo. Esse é o significado da maior parte do canibalismo, que não é um hábito primitivo nem bestial. É dissimulado e até artístico, como se fosse a arte pelo bem da arte. Os homens não o fazem por não acharem isso horrível, muito pelo contrário. Eles desejam, no sentido mais literal, sucumbir aos horrores. Por isso muitas vezes ouvimos falar que raças selvagens como os nativos australianos não são canibais, enquanto outras muito mais refinadas e inteligentes, como os maoris, da Nova Zelândia, ocasionalmente o são. Eles são refinados e inteligentes o bastante para, às vezes, se permitirem um satanismo autoconsciente. Mas, se pudéssemos entender a mente deles, ou mesmo entender de fato sua linguagem, provavelmente descobriríamos que eles não estavam agindo como ignorantes, ou seja, como canibais inocentes. Eles não praticam aquilo porque não acham errado, é exatamente o contrário. Estão agindo como um parisiense decadente em uma Missa Negra. Mas essa tem de se esconder, no subsolo, da presença da Missa verdadeira.

Em outras palavras, os demônios permaneceram de fato escondidos desde a vinda de Cristo à Terra. O canibalismo dos bárbaros superiores é invisível perante a civilização do homem branco. Mas, antes da cristandade e especialmente fora da Europa, nem sempre foi assim. No mundo antigo, os demônios costumavam perambular como dragões.

---

140 Em "Ali Babá e os quarenta ladrões", conto de *As mil e uma noites*, é com essa fórmula mágica que se abre uma caverna em que se encontra o tesouro dos salteadores. Ao contrário do usado no original em inglês e compreendido por muitos, sésamo não é nome próprio, mas é apenas gergelim, grão que, quando maduro, abre-se ao menor toque. (N.T.)

Eles poderiam ser publicamente exaltados como deuses – com suas enormes imagens em templos públicos no centro de grandes cidades. E em todo o mundo podem ser encontrados vestígios desse fato marcante, tão curiosamente ignorado pelos modernos que falam de todo o mal como primitivo e encontrado no início da evolução, já que, de fato, algumas das mais elevadas civilizações do mundo eram os mesmos lugares onde os chifres de Satanás eram exaltados, não apenas para as estrelas, mas em face do Sol.

Tomemos como exemplo os astecas e os indígenas americanos dos antigos impérios do México e do Peru. Esses impérios eram no mínimo tão elaborados quanto os egípcios ou chineses e um pouco menos vigorosos do que a civilização central, que é a nossa. Mas aqueles que criticam essa civilização central (que sempre é a própria civilização deles) têm um curioso hábito de não apenas cumprir seu dever legítimo de condenar seus crimes, mas de se esforçar para idealizar suas vítimas. Eles sempre assumem que antes do surgimento da Europa não havia nada, a não ser um Éden. E Swinburne, naquele coro animado das nações em *Songs before Sunrise*, usou uma expressão sobre a Espanha a respeito de suas conquistas sul-americanas que sempre me pareceu muito estranha. Ele disse algo sobre seus [da Espanha] "pecados e filhos por terras sem pecado dispersos" e como eles "amaldiçoaram o nome do homem e três vezes amaldiçoaram o nome de Deus"[141]. Pode ser bastante razoável dizer que os espanhóis eram pecadores, mas por que afirmar que os sul-americanos não eram? Por que supor que esse continente era povoado exclusivamente por arcanjos ou santos perfeitos no céu? Seria algo certo a dizer do bairro mais respeitável, mas quando paramos para pensar no que de fato sabemos sobre essa

141 Algernon Charles Swinburne (1837-1909), poeta e romancista inglês, tratava de temas incomuns para a era vitoriana, como sadomasoquismo. *Songs before Sunrise* [Canções antes do nascer do Sol] é um livro de poemas publicado em 1871. A citação é do poema "The Litany of Nations" [A litania das nações], na estrofe dedicada à Espanha. (N.T.)

sociedade, a observação é bastante risível. Sabemos que os sacerdotes desse povo sem pecado adoravam deuses igualmente puros, que aceitavam como néctar e ambrosia de seu paraíso ensolarado nada mais que sacrifício humano incessante acompanhado por horríveis tormentos. Podemos notar também na mitologia dessa civilização americana aquele elemento de inversão ou violência contra o instinto sobre o qual Dante escreveu, que retrocede em toda parte à religião antinatural dos demônios. É notável não apenas na ética, mas na estética. Um ídolo da América do Sul foi feito para que ficasse o mais feio possível, assim como uma imagem grega foi criada para ser a mais bela. Eles estavam procurando o segredo do poder, em um retrocesso contra sua própria natureza e a natureza das coisas. Havia sempre uma espécie de desejo de esculpir, por fim, em ouro ou granito ou na madeira vermelha escura das florestas, um rosto no qual o próprio céu se rompia como um espelho quebrado.

De qualquer forma, é bastante óbvio que a civilização colorida e dourada da América tropical sistematicamente tenha se entregado ao sacrifício humano. De nenhuma forma está claro, até onde eu sei, que os esquimós tenham, em alguma ocasião, se entregado ao mesmo sacrifício. Eles não eram civilizados o suficiente – estavam aprisionados pelo inverno branco e sua escuridão infinita. A penúria gélida reprimiu sua legítima fúria e congelou a corrente suave da alma. Nos dias mais brilhantes e mais claros, a fúria legítima surgiu de forma inconfundível. E nas terras mais ricas e mais instruídas a corrente suave fluía sobre os altares, para ser bebida por grandes deuses usando máscaras de olhos arregalados e de largos sorrisos, invocados com terror ou tormento por nomes e cacofônicos que parecem risadas demoníacas. Um clima mais quente e um cultivo mais tecnológico foram necessários para produzir essas flores; delinear em direção ao Sol as grandes folhas e flores exuberantes que pintavam de ouro, vermelho e púrpura aquele jardim, que Swinburne compara às hespérides[142]. Não havia a menor dúvida sobre o dragão.

Não levanto, com respeito a isso, a controvérsia particular sobre a Espanha e o México, mas posso observar de passagem que se assemelha exatamente à questão que, de certo modo, deve ser levantada mais tarde sobre Roma e Cartago. Nos dois casos, existe um hábito estranho entre os ingleses de sempre se colocarem contra os europeus e representar a civilização rival, na frase de Swinburne, como sem pecado, quando seus pecados estavam obviamente clamando, ou melhor, gritando ao céu. Pois Cartago também era uma civilização elevada, ou melhor, muito mais. E Cartago também fundou essa civilização sobre uma religião do medo, enviando para todo lugar a fumaça do sacrifício humano. Agora é muito correto repreender nossa própria raça ou religião por não atingir nossos próprios padrões e ideais. Mas é absurdo fingir que eles ficaram abaixo dos de outras raças e religiões que professavam padrões e ideais muito opostos. Existe uma acepção muito real de que o cristão é pior que o pagão, o espanhol é pior que o pele-vermelha ou mesmo o romano é potencialmente pior que o cartaginês. Mas é pior em apenas um sentido – e isso não significa ser de todo pior. O cristão é somente pior porque ser melhor é sua ocupação.

Esse caráter inverso faz coisas sobre as quais é melhor não falar. Algumas delas, de fato, quase podem ser definidas antes de serem conhecidas, pois são daquele mal extremo que parece inocente para o leigo – desumanas até se forem indecentes. Mas, sem demorar-me muito mais nesses becos escuros, podemos notar que certos antagonismos anti-humanos parecem se repetir nessa tradição de magia negra. Pode-se suspeitar que esteja passando em todos os lugares, por exemplo, um ódio místico à ideia de infância. As pessoas entenderiam melhor a fúria popular contra as bruxas caso se lembrassem que a maldade mais

142 "Filhas da tarde" (gr.) eram, na mitologia grega, donzelas que guardavam a árvore com a maçã de ouro. A citação está no poema já mencionado. (N.T.)

comumente atribuída a elas era impedir o nascimento de crianças. Os profetas hebreus protestavam sempre contra a raça hebraica, que recaía em uma idolatria envolvendo uma guerra dessas contra crianças; e é bastante provável que essa apostasia abominável em relação ao Deus de Israel tenha aparecido por acaso em Israel desde então, na forma do que é chamado de assassinato ritualístico; não praticado por qualquer representante da religião do judaísmo, mas por indivíduos diabólicos e irresponsáveis que calhavam de ser judeus. Essa percepção de que as forças do mal ameaçam em especial a infância é encontrada novamente na enorme popularidade da Criança Mártir da Idade Média[143]. Chaucer[144] apenas deu outra versão de uma lenda inglesa muito nacional, quando concebeu a mais perversa de todas as bruxas possíveis como a trevosa mulher estrangeira observando atrás de sua treliça alta e ouvindo, como o murmúrio de um córrego na rua pedregosa, o canto do pequeno S. Hugo.

De qualquer maneira, a parte de tais especulações que diz respeito a essa história se concentrou especialmente no extremo leste do Mediterrâneo, onde os nômades haviam se transformado aos poucos em comerciantes e começado a negociar com o mundo inteiro. De fato, no sentido de comércio, viagens e extensão colonial, já havia algo como um império mundial. Sua tintura púrpura, emblema de sua rica pompa e do luxo, tingia os produtos que eram vendidos muito longe, entre os últimos penhascos da Cornualha e os barcos que entravam no silêncio dos mares tropicais em meio a todo o mistério da África. Pode-se dizer que isso de fato pintou o mapa de roxo. Já era um sucesso mundial, quando os príncipes de Tiro dificilmente teriam se incomodado

143 Chesterton não parece fazer referência a um fato específico, mas ao acontecido em várias ocasiões e em vários países. Por exemplo: em 1572, em Vivarais, na França, crianças católicas foram colocadas em espetos e assadas diante dos pais. (N.T.)

144 Geoffrey Chaucer (1343-1400), poeta e escritor inglês, considerado o "pai da literatura inglesa", é autor de *The Canterbury Tales* [Os contos de Cantuária], de onde Chesterton extraiu o exemplo dado. (N.T.)

ao perceber que uma de suas princesas condescendera em se casar com o chefe de uma tribo chamada Judá; quando os comerciantes de seu posto avançado africano apenas retorceram os lábios barbudos e semíticos com um leve sorriso à menção de uma vila chamada Roma. E, de fato, essas coisas não poderiam parecer mais distantes uma da outra, não apenas no espaço, mas em espírito, do que o monoteísmo da tribo palestina e as próprias virtudes da pequena república italiana. Havia apenas uma linha tênue entre elas, que as dividiu e as uniu. Muito variadas e incompatíveis eram as coisas que podiam ser amadas pelos cônsules de Roma e pelos profetas de Israel, mas eles estavam unidos em relação ao que odiavam. Nos dois casos, é muito fácil representar esse ódio como algo gratuito. É bem fácil idealizar uma figura meramente severa e desumana de Elias delirando sobre o massacre do Carmelo ou de Catão trovejando contra a anistia da África[145]. Esses homens tinham suas limitações e costumes; mas essa crítica a eles é sem fundamento e, portanto, irreal. Simplesmente deixa de lado algo imenso e mediador, enfrentando leste e oeste e despertando essa paixão em seus inimigos orientais e ocidentais – esse é o primeiro assunto deste capítulo.

A civilização que se centrava em Tiro e Sidônia[146] era, acima de tudo, prática. Deixou pouco em termos de arte e nada de poesia. Mas orgulhava-se de ser muito eficiente; e seguiu em sua filosofia e em sua religião aquela estranha, e às vezes secreta, linha de pensamento que já observamos em pessoas que procuram efeitos imediatos. Nessa mentalidade sempre está a ideia de que existe um atalho para o segredo de todo sucesso; algo que chocaria o mundo por sua plenitude arrojada. Os habitantes dessas cidades acreditavam, usando a expressão moderna apropriada, nas pessoas que entregavam as mercadorias. Ao lidar com

145 O relato sobre Elias está em 1Reis 18.17-41. Catão é possivelmente Marco Pórcio Catão (95 a.C.-46 a.C.), cognominado Catão, o Jovem, militar romano que morreu na África. (N.T.)

146 Cidades dos tempos bíblicos, existentes até hoje no atual Líbano, nas costas do Mediterrâneo. Cristo visitou essa região, muito próxima a Israel, durante Seu ministério, e dela muitas pessoas vieram ouvi-Lo. Sidônia é cidade-mãe de Tiro. (N.T.)

seu deus Moloque[147], eles mesmos sempre tiveram o cuidado de entregá-las. Era uma transação interessante, sobre a qual teremos de falar mais de uma vez no restante da narrativa; basta dizer aqui que ela envolvia a teoria que sugeri sobre certa atitude em relação às crianças. Foi isso que convocou contra esses povos, em fúria simultânea, o servo de um Deus na Palestina e os guardiões de todos os deuses domésticos em Roma. Foi o que desafiou duas coisas naturalmente tão divididas por todo tipo de distância e separação, cuja união visava salvar o mundo.

Chamei a quarta e última divisão dos elementos espirituais nos quais divido a humanidade pagã com o nome de Os Filósofos. Confesso que isso ocupa minha mente com boa parte do que seria classificado, em geral, de outra forma, e o que aqui é chamado de filosofias é frequentemente chamado de religiões. No entanto, acredito que minha descrição particular será muito mais realista e não menos respeitosa. Mas devemos primeiro tomar a filosofia em sua forma mais pura e clara, a fim de delinear seu contorno normal; e isso se encontra no mundo dos mais puros e claros contornos, dessa cultura do Mediterrâneo da qual consideramos as mitologias e idolatrias nos dois últimos capítulos.

O politeísmo, ou esse aspecto do paganismo, nunca foi para o pagão o que o catolicismo é para o católico. Nunca foi uma visão do universo satisfazendo todos os aspectos da vida, uma verdade absoluta e complexa com respostas sobre todas as coisas. Foi apenas a satisfação de um aspecto da alma do homem, mesmo se o chamarmos de religioso – e acho que é mais verdadeiro chamá-lo de aspecto imaginativo. Mas isso preencheu seu vazio. Todo aquele mundo era um tecido de contos e cultos entrelaçados, e de lá entrava e saía, como já vimos, aquele fio preto entre suas cores mais puras: o paganismo mais sombrio que era realmente diabólico. Mas todos sabemos que nem por isso todos os homens pagãos pensavam apenas em deuses pagãos. De modo preciso

147 Deus amonita caracterizado principalmente pelos sacrifícios de crianças que lhe eram oferecidos. (N.T.)

porque a mitologia satisfazia apenas um estado de espírito, eles transformaram outros estados de espírito em algo completamente diferente. Mas é muito importante perceber que isso era algo todo distinto – demais para ser inconsistente e tão estranho que não chocava. Enquanto uma multidão participava de um feriado público na festa de Adônis ou nos jogos em homenagem a Apolo, outros preferiam ficar em casa e pensar em uma singela teoria sobre a natureza das coisas. Às vezes, o *hobby* dele assumia a forma de pensar sobre a natureza de Deus, ou mesmo, nesse sentido, sobre a natureza dos deuses, mas raramente pensava em colocá-la contra os deuses da natureza.

É necessário insistir nessa abstração a respeito do primeiro aluno de abstrações. Ele não era tão antagônico quanto distraído. Seu *hobby* podia ser o universo; mas, a princípio, o *hobby* era tão particular como se tivesse sido um numismata ou jogasse damas. E, mesmo quando sua sabedoria se tornou de domínio público, e quase uma instituição política, ela raramente estava no mesmo plano das instituições populares e religiosas. Aristóteles, com seu colossal senso comum, foi talvez o maior de todos os filósofos; decerto o mais direto de todos. Mas Aristóteles não teria equiparado o Absoluto com o Apolo de Delfos, como uma religião semelhante ou rival, como Arquimedes[148] não pensaria em estabelecer a Alavanca como uma espécie de ídolo ou fetiche para substituir o Paládio da cidade. Ou poderíamos imaginar Euclides[149] construindo um altar para um triângulo isósceles ou oferecendo sacrifícios ao quadrado da hipotenusa? O homem meditou sobre metafísica como outro o fez com a matemática: pelo amor à verdade ou pela curiosidade ou pela diversão. Mas esse tipo de diversão nunca parece ter interferido muito no outro tipo: a diversão de dançar ou cantar para celebrar um

148 Arquimedes (287 a.C.-212 a.C.), físico, inventor e matemático grego, desenvolveu o uso de alavancas para a movimentação de objetos pesados. (N.T.)

149 Euclides, nascido em algum momento do século III a.C., era escritor e matemático grego. Tem a alcunha de "Pai da geometria". (N.T.)

romance vil sobre Zeus se tornar um touro ou um cisne. Talvez seja a prova de certa superficialidade e até fingimento sobre o politeísmo popular o fato de que homens possam ser filósofos e até céticos sem se perturbarem. Esses pensadores poderiam mover os fundamentos do mundo sem alterar nem mesmo o contorno daquela nuvem colorida que pairava acima dele no ar.

Pois os pensadores mudaram os fundamentos do mundo, mesmo quando um compromisso curioso parecia impedi-los de mudar os fundamentos da cidade. Os dois grandes filósofos da antiguidade realmente nos parecem defensores de ideias sãs e até sagradas; suas máximas muitas vezes são consideradas como as respostas a perguntas céticas de forma tão completa para serem sempre registradas. Aristóteles desarmou uma centena de anarquistas e loucos adoradores da natureza com a declaração fundamental de que o homem é um animal político. Platão, em certo sentido, antecipou o realismo católico, atacado pelo nominalismo herético, ao insistir no fato fundamental de que ideias são realidades, de que as ideias existem exatamente do mesmo modo que os homens. Platão, no entanto, às vezes parecia quase imaginar que as ideias existem diferentemente dos homens, ou que os homens dificilmente precisam ser considerados onde se chocam com as ideias. Ele tinha algo do sentimento social que chamamos de *fabiano*[150] em seu ideal de adequar o cidadão à cidade, como uma cabeça imaginária para um chapéu ideal; e, por permanecer grande e glorioso, ele é o pai de todos os que seguem tendências. Aristóteles antecipou de forma mais plena a sanidade sacramental que deveria combinar corpo e alma, pois ele considerava tanto a natureza dos homens como a dos costumes, e olhava tanto para os olhos quanto para a luz.

150 Que mostra condescendência; condescendente, tolerante; indeterminado. O termo deriva-se de Fábio Máximo (275 a.C.-203 a.C.), general romano, que, durante a Segunda Guerra Púnica contra Aníbal, evitava o contato direto com o inimigo enquanto o vigiava. (N.T.)

Embora esses grandes homens fossem construtivos e conservadores nesse sentido, eles pertenciam a um mundo em que o pensamento era livre a ponto de ser fantasioso. Muitos outros grandes pensadores realmente os seguiram, alguns exaltando uma visão abstrata da virtude, outros seguindo de modo mais racional a necessidade da busca humana pela felicidade. Os primeiros eram chamados de estoicos, e seu nome passou a ser sinônimo de um dos principais ideais morais da humanidade: fortalecer a mente até que ela se torne uma textura para resistir à calamidade ou mesmo à dor. Mas admite-se que um grande número de filósofos se corrompeu aos que ainda chamamos de sofistas. Eles se tornaram uma espécie de céticos profissionais que costumam fazer perguntas desconfortáveis e foram generosamente pagos por se tornarem um incômodo para as pessoas comuns. Talvez uma semelhança acidental com esses charlatães questionadores tenha sido a responsável pela impopularidade do grande Sócrates, cuja morte parece contradizer a sugestão da trégua permanente entre filósofos e deuses[151]. Mas Sócrates não morreu como monoteísta que denunciou o politeísmo; certamente não como um profeta que denunciou ídolos. É claro para quem lê nas entrelinhas que havia alguma noção, certa ou errada, de uma influência puramente pessoal que afetava a moral e, talvez, a política. O compromisso geral permaneceu, não importando se os gregos pensassem em seus mitos ou teorias como uma piada. Nunca houve colisão em que uma coisa tenha mesmo destruído a outra, e nunca houve combinação de qualquer tipo que acabasse em reconciliação total. Eles certamente não trabalharam juntos; se havia alguma coisa era o filósofo ser um rival do sacerdote. Mas ambos pareciam ter aceitado uma espécie de separação de funções e continuaram partes do mesmo sistema social.

151 Sócrates foi acusado injustamente de não reconhecer os deuses de Atenas, de trazer outros novos à cidade e de corromper a juventude. Foi condenado à morte pela ingestão de cicuta. Antes de ingeri-la, fez uma libação aos deuses "pelo bom êxito da mudança de residência". (N.T.)

Outra tradição importante descende de Pitágoras[152], que se destaca por estar mais próximo dos místicos orientais, considerados de modo específico. Ele ensinou uma espécie de misticismo da matemática, em que o número é a realidade última, mas também parece ter ensinado a transmigração de almas como os brâmanes e ter deixado para seus seguidores certos truques tradicionais do vegetarianismo e do consumo de água muito comuns entre os sábios orientais, especialmente aqueles que figuram em salas de estar da moda, como as do final do Império Romano. Mas, ao passar para os sábios orientais, e para a atmosfera um tanto diferente do Leste, podemos tratar de uma verdade bastante importante por outro caminho.

Um dos grandes pensadores disse que seria bom se filósofos fossem reis ou vice-versa[153]. Ele falou como se fosse bom demais para ser verdade; mas, como matéria de fato, isso não era verdadeiro. Certo tipo, talvez pouco notado na história, pode realmente ser chamado de filósofo da realeza. Para começar, à parte da realeza verdadeira, vez por outra tornou-se possível ao sábio, embora não fosse o que chamamos de fundador religioso, ser algo como um fundador político. E o grande exemplo disso, um dos maiores do mundo, com o próprio pensamento nos levará milhares de quilômetros através dos vastos espaços da Ásia até aquele mundo maravilhoso e, de certa forma, muito sábio de ideias e costumes, que descartamos como coisa inferior quando falamos da China. Os homens serviram a deuses realmente muito estranhos e foram devotos fiéis a muitos ideais e até a ídolos. A China é uma sociedade que realmente escolheu acreditar no intelecto – levou-o a sério – e pode estar sozinha no mundo. Desde as mais antigas eras, enfrentou o

---

152 Pitágoras (c. 570 a.C.-c. 496 a.C.), filósofo, matemático e astrônomo grego, fundou uma seita em que pregava uma doutrina rígida de estudos para a purificação da alma e a reencarnação. (N.T.)

153 Frase atribuída a Platão: "As cidades somente alcançarão a felicidade se os filósofos se tornarem reis ou se os reis se tornarem filósofos." Essa elite de sábios governaria pelo bem do povo sem precisar consultá-lo. (N.T.)

dilema platônico ao nomear um filósofo para aconselhar o rei, transformando uma instituição pública em um indivíduo particular, que não tinha outra missão no mundo além de ser intelectual. É claro que houve e ainda há muitas outras coisas no mesmo padrão. Isso cria todas as classificações e privilégios por meio de exame público; não tem nada a ver com o que chamamos de aristocracia; é uma democracia dominada por uma *intelligensia*. Mas o ponto aqui é que havia filósofos para aconselhar reis; e um desses filósofos deve ter sido um grande pensador e um grande estadista.

Confúcio[154] não foi um fundador religioso ou mesmo um professor religioso; possivelmente nem mesmo um homem religioso. Ele não era ateu; era aparentemente o que chamamos de agnóstico. Mas o ponto de fato vital é que é em absoluto irrelevante falar sobre sua religião. É como falar em teologia de modo que fosse a primeira coisa na história de Rowland Hill ao estabelecer o sistema postal ou como Baden Powell organizou os escoteiros. Confúcio não estava lá para levar uma mensagem do céu para a humanidade, mas para organizar a China – e deve tê-la estruturado muito bem. Ele lidou muito com os costumes, mas os uniu estritamente com boas maneiras. A peculiaridade de seu sistema, e de seu país, que contrasta com sua grande contraparte do sistema da cristandade, é que ele insistia em perpetuar uma vida externa com todas as suas formas, para que a continuidade exterior pudesse preservar a paz interna. Quem sabe quanto o hábito tem relação com a saúde, tanto da mente como do corpo, verá a verdade na ideia de Confúcio. Mas também verá que o culto aos antepassados e a reverência ao Santo Imperador eram hábitos, e não credos. É injusto

154 Chiu Kung (nome que foi latinizado para Confúcio por jesuítas europeus) (551 a.C.-479 a.C.), filósofo chinês, serviu na corte. Sua filosofia, ao contrário de outras contemporâneas, não estava voltada para questões como vida após a morte, mas preocupava-se com a harmonia entre as pessoas. É dele a máxima: "Se nem consegues te relacionar corretamente com os vivos, por que te preocupas com o culto aos espíritos?". (N.T.)

com o grande Confúcio dizer que ele fundou uma religião e também injusto dizer que ele não o fez. É tão injusto quanto alguém empenhar-se em dizer que Jeremy Bentham[155] não foi um mártir cristão.

Mas há uma classe de casos mais interessantes em que os filósofos eram reis, e não apenas os amigos dos reis. A combinação não é acidental. Tem muito a ver com essa questão bastante ilusória da função do filósofo. Ela contém algumas pistas da razão pela qual a filosofia e a mitologia raramente chegavam a uma declarada ruptura. Não era apenas porque havia um quê um tanto frívolo na mitologia, mas também porque havia algo um pouco arrogante no filósofo. Ele desprezava tanto os mitos quanto a multidão e pensava que essas coisas se encaixavam. Era raro o filósofo pagão ser um homem do povo, pelo menos em espírito; dificilmente era um democrata e muitas vezes criticava com amargura a democracia. Ele tinha uma aura de ócio aristocrático e humano; e seu papel era mais facilmente desempenhado por homens que estavam nessa posição. Era muito simples e natural para um príncipe ou uma pessoa importante brincar de ser tão filosófico quanto Hamlet ou Teseu em *Sonho de uma noite de verão*[156]. E desde as mais antigas eras nos encontramos na presença desses intelectuais principescos. De fato, encontramos um deles nas primeiras eras registradas do mundo, sentado no trono primitivo que dominou o Egito antigo.

O maior interesse do incidente de Aquenáton, comumente chamado de Faraó Herege[157], reside no fato de que ele foi o único exemplo, pelo menos antes dos tempos cristãos, de um desses filósofos da realeza que se propôs a combater a mitologia popular em nome da filosofia

---

155 Jeremy Bentham (1748-1832), filósofo, economista e jurista inglês, foi pensador iluminista e fundador do utilitarismo. (N.T.)

156 Comédia de William Shakespeare. Nela, Teseu é o Duque de Atenas. (N.T.)

157 Aquenáton e a esposa, Nefertiti, reinaram sobre o Egito, à época o mais rico e poderoso império do mundo, por volta de 1535 a.C. Ele pôs fim a um politeísmo de 1.500 anos, substituindo todos os deuses por um único, Atón, o deus Sol, criador de todas as coisas. Por isso, o epíteto de "faraó herege". O hieróglifo para horizonte é algo como o disco do Sol entre duas colinas. (N.T.)

privada. A maioria deles aceitou a atitude de Marco Aurélio[158], que sob muitos aspectos representa o modelo desse tipo de monarca e sábio. Marco Aurélio foi responsabilizado por tolerar o anfiteatro pagão ou os martírios cristãos. Mas isso era característico, pois um homem culto sem dúvida pensava tanto na religião popular como em circos populares. Sobre ele, o professor Phillimore[159], de modo profundo, disse: "Um grande e bom e ele sabia disso". O Faraó Herege tinha uma filosofia mais sincera e talvez mais humilde: existe um corolário na concepção de ser por demais orgulhoso para lutar, já que os humildes têm que fazer o maior esforço. De qualquer maneira, o príncipe egípcio era simples o bastante para levar a sério a própria filosofia e o único entre esses príncipes intelectuais que produziu uma espécie de *coup d'état*[160]: derrubou os deuses mais importantes do Egito com um gesto imperial e ergueu para todos os homens, como um espelho reluzente da verdade monoteísta, o disco do Sol universal.

Ele tinha outras ideias interessantes frequentemente compartilhadas por idealistas assim. No sentido em que falamos de um Pequeno Inglês[161], ele era um Pequeno Egípcio. Na arte, ele era realista porque era idealista, pois o realismo é mais impossível do que qualquer outro ideal. Afinal, porém, recai sobre ele algo da sombra de Marco Aurélio, perseguido pela sombra do professor Phillimore. O problema com um nobre príncipe é que ele não escapou de ser um pedante. O pedantismo é um cheiro tão pungente que se agarra às especiarias desidratadas, ou até a uma múmia egípcia. Este era o problema do Faraó Herege, assim

158 Marco Aurélio (121-180), imperador romano, considerado um governante culto e que obteve sucesso em seu reinado. Foi também filósofo estoico; escreveu *Meditações*. (N.T.)

159 Egerton Grenville Bagot Phillimore (1856-1937), antiquário e professor universitário britânico que se especializou em história, língua e literatura galesa e celta. (N.T.)

160 Francês, no original: golpe de estado. (N.T.)

161 A expressão *little englander* não tem tradução precisa em português. É termo depreciativo, usado principalmente nos séculos XVIII e XIX, aplicado a um britânico em extremo patriota, que nem mesmo a expansão territorial do país desejava. Registros históricos mostram que Aquenáton não se preocupou em ajudar os países vizinhos que eram protegidos pelo Egito. (N.T.)

como de muitos outros hereges: ele provavelmente nunca parou para se perguntar se havia *alguma coisa* nas crenças populares e nos contos de pessoas menos cultas que ele. E, como já sugerido, havia algo - um verdadeiro desejo humano em todo aquele elemento característico e local naquela procissão de divindades como enormes animais de estimação, na observação incansável de certos lugares assombrados, em tantas andanças da mitologia. A natureza pode não ter o nome de Ísis; Ísis pode não estar realmente procurando por Osíris. Mas é verdade que a natureza está de fato procurando algo - sempre procurando o sobrenatural. Algo muito mais definido era satisfazer essa necessidade, mas um digno monarca com um disco do Sol não foi suficiente. O experimento do rei fracassou em meio a uma reação estrondosa de superstições populares, na qual os sacerdotes se ergueram sobre os ombros do povo e subiram ao trono dos reis.

O próximo grande exemplo que darei do sábio principesco é Gautama, o grande Senhor Buda[162]. Eu sei que ele geralmente não é classificado apenas entre os filósofos, mas estou cada vez mais convencido, por todas as informações que me chegam, de que essa é a verdadeira interpretação de sua imensa importância. Ele era de longe o maior e o melhor desses intelectuais nascidos na realeza. Sua reação talvez tenha sido a mais nobre e sincera de todas as ações resultantes dessa combinação de pensadores e tronos: a renúncia. Marco Aurélio se contentou em dizer, com uma ironia refinada, que mesmo em um palácio a vida podia ser bem vivida. O rei egípcio mais feroz concluiu que poderia ter vivido ainda melhor após uma revolução no palácio. Mas o grande

---

162 Sidarta Gautama, cuja vida é envolta em lendas e mitos, que se misturam às poucas informações históricas disponíveis, nasceu no século V ou VI a.C. Era príncipe de uma casta imperial. Quando Gautama tinha poucos dias de vida, um homem santo profetizou que ele seria um grande líder espiritual. Na juventude, abandonou as comodidades que as riquezas da família lhe traziam e se tornou peregrino. Sentado debaixo de uma figueira sagrada, em meditação, teria enfrentado uma batalha contra Mara, um demônio que representa as paixões enganadoras. Tendo vencido, Sidarta recebeu a Iluminação e se tornou um Buda, ou seja, "uma pessoa que alcançou a plena iluminação". (N.T.)

Gautama foi o único a provar que poderia de fato viver sem seu palácio. Um cedeu à tolerância e o outro, à revolução. Mas, no final das contas, há algo mais absoluto na abdicação.

A abdicação talvez seja a única ação realmente absoluta de um monarca. O príncipe indiano, criado com luxo e pompa orientais, renunciou de forma deliberada e viveu como um mendigo. Isso é magnífico, mas não é guerra; ou seja, não é necessariamente uma cruzada no sentido cristão. Não decide a questão de saber se a vida de um mendigo era a vida de um santo ou de um filósofo e nem se esse grande homem deve entrar no barril de Diógenes ou na caverna de São Jerônimo[163]. Aqueles que parecem estar mais próximos do estudo de Buda, e que certamente escrevem com mais clareza e inteligência sobre ele, me convencem de que ele era apenas um filósofo que fundou uma bem-sucedida escola de filosofia e se transformou em uma espécie de *divus* ou ser sagrado meramente por causa da atmosfera mais misteriosa e não científica de todas as tradições asiáticas. É necessário dizer neste ponto uma palavra sobre essa fronteira invisível, mas vívida, que atravessamos ao passar do Mediterrâneo para o mistério do Oriente.

Talvez não haja coisas das quais saibamos tão pouco da verdade quanto os truísmos, em especial quando eles são mesmo verdadeiros. Todos nós temos o hábito de dizer certas coisas sobre a Ásia que são bastante verídicas, mas dificilmente nos ajudam porque não entendemos sua verdade, como a Ásia ser antiga ou olhar para o passado ou não ser progressista. No entanto, é fato que a cristandade é mais progressista, em um sentido bem distante da noção provinciana de instabilidade constante por conta de avanços políticos. A cristandade acredita, conforme o cristianismo, que o homem pode, depois de algum tempo, chegar a

163 Diógenes, o Cínico (c. 412 a.C.-323 a.C.), filósofo grego, por acreditar que o homem deveria viver apenas com o que é de fato necessário, tornou-se mendigo e morava em um barril. Eusébio Sofrônio Jerônimo (c. 340-420), sacerdote católico, morou em Belém, em uma gruta, onde concluiu a tradução da Bíblia para o latim. (N.T.)

algum lugar, aqui ou no futuro, ou de várias maneiras, de acordo com distintas doutrinas. De alguma maneira, o desejo universal pode ser alcançado à medida que os desejos individuais são satisfeitos, seja por uma nova vida, por um antigo amor, seja por alguma forma de posse e realização positiva. Quanto ao resto, todos sabemos que há um ritmo, e não um mero progresso, com altos e baixos; com respeito a nós o ritmo é bastante livre e imprevisível. Na maior parte da Ásia, o ritmo foi consolidado e se repetiu. Já não é mais um mundo tão confuso; é uma roda. O que aconteceu com todos esses povos tão inteligentes e civilizados é que eles foram capturados por uma espécie de rotação cósmica, da qual o centro é oco. Nesse sentido, a pior parte da existência é que ela pode continuar assim para sempre. Isso é o que realmente queremos dizer ao afirmar que a Ásia é antiga ou não progressista ou retrógrada. Por isso vemos até suas espadas curvas como arcos quebrados daquela roda cromada, porque vemos seu ornamento em forma de serpente retornando a todos os lugares, como uma cobra que nunca é morta. Isso tem muito pouca relação com o verniz político do progresso; todos os asiáticos podem ter uma cartola, mas, se ainda tivessem esse espírito no coração, pensariam que os chapéus iriam desaparecer e reaparecer como os planetas; e não que correr atrás de um chapéu pudessem levá-los ao céu ou mesmo para casa.

Quando o espírito de Buda surgiu para lidar com o assunto, esse tipo de sentimento cósmico já era comum a quase tudo no Oriente. Lá era, de fato, a selva de uma mitologia muito extravagante e quase asfixiante. Ainda assim, é possível ter mais simpatia por essa fecundidade popular no folclore do que por alguns dos pessimismos mais pesados que a possam ter murchado. Sempre deve-se lembrar, no entanto, quando todas as concessões justas são feitas, que uma grande quantidade de imagens orientais espontâneas é realmente idolatria, a adoração local e literal de um ídolo. É provável que isso não se aplique ao sistema bramânico antigo, pelo menos como visto pelos brâmanes. Mas há um fato que, sozinho, nos lembrará de uma importância real muito maior: o Sistema de Castas da Índia antiga. Ele pode ter tido algumas das vantagens práticas do Sistema de Guildas da Europa Medieval, porém contrasta não apenas com a democracia cristã, mas com todo tipo extremo de aristocracia cristã, já que, sem dúvida, concebe a superioridade social como espiritual. Isso não apenas o separa sobretudo da fraternidade encontrada na cristandade, mas o ergue como uma montanha de orgulho poderosa e com platôs entre os níveis relativamente igualitários do Islã e da China. Mas a rigidez dessa formação ao longo de milhares de anos é outra ilustração desse ciclo de repetição que marcou tempos imemoriais.

Agora também podemos presumir a prevalência de outra ideia que associamos aos budistas como interpretada pelos teosofistas[164]. De fato, alguns dos budistas mais radicais repudiam a ideia e desdenham muito dos teosofistas. Mas se a ideia está no budismo, ou apenas em seu local de nascimento, em uma tradição ou uma caricatura do budismo, é uma ideia inteiramente apropriada a esse princípio de recorrência. Refiro-me, claro, à ideia de reencarnação.

Mas a reencarnação não é uma ideia realmente mística nem transcendental ou, nesse sentido, religiosa. O misticismo concebe algo que ultrapassa a experiência; a religião busca vislumbres de um bem melhor ou de um mal pior do que a experiência pode dar. A reencarnação precisa apenas prolongar experiências no sentido de repeti-las. Não é mais transcendental para um homem lembrar-se do que ele fez na Babilônia antes de nascer do que se lembrar do que ele fez em Brixton antes de ter sofrido um golpe na cabeça. Suas vidas sucessivas não *precisam* ser mais do que vidas humanas, sob quaisquer limitações que

164 A teosofia (sabedoria divina, em grego) foi fundada pelos filósofos gregos Amônio Saccas e Plotino, seu discípulo, no século III d.C. Sua versão moderna, estabelecida por Helena Blavatsky (1831-1891), médium ucraniana, "defende uma teoria de Deus ou das obras de Deus cuja base não é uma revelação, mas uma inspiração própria". É uma filosofia pluralista e politeísta. Blavatsky, ao fundar a Sociedade Teosófica, tentou, inicialmente, trazer o hinduísmo para o Ocidente. (N.T.)

as sobrecarreguem. Não tem relação alguma com ver Deus ou mesmo invocar o diabo. Em outras palavras: a reencarnação como tal não foge necessariamente da roda do destino; em certo sentido, ela a move. E se Buda a criou, ou a encontrou, ou se foi algo a que Buda renunciou por completo quando a encontrou, certamente é algo que tem o caráter geral daquela atmosfera asiática na qual ele desempenhou seu papel de filósofo intelectual, com uma teoria específica sobre a atitude intelectual correta em relação a ela.

Consigo entender que os budistas podem se ressentir da visão de que o budismo é somente uma filosofia, se a entendermos apenas como um jogo intelectual nos moldes dos sofistas gregos, lançando mundos ao acaso e pegando-os como bolas. Talvez fosse mais exato afirmar que Buda criou uma disciplina metafísica, a qual pode até ser chamada de disciplina psicológica. Ele propôs um modo de escapar de toda essa tristeza recorrente, e isso se deu simplesmente por livrar-se da ilusão chamada desejo. A ênfase disso *não* era a obrigação de conseguir o que mais queremos reprimindo nossa impaciência em relação ao que desejamos, ou que deveríamos obtê-lo de uma maneira melhor ou em um mundo melhor. A ênfase era que deveríamos deixar de querer aquilo. Se em um momento o homem percebesse que a realidade não é real e que tudo, incluindo sua alma, se desfaz a todo instante, ele anteveria a decepção e seria alheio à mudança, existindo (à medida que fosse possível) em uma espécie de êxtase de indiferença. Os budistas chamam isso de bem-aventurança, e não vamos parar nossa história para discutir esse ponto; para nós isso com certeza seria desesperador.

Não vejo, por exemplo, por que a decepção do desejo não se aplica de modo igual aos desejos mais benevolentes e aos mais egoístas. De fato, o Senhor da Compaixão[165] parece ter pena das pessoas por viver e não por morrer. De resto, um budista inteligente escreveu: "O budismo

165 Tchenrezig (*Avalokiteshvara*, em sânscrito), com seus mil braços e um olho em cada palma da mão, é a deidade masculina mais popular do budismo tibetano. (N.T.)

popular chinês e japonês não é considerado budismo de fato". Sem dúvida, *isso* deixou de ser somente uma filosofia, mas apenas por se tornar uma mera mitologia. Uma coisa é certa: ele nunca se tornou algo remotamente parecido com o que chamamos de Igreja.

Assemelha apenas a uma piada dizer que toda a história religiosa tem sido realmente um padrão de zeros e cruzes[166]. Mas, com os zeros, não quero significar vários nadas, mas somente coisas que são negativas em comparação com a forma ou o padrão positivo de outras. E, embora o símbolo seja, é claro, uma mera coincidência, ela de fato faz sentido. A mente da Ásia pode ser representada por um redondo 0, se não no sentido de um código, pelo menos de um círculo. O grande símbolo asiático de uma serpente com a cauda na boca é na realidade uma imagem perfeita de certa ideia de unidade e recorrência que de fato pertence às filosofias e religiões orientais. Realmente é uma curva que, de um lado, inclui tudo e, de outro, não dá em nada. Assim, ela confessa, ou melhor, se vangloria, de que todo argumento é circular. E, embora a figura seja apenas um símbolo, podemos ver quão sólido é o simbolismo que a produz: o distintivo idêntico da Roda de Buda em geral chamado de Suástica[167]. É uma cruz com ângulos retos, apontando ousadamente em direções opostas, mas a Suástica é a mesma coisa no próprio ato de retornar à curva recorrente. Essa cruz torta está, com efeito, se transformando em uma roda.

Antes de descartarmos esses símbolos como se fossem arbitrários, devemos lembrar de como foi certeiro o *insight* que os produziu ou os selecionou no Oriente e no Ocidente. A cruz se tornou mais que uma

---

166 A expressão *noughts and crosses*, em inglês, refere-se ao jogo da velha. Como o autor menciona os dois sinais usados no jogo, preferimos a tradução literal, mas o leitor deve ter em mente a ideia sugerida por Chesterton. (N.T.)

167 A roda do Dharma, ou *dharmachakra*, em sânscrito, um dos símbolos mais antigos do budismo, é uma roda de carruagem com um número variável de raios. Há muitas interpretações, segundo mestres e tradições budistas, para os significados das partes da roda. A suástica budista, chamada de *manji*, que simboliza felicidade e prosperidade, difere da nazista por ter as hastes em sentido anti-horário. Suástica vem do sânscrito *svastika*, que significa "boa sorte". (N.T.)

memória histórica; transmite, quase como por um diagrama matemático, a verdade sobre o ponto central em questão: a ideia de um conflito que se estende para a eternidade. É verdade, e até tautológico, dizer que a cruz é o cerne de toda a questão.

Em outras palavras, a cruz, de fato também como figura, realmente representa a ideia de romper o círculo que é tudo e nada. Ela foge do argumento circular pelo qual tudo começa e termina na mente. Como ainda estamos lidando com símbolos, isso pode ser colocado em uma parábola na forma daquela história sobre São Francisco, segundo a qual os pássaros que alçavam voo com sua bênção poderiam voar nos infinitos dos quatro ventos do céu, com seus rastros fazendo uma vasta cruz; pois, comparada com a liberdade daquele voo, a própria forma da Suástica é como um gatinho perseguindo o próprio rabo. Em uma alegoria mais popular, poderíamos dizer que, quando São Jorge enfiou a lança nas mandíbulas do monstro, ele invadiu a solidão da serpente que se devorava e lhe deu algo para morder além do próprio rabo.

Mas, embora muitas fantasias possam ser usadas como figuras da verdade, ela própria é abstrata e absoluta, embora não seja muito fácil resumi-la, exceto por essas figuras. O cristianismo apela a uma verdade sólida fora de si mesmo, para algo que é, nesse sentido, externo e eterno. Declara que as coisas realmente existem; ou, em outras palavras, reafirma o que são. Esse cristianismo é uno com o bom senso; mas toda a história religiosa mostra que esse bom senso perece, exceto onde houver cristianismo para preservá-lo.

Ele, de outro modo, não pode existir, ou, pelo menos, perdurar, porque o mero pensamento não permanece razoável. Em certo sentido, torna-se simples demais para ser razoável. A tentação dos filósofos é mais simples do que sutil. Eles são sempre atraídos por simplificações insanas, como os homens suspensos acima de abismos que são fascinados pela morte, pelo nada e pelo vazio. Era necessário outro tipo de filósofo para se equilibrar sobre o pináculo do Templo sem se atirar dali para baixo[168]. Uma dessas explicações tão óbvias é que tudo é um sonho e uma ilusão e não há nada fora do ego. Outra é que todas as coisas se repetem; outra, que se diz budista e certamente oriental, é a ideia de que o nosso defeito vem da nossa criação, no sentido da distinção por cor e personalidade, e que nada ficará bem até que sejamos novamente fundidos em um só. Por essa teoria, em suma, a Criação foi a Queda. Ela é historicamente importante, pois foi guardada no coração sombrio da Ásia e levada em vários momentos, sob várias formas, para além das fronteiras sombrias da Europa.

Aqui podemos inserir a figura misteriosa de Manes ou Maniqueu, o místico da inversão, a quem deveríamos chamar de pessimista, pai de muitas seitas e heresias; aqui, em um lugar mais elevado, a figura de Zoroastro[169]. Ele foi popularmente identificado com outra dessas explicações simplistas: a equiparação de mal e bem, equilibrada e viva em cada átomo. Ele também é da escola de sábios que podem ser chamados de místicos; e, do mesmo misterioso jardim persa, veio, com pesadas asas, Mitra, o deus desconhecido[170], para transgredir o último crepúsculo de Roma.

Esse círculo ou disco do Sol criado na manhã no mundo pelo remoto egípcio tem sido um espelho e um modelo para todos os filósofos. Eles fizeram muitas coisas com base nele, e alguma vezes perderam a noção, especialmente quando, como nesses sábios orientais, o círculo se tornou uma roda em *loop* na cabeça deles. Mas o ponto a respeito deles é que todos pensam que a existência pode ser representada por um

---

168 Referência a Mateus 4:5-7. (N.T.)

169 Mani, Manes ou Maniqueu (216-c. 276), profeta persa, defendia uma concepção de mundo, o maniqueísmo, com base na dualidade entre opostos inconciliáveis: bem e mal, luz e trevas. Zaratustra, ou Zoroastro (c. 630 a.C.-c. 553 a.C.), profeta persa, fundador do zoroastrismo, religião caracterizada pela visão dualista do mundo: a luta entre bem (na figura do deus Ormuz Mazda ou Ahura Mazda) e mal (o deus Arimã), a qual durará até o fim dos tempos. A graça divina era alcançada não por sacrifícios mas pela prática da honestidade e pelo trabalho. (N.T.)

170 Na mitologia persa, era o deus do sol, dos juramentos e dos contratos. Foi incorporado a outras mitologias, como a romana. (N.T.)

diagrama em vez de um desenho; e os desenhos toscos dos criadores de mitos infantis são uma espécie de protesto caricato e espirituoso contra essa visão. Eles não conseguem acreditar que a religião não seja de fato um padrão, mas uma imagem – e menos ainda que é uma imagem de algo que realmente existe fora da nossa mente. Às vezes, o filósofo pinta todo o disco de preto e se considera pessimista; outrora pinta tudo de branco e se chama de otimista; ou o divide exatamente em metades de preto e branco e se torna dualista, como aqueles místicos persas aos quais eu gostaria de ter espaço para fazer justiça. Nenhum deles conseguiu entender algo que começou a traçar as proporções como se fossem reais, dispostas em uma linha viva que o desenhista de matemática chamaria de desproporcional. Como o primeiro artista na caverna, foi revelada aos olhos incrédulos a sugestão de um novo propósito no que aparentava um padrão tortuoso; o espectador parecia apenas distorcer seu diagrama, quando começou pela primeira vez em todas as eras a traçar as linhas de uma forma – e de um rosto.

CAPÍTULO 7

A GUERRA DOS DEUSES E DEMÔNIOS

A teoria materialista da história, de que toda política e ética são a expressão da economia, é, na verdade, uma falácia muito óbvia. Ela basicamente confunde as condições necessárias da vida com as preocupações normais da rotina, que são bem distintas. É como dizer que, se um homem só pode andar com duas pernas, ele, portanto, nunca anda, exceto para comprar sapatos e meias. O homem não pode viver sem os dois insumos de comida e bebida, que o sustentam como duas pernas; mas sugerir que eles foram os motivos de todos os seus movimentos na história é como dizer que o objetivo de todas as marchas militares ou peregrinações religiosas tenha sido a Perna de Ouro de Miss Kilmansegg ou a perna ideal e perfeita de Sir Willoughby Patterne[171].

171 *Miss Kilmansegg and her Precious leg; a Golden Legend* [Srta. Kilmansegg e sua perna preciosa; uma lenda dourada] é um livro satírico em versos de Thomas Hood (1799-1845), em que a personagem principal, mimada e estúpida filha de um banqueiro, insiste em ter uma prótese de ouro maciço depois de perder uma perna em um acidente de equitação. Personagem do romance tragicômico *The Egoist* [O egoísta], de George Meredith (1828-1909), Sir Willoughby Patterne é um homem autocentrado que busca casamento. O livro dedica duas páginas a descrever a perna da personagem, que é cheia de simbolismos. (N.T.)

Mas esses movimentos compõem a história da humanidade, que sem eles praticamente não existiria. As vacas podem ser puramente econômicas, no sentido de que não podemos ver que elas fazem muito além de pastar e buscar melhores pastagens; e por isso uma história de vacas em doze volumes não seria uma leitura muito animada. Ovelhas e cabras podem ser economistas puras em sua ação externa, pelo menos; por isso a ovelha dificilmente seria um herói de guerras épicas e impérios considerados dignos de narração detalhada; e até o quadrúpede mais ativo não inspirou um livro para garotos chamado *Os feitos fabulosos dos bravos bodes*, ou qualquer outro título semelhante. Mas, longe dos movimentos que compõem a história de o homem ser econômico, podemos dizer que ela só começa quando o motivo das vacas e ovelhas termina. Será difícil sustentar que os militares das Cruzadas foram de suas casas para um deserto extremo porque as vacas vão de um deserto a um pasto mais confortável. Será difícil defender que os exploradores do Ártico foram para o norte motivados da mesma maneira que as andorinhas ao migrarem para o sul. E, se você cortar da história humana todas as guerras religiosas e as explorações meramente aventureiras, ela não apenas será menos humana, mas deixará de ser uma história. O esboço é feito dessas curvas e dos ângulos decisivos determinados pela vontade do homem – a história econômica nem mesmo seria considerada história.

Mas há uma falácia mais precisa além desse fato óbvio: que os homens não precisam viver para comer apenas porque não podem viver sem comer. A verdade é que a coisa mais presente na mente do homem não é o mecanismo econômico necessário a sua existência, mas antes a própria existência: o que ele vê quando acorda todas as manhãs e o seu lugar no mundo. Há algo mais próximo dele que o sustento – a vida. Pois, uma vez que ele se lembra exatamente de qual trabalho produz seu salário e de qual salário traz suas refeições, ele reflete dez vezes que é um bom dia ou que é um mundo esquisito, ou se pergunta se vale a pena viver, se o casamento é um fracasso, se está satisfeito ou aborrecido com os próprios filhos, ou se lembra da própria juventude, ou de alguma maneira julga sem ver a misteriosa multidão de homens. Isso é verdade até para a maioria dos escravos assalariados do nosso moderno industrialismo doentio, tão hediondo e desumano que, sem dúvida, empurrou a questão econômica para a frente. Isso é de longe o mais verdadeiro a respeito da multidão de camponeses, caçadores ou pescadores que compõem a massa real da humanidade. Mesmo aqueles pedantes mais estúpidos, para os quais a ética depende da economia, devem admitir que a economia depende da existência. E qualquer número de dúvidas e devaneios normais são sobre a existência; não sobre como podemos viver, mas sobre o porquê vivemos. E a prova disso é simples, tão direta quanto o suicídio.

Vire o universo de cabeça para baixo na mente e todos os economistas políticos se inverterão junto. Suponha que um homem queira morrer, e o professor de economia política se tornará cada vez mais entediante com suas explicações complexas de como o homem deve viver. E todas as renúncias e decisões que transformam nosso passado humano em uma história têm esse caráter de desviar o curso direto da economia pura. Como o economista pode ser dispensado de calcular o salário futuro de um suicida, também pode ser dispensado de fornecer uma pensão de velhice para um mártir. Ele não precisa prover o futuro de um mártir nem a família de um monge. Seu plano é modificado em graus menores e variados porque um homem é soldado e morre pela pátria, porque outro é um camponês e ama especialmente a própria terra, e outro é mais ou menos afetado por qualquer religião que o proíba ou lhe permita fazer isso ou aquilo. Mas tudo isso não direciona a um cálculo econômico sobre meios de subsistência, e sim a uma visão elementar da vida. Todos esses fatos voltam ao que um homem sente intimamente quando olha para fora daquelas janelas estranhas que chamamos de olhos, para aquela visão estranha que chamamos de mundo.

Nenhum homem sábio desejará trazer mais palavras longas ao mundo. Mas pode-se dizer que precisamos de uma coisa nova, que pode ser chamada de história psicológica. Refiro-me à consideração dos significados na mente de um homem, especialmente um homem comum, distintos do que é definido ou deduzido apenas de formas oficiais ou de pronunciamentos políticos. Já toquei nisso ao falar de um caso como o totem ou qualquer outro mito popular. Não basta dizer que um gato macho era chamado de totem, em especial quando aquilo não era chamado de totem. Queremos saber como ele era. Era como o gato de Whittington ou como o bichano de uma bruxa? Seu nome verdadeiro era Pasht ou Gato de Botas[172]? É nisso que precisamos tocar na natureza das relações políticas e sociais. Queremos conhecer o verdadeiro sentimento que era o vínculo social de muitos homens comuns, tão sensatos e tão egoístas quanto nós. O que os soldados sentiram ao ver no céu esplêndido aquele totem estranho que chamamos de Águia Dourada das Legiões[173]? O que os vassalos sentiram sobre esses outros totens, os leões ou leopardos no escudo de seu senhor? Enquanto negligenciarmos esse lado subjetivo, que pode ser chamado de cerne da história, sempre haverá certa limitação nessa ciência, que pode ser mais bem transcendida pela arte. Enquanto o historiador não puder fazer isso, a ficção será mais verdadeira que o fato. Haverá mais realidade em um romance, sim, mesmo que seja histórico.

Essa nova história é muito necessária na psicologia da guerra. Nossa história é severa com documentos oficiais, públicos ou privados, que não nos dizem o que precisamos. Na pior das hipóteses, temos apenas os pôsteres oficiais, que não poderiam ser espontâneos justamente

---

172 *Dick Whittington e seu gato* é uma história folclórica sobre o mercador inglês Richard Whittington (c. 1354-1423). Segundo esse relato, ele se tornou rico ao vender seu gato a um país infestado de ratos. Pasht é, na mitologia egípcia, uma deusa da guerra com aspecto felino. O Gato de Botas é personagem do conto homônimo escrito por Charles Perrault (1628-1703). É um esperto felino que, após ganhar um par de botas, convence um rei a dar a princesa em casamento a seu dono. (N.T.)

173 Insígnia das legiões romanas. (N.T.)

porque eram oficiais. Na melhor das hipóteses, temos apenas a diplomacia secreta, que não poderia ser popular justamente porque era secreta. Sobre um ou outro desses, baseia-se o julgamento histórico sobre as reais razões por trás do conflito. Os governos lutam por colônias ou direitos comerciais; por portos ou tarifas altas; por uma mina de ouro ou uma pesca de pérolas. Parece suficiente responder que os governos não lutam de fato. Mas e os lutadores? Qual psicologia sustenta a guerra, terrível e assombrosa? Ninguém que saiba alguma coisa sobre soldados acredita na noção rasa dos catedráticos, de que milhões de homens podem ser governados pela força. Se todos eles negligenciassem com o dever, seria impossível puni-los. E o mínimo deslize poria a perder uma campanha inteira na metade de um dia. O que os homens realmente pensavam sobre a política? Se eles aceitassem a política vinda do político, o que pensavam sobre ele? Se os vassalos lutavam cegamente por seu príncipe, o que aqueles cegos viam em seu príncipe?

Todos sabemos que algumas palavras só pode ser traduzidas em um dado idioma, como *realpolitik*[174]. De fato, é uma *politik* quase insanamente irreal. Já foi repetido infinitas vezes que os homens lutam por objetivos materiais, sem refletir por um momento que estes quase nunca são materiais para os homens que lutam. De qualquer forma, ninguém morrerá por políticas práticas, assim como nenhum homem morrerá por ser pago. Nero não podia contratar uma centena de cristãos para serem comidos por leões a um centavo por hora, pois os homens não serão martirizados por dinheiro. Mas a visão invocada pela *realpolitik*, ou política realista, está além do exemplo mais absurdo e inacreditável. Alguém no mundo acredita que um soldado dirá: "Minha perna está quase caindo, mas vou continuar até ela cair; depois de tudo, desfrutarei de todas as vantagens que meu governo terá ao obter um porto de águas termais no Golfo da Finlândia". Alguém pode supor que um

174 Alemão: "política realista", baseada em objetivos práticos mais do que em ideais ou princípios, pragmática, sem levar em considerações questões éticas. (N.T.)

funcionário público que se tornou recruta diga: "Se eu for intoxicado com gás, provavelmente morrerei em tormentos, mas é um consolo refletir que, se eu tivesse decidido me tornar um mergulhador em busca de pérolas nos mares do sul, essa carreira estaria agora aberta para mim e meus compatriotas".

A história materialista é a mais impressionante de todas, ou mesmo de todos os romances. Não importa o que comece as guerras, o que as sustenta é algo na alma – semelhante à religião. É o que os homens sentem pela vida e pela morte. Um homem próximo da morte está lidando diretamente com um absoluto; não faz sentido dizer que ele está preocupado apenas com complicações remotas e relativas que a morte, em qualquer caso, terminará. Se ele é motivado por certas lealdades, elas devem ser tão simples quanto a morte. De modo geral, são apenas dois lados de uma mesma ideia. A primeira é o amor por algo que parece estar ameaçado, caso seja apenas vagamente conhecido como lar; a segunda é a antipatia e a desconfiança de algo estranho que o ameace.

A primeira é muito mais filosófica do que parece, embora não precisemos discuti-la aqui. Um homem não quer que seu lar nacional seja destruído ou mesmo mudado, porque nem ele consegue se lembrar de todas as coisas boas que o acompanham; assim como não quer que sua casa seja incendiada, porque mal pode listar os pertences de que sentiria falta. Portanto, ele luta pelo que parece uma abstração nebulosa, mas é realmente uma casa. Mas o lado negativo é tão nobre quanto forte. Os homens lutam com mais empenho quando sentem que o adversário é ao mesmo tempo um velho inimigo e um eterno estranho, que sua atmosfera é hostil e antagônica, como os franceses pensam sobre os prussianos ou os cristãos orientais sobre o turco. Se dissermos que é uma diferença religiosa, as pessoas entrarão em monótonas contendas sobre seitas e dogmas. Sentiremos pena delas e diremos que é uma diferença sobre a morte e a luz do dia; que realmente vem como uma sombra escura entre nossos olhos e o dia. Os homens podem pensar nessa diferença até perto da morte – ela fala sobre o significado da vida.

Os homens são motivados por algo muito mais elevado e mais santo que a política: pelo ódio. Quando persistiam nos dias mais sombrios da Grande Guerra, sofrendo no corpo ou na alma por seus entes queridos, eles há muito tempo se preocupavam com detalhes de assuntos diplomáticos como motivos para sua recusa em se render. Por mim e por aqueles que eu conhecia melhor, posso responder pela visão que tornou essa resistência inabalável – o rosto do Imperador Alemão ao entrar em Paris[175]. Esse não é o sentimento que alguns de meus amigos idealistas descrevem como amor. Fico bastante satisfeito em chamá-lo de ódio; o ódio ao inferno e a todas as suas obras, e em concordar que, como eles não acreditam no inferno, não precisam crer no ódio. Mas, em face desse preconceito predominante, essa longa introdução foi infelizmente necessária para garantir a compreensão do que se entende por guerra religiosa.

Há uma guerra religiosa quando dois mundos se encontram, isto é, quando duas visões de mundo se chocam; ou, em linguagem mais moderna, quando duas atmosferas morais se deparam. O que é o fôlego de um homem é o veneno de outro, e é inútil falar em dar à pestilência um lugar ao Sol. É isso que devemos entender, mesmo à custa da digressão, ao observar o que realmente aconteceu no Mediterrâneo – bem no início da ascensão da República no Tibre[176], em uma atitude inconsequente, cruel com todos os enigmas da Ásia e arrastando todas as tribos e dependências do imperialismo, veio Cartago[177] cavalgando sobre o mar.

---

175 Quando venceu a França na guerra, o rei Guilherme I da Prússia foi proclamado imperador alemão em Paris, em 1871. O II Reich ali fundado unia vários principados e reinos. (N.T.)

176 A República se refere a Roma, da qual o rio Tibre é considerado a alma. A lenda acerca da fundação da cidade por Rômulo, gêmeo de Remo, os quais teriam sido alimentados por uma loba, diz que o cesto onde eles foram encontrados parou no Tibre. (N.T.)

177 Cartago, cidade na costa norte da África na atual Tunísia, foi fundada pelos fenícios (c. 800 a.C.) e conquistada pelos romanos em 146 a.C. nas chamadas Guerras Púnicas. (N.T.)

A religião antiga da Itália era no geral aquela mistura que consideramos sob a égide da mitologia; exceto que, da mesma forma que a transição dos gregos foi natural para a mitologia, com os latinos houve uma passagem real para a religião. Ambos os povos multiplicaram seus deuses, mas em alguns momentos parecem tê-los multiplicado por razões quase opostas. Às vezes, parecia que o politeísmo grego se ramificou e floresceu para cima como os galhos de uma árvore, enquanto o politeísmo italiano se ramificou para baixo como as raízes. Talvez fosse mais verdadeiro dizer que os galhos anteriores se erguiam suavemente, trazendo flores, enquanto o último pendia carregado de frutas. Quero dizer que os latinos pareciam multiplicar deuses para aproximá-los dos homens, enquanto os deuses gregos se erguiam e se espalhavam como raios no céu da manhã. O que impressiona nos cultos italianos é o caráter local e, principalmente, doméstico. Parecem divindades que pululam pela casa como moscas; aglomerando-se e agarrando-se como morcegos nos pilares, ou empoleiradas como pássaros sob os beirais. Temos a visão de um deus dos telhados e um deus dos postes, de um deus das portas e até mesmo dos esgotos.

Foi sugerido que toda mitologia era uma espécie de conto de fadas; mas de um estilo que pode realmente ser chamado de conto perto da lareira ou de conto infantil, porque falava do interior da casa, como aqueles que fazem cadeiras e mesas falarem como elfos. Os velhos deuses domésticos dos camponeses italianos parecem ter sido grandes e desajeitadas imagens de madeira, mais inexpressivas que a pessoa sem importância em que Quilp[178] bateu com o espevitador. Essa religião do lar era muito caseira.

É claro que havia outros elementos menos humanos no caos da mitologia italiana. Havia divindades gregas sobrepostas às romanas; havia aqui e ali coisas subjacentes mais feias, experimentos no tipo cruel de

178 Daniel Quilp é o principal vilão do romance *A loja de antiguidades*, de Charles Dickens (1812-1870). Trata-se de um anão vil, de queixo barbudo, de má aparência e cruel, especialmente com a esposa. (N.T.)

paganismo, como o rito ariciano em que o sacerdote mata o assassino[179]. Mas essas coisas sempre foram potenciais no paganismo; certamente não são o caráter peculiar do paganismo latino. Essa peculiaridade pode ser tratada grosseiramente ao dizer-se que, se a mitologia personificava as forças da natureza, ela personificava a natureza transformada pelas forças do homem. Era o deus do milho e não da grama, do gado e não dos animais selvagens da floresta; em suma, o culto era literalmente uma cultura – em referência à lavoura.

Com isso, houve um paradoxo que ainda é para muitos o enigma ou mistério dos latinos. Com a religião presente em todos os detalhes domésticos, como uma planta trepadeira, aconteceu o que parece o oposto: o espírito de revolta. Imperialistas e reacionários frequentemente invocam Roma como o próprio modelo de ordem e obediência, mas Roma foi o contrário disso. A verdadeira história da Roma Antiga é muito mais parecida com a história da Paris moderna. Ela pode ser chamada, em linguagem atual, de cidade construída com barricadas. Dizem que o portão de Jano[180] nunca foi fechado porque houve uma guerra eterna do lado de fora; é quase tão verdadeiro quanto ter havido uma revolução eterna do lado de dentro. Desde as primeiras passeatas de plebeus[181] até as últimas guerras de escravos, o Estado que impôs a paz ao mundo nunca esteve realmente sem conflito. Os governantes eram seus próprios rebeldes.

---

179 Ver nota 118. O rei-sacerdote, o *rex nemorensis*, era o rei da floresta e o sacerdote da Diana ariciana (Arícia era uma cidade perto de Roma). Era um escravo que, por quebrar um ramo da árvore sagrada no santuário, entrava em combate até a morte com o sacerdote atual. O vencedor do combate (o sacerdote que matava quem havia já matado um sacerdote) se tornava o novo rei-sacerdote. Essa explicação não se encontra no texto da *Eneida* citado, mas é obra de Servius (c. 370 d.C.), um comentarista do poema de Virgílio. (N.T.)

180 Jano (Janus, em latim) era o deus romano dos começos, guardião de todos os portões. Como tinha duas faces, podia olhar tanto para quem chegava quanto para quem saía, significando que podia ver o passado e o futuro. Em seus templos, as portas principais eram mantidas abertas em tempos de guerra e fechadas em tempos de paz. (N.T.)

181 A primeira foi realizada em 494 a.C. em Roma, na qual os plebeus, cidadãos comuns, sofrendo com dívidas que podiam torná-los escravos, exigiam paridade de direitos com os da elite, os patrícios. (N.T.)

Existe uma relação verdadeira entre a religião em particular e a revolução na vida pública. Histórias, no entanto, menos heroicas por terem sido banalizadas nos lembram que a República foi fundada em um tiranicídio que vingou um insulto a uma esposa; que os Tribunos do povo foram restabelecidos após outro que vingou um insulto a uma filha. A verdade é que apenas homens para quem a família é sagrada terão um padrão ou uma posição para criticar o Estado. Só eles podem apelar para algo mais sagrado que os deuses da cidade: os deuses do lar. É por isso que os homens ficam confusos ao ver que as mesmas nações de costumes rígidos também são consideradas exaltadas na política, como os irlandeses e os franceses. Vale a pena insistir nesse aspecto doméstico, porque é um exemplo exato do que se entende aqui por estar dentro da história, como o interior das casas.

Histórias unicamente políticas de Roma podem ter bastante razão ao dizer que isso ou aquilo foi um ato cínico ou cruel dos políticos romanos, mas o que levantou Roma foi o espírito de todos os romanos, e não é possível chamá-lo de ideal de Cincinato[182] passando do senado ao arado. Homens como ele haviam fortalecido seu domínio por todos os lados, já haviam vencido os italianos e até os gregos quando se viram confrontados com uma guerra que mudou o mundo. Eu a chamei aqui de a guerra dos deuses e demônios.

Estabeleceu-se na costa oposta do mar de dentro a Nova Cidade, muito mais antiga, mais poderosa e mais próspera que a cidade italiana; mas ainda restava uma atmosfera que tornava o nome inadequado. Foi chamada de nova porque era uma colônia como Nova Iorque ou Nova Zelândia. Era um posto avançado ou assentamento da energia e da expansão das grandes cidades comerciais de Tiro e Sidônia. Havia uma percepção dos novos países e das colônias a respeito, um prognóstico

182 Lúcio Quíncio Cincinato (c. 519 a.C.), fazendeiro que anteriormente já havia apaziguado uma contenda entre plebeus e patrícios, foi convocado para liderar os exércitos romanos contra tribos bárbaras. Ele salvou Roma e, a seguir, devolveu o cargo e voltou para sua fazenda. (N.T.)

confiante e comercial. Era respeitada por atitudes que transmitiam uma sensação de segurança blindada, como se ninguém pudesse lavar as mãos no mar sem a licença da Nova Cidade, pois dependia quase inteiramente da grandeza de seus navios, assim como os dois grandes portos e mercados de onde seu povo vinha. Isso trouxe de Tiro e Sidônia um talento prodigioso para o comércio e uma experiência considerável em viagens, além de outras coisas.

Em um capítulo anterior, mencionei um traço da psicologia que está por trás de algumas religiões. Os ansiosos por resultados práticos, à parte de resultados poéticos, tendiam a invocar espíritos de terror e compulsão; a comover Aqueronte[183] em desespero a subjugar os deuses. Sempre existe alguma ideia obscura de que esses poderes sombrios realmente vão agir, não parece nada absurdo. Na psicologia interior dos povos púnicos, essa praticidade pessimista havia crescido em grandes proporções.

Na Nova Cidade, que os romanos chamavam de Cartago, como nas cidades-mãe da Fenícia, o deus com esse poder tinha o nome de Moloque, que talvez fosse idêntico à outra divindade que conhecemos como Baal, o Senhor. Os romanos não sabiam a princípio como chamá-lo ou tratá-lo; eles tiveram de voltar ao mito mais bruto de origem grega ou romana e compará-lo a Saturno devorando os filhos. Mas os adoradores de Moloque não eram selvagens ou primitivos. Eram membros de uma civilização madura e polida, repleta de refinamentos e luxos; provavelmente muito mais civilizados que os romanos. E Moloque não era um mito; ou, de qualquer forma, sua oferenda não era um mito. Esses povos mais avançados se reuniram mesmo para invocar a bênção do céu sobre seu império por jogar centenas de seus bebês em uma grande fornalha. Só podemos perceber a combinação imaginando vários comerciantes de Manchester com suas cartolas altas e largas costeletas indo à igreja todos os domingos, às onze horas, para ver um bebê ser assado.

183 Na mitologia grega, era o rio do mundo inferior, conhecido como Rio da Tristeza, pois por ele as almas eram levadas até o tribunal dos juízes. (N.T.)

Os primeiros estágios da discussão, por ser política ou comercial, podem ser seguidos de perto. As Guerras Púnicas pareceram, em certo momento, não ter fim; e não é fácil dizer quando elas começaram. Os gregos e os sicilianos já vinham em conflito do lado europeu contra a cidade africana. Cartago havia derrotado a Grécia e conquistado a Sicília – também se plantara firmemente na Espanha, e, entre a Espanha e a Sicília, a cidade latina estava reprimida e teria sido arrasada se os romanos não resistissem. No entanto, o interesse na história realmente consiste no fato de Roma ter sido derrotada. Se não houvesse certos elementos morais, e também materiais, a história teria terminado onde Cartago com certeza imaginava. É bastante comum culpar Roma por não promover a paz – mas o verdadeiro instinto da massa dizia que não poderia haver paz com esse tipo de gente. É bem usual culpar o romano por sua *Delenda est Carthago*[184] – "Cartago deve ser destruída". É trivial esquecer que, sob toda a pompa, Roma foi destruída. A aura sagrada que pairava sobre Roma para sempre, muitas vezes esquecida, impregnou parte dela porque havia ressuscitado repentinamente dos mortos.

Cartago era uma aristocracia, como a maioria daqueles Estados mercantis. A pressão dos ricos sobre os pobres era tão impessoal quanto inevitável, pois tais aristocracias jamais permitiriam um governo mais humano e, talvez por isso, tivessem ciúmes do talento individual. Mas um gênio pode aparecer em qualquer lugar, inclusive em uma classe governante. A fim de tornar o padrão mais alto do mundo ainda mais difícil, foi ordenado que uma das grandes casas de Cartago formasse um homem que saísse daqueles palácios dourados com toda a energia e originalidade de Napoleão vindo do nada. Na pior crise da guerra, Roma aprendeu que a própria Itália, por um milagre militar, foi invadida pelo norte. Aníbal, a Graça de Baal[185], significado de seu nome em

184 Frase usada especialmente, mas não de forma exclusiva, por Catão, o Velho (234 a.C.-149 a.C.), censor romano, para encerrar seus discursos. (N.T.)

185 Na Segunda Guerra Púnica (218 a.C.-201 a.C.), o general e estadista Aníbal Barca (247 a.C.-183 a.C.) atravessou os Alpes liderando um exército cartaginês, com os soldados montados em elefantes, na tentativa de conquistar Roma. (N.T.)

sua própria língua, arrastou uma cadeia de armamento pesado sobre os lugares ermos estrelados dos Alpes e dirigiu-se para o sul, para a cidade que ele havia prometido destruir a todos os seus terríveis deuses.

Aníbal marchou pela estrada para Roma, e os romanos que correram para a guerra contra ele sentiram como se estivessem lutando com alguém que tivesse superpoderes. Dois grandes exércitos caíram à direita e à esquerda dele nos pântanos do rio Trébia; cada vez mais destruídos pela horrível tática de cerco em Canas; cada vez mais mortos ao toque de Aníbal. O sinal supremo de todos os desastres, que é a traição, passou por várias tribos contra a causa perdida de Roma, e o inimigo indestrutível se aproximava cada vez mais da cidade. Seguindo seu grande líder, o crescente exército cosmopolita de Cartago passou como um cortejo do mundo todo: os elefantes sacudindo a terra como montanhas marchando; os gigantes gauleses com sua panóplia bárbara e negros espanhóis cingidos com ouro; os pardos numidianos em seus velozes cavalos do deserto, em transporte sobre rodas e voando como falcões; e multidões inteiras de desertores e mercenários e povos diversos; todos liderados pela Graça de Baal.

Os áugures e escribas romanos que descreveram a cena com prodígios sobrenaturais, em que uma criança nasceu com a cabeça de um elefante ou que estrelas caíram como pedras de granizo, tinham uma compreensão do fato muito mais subjetiva que objetiva em comparação ao historiador moderno, que não consegue ver nada além de uma estratégia bem-sucedida que encerrou uma rivalidade no comércio. Algo muito diferente foi sentido no momento e no local, como sempre ocorre com quem experimenta uma sensação diferente por conta própria, como entrar em um nevoeiro ou provar um sabor amargo.

Não foi só uma derrota militar e muito menos uma rivalidade mercantil que encheu a imaginação romana com esses presságios hediondos da natureza em transformação. Era Moloque sobre a montanha dos latinos, olhando com rosto assustador do outro lado da planície; era Baal que pisava as vinhas com os pés de pedra; era a voz de Tanit, a invisível, por trás de seus véus rastejantes, sussurrando que o amor é mais horrível que o ódio. A queima dos campos de milho e a ruína das vinhas italianas eram mais do que real; eram alegóricas. Eram a destruição de coisas domésticas e frutíferas, a desvitalização do que era humano antes da desumanidade que está muito além da crueldade humana. Os deuses domésticos se curvaram na escuridão sob seus telhados baixos; e acima deles foram os demônios ao vento, passando por todas as paredes, tocando a trombeta da tramontana. A porta dos Alpes foi arrombada; e em um sentido nada vulgar, mas muito solene, o Inferno foi libertado. A guerra dos deuses e demônios parecia ter terminado; e os deuses estavam mortos. As águias foram perdidas, as legiões foram arruinadas; e em Roma nada restava além da honra e da fria coragem do desespero.

No mundo inteiro, uma coisa ainda ameaçava Cartago: ela mesma. Ainda restava o esforço interno de uma base forte em todos os estados comerciais bem-sucedidos e a presença de um espírito que já conhecemos. Ainda havia o senso firme e a astúcia dos homens que administram grandes empreendimentos; o conselho dos melhores especialistas em finanças; negócios do governo; a perspectiva ampla e sensata dos executivos de negócios, e nessa parte os romanos poderiam ter esperança. À medida que a guerra se arrastava para o que parecia seu fim trágico, crescia aos poucos uma tímida e estranha possibilidade de que, mesmo naquele momento, eles talvez não esperassem em vão. Os homens comuns de negócios de Cartago, assim como aqueles que tratam pessoas vivas e moribundas, viram claramente que Roma não estava apenas morrendo, mas sem vida. A guerra acabara. Era evidente que seria inútil para a cidade italiana resistir por mais tempo, e era inconcebível que alguém resistisse quando não houvesse esperança. Nessas circunstâncias, outro conjunto de princípios comerciais amplos e sólidos ainda não havia sido considerado.

As guerras eram financiadas e, consequentemente, caras; talvez eles sentissem no coração, como muitos de sua categoria, que afinal de contas a guerra deve ser um pouco perversa, porque custa dinheiro. Chegara a hora da paz, e, ainda mais, da economia. As mensagens enviadas por Aníbal de tempos em tempos pedindo reforços eram um anacronismo ridículo; havia coisas muito mais importantes às quais dar atenção agora. Pode ser verdade que algum cônsul ou outra pessoa tivesse feito uma última corrida ao Metauro[186], decapitado o irmão de Aníbal e lançado sua cabeça, com grande fúria latina, para o acampamento de Aníbal; e ações descontroladas como essa mostraram quão completamente desesperados os latinos se sentiam em relação a sua causa.

Mas mesmo os latinos de sangue quente não podiam ficar tão irados a ponto de se apegar a uma causa perdida para sempre. Então, argumentaram os melhores especialistas financeiros e desprezaram tantas cartas, cheias de relatórios alarmistas bem esquisitos. Então, argumentou e agiu o grande Império Cartaginês. Esse preconceito sem sentido, a maldição dos estados comerciais, de que a estupidez tem um lado prático e que a genialidade tem um lado fútil, os levou a matar de fome e a abandonar aquele grande artista da escola de armas, a quem os deuses lhes haviam dado em vão.

Por que os homens nutrem essa estranha ideia de que o sórdido deve sempre derrubar o magnânimo, que existe alguma conexão obscura entre cérebros e brutalidade ou que não importa se um homem é estúpido desde que seja também mau? Por que eles pensam vagamente em todo cavalheirismo como sentimento e em todo sentimento como fraqueza? Eles fazem isso porque são, como todos os homens, inspirados principalmente pela religião. Para eles, como para todos os homens, o fato primordial é sua noção da origem das coisas, sua ideia sobre o mundo em que estão vivendo. E acredita que a única coisa definitiva é o medo e, portanto, que o próprio coração do mundo é mau. Eles acreditam

186 Rio da Itália próximo ao qual se deu a batalha (207 a.C.) que leva seu nome, decisiva na Segunda Guerra Púnica. Nela, Asdrúbal Barca, irmão de Aníbal, foi derrotado pelos exércitos romanos. (N.T.)

que a morte é mais dura que a vida e, portanto, as coisas mortas devem ser mais fortes que as coisas vivas, não importa se forem ouro, ferro e máquinas ou rochas, rios e forças da natureza.

Pode parecer fantasioso dizer que homens com quem nos encontramos em mesas de chá ou com quem conversamos em festas no jardim são secretamente adoradores de Baal ou de Moloque. Mas esse tipo de mente comercial tem sua própria visão cósmica – a visão de Cartago – que carrega a culpa da própria ruína. O poder púnico caiu porque há nesse materialismo uma negação ao pensamento real. Ao descrer da alma, ele chega a descrer da mente. Sendo muito prático para ser moral, ele nega o que todo soldado prático chama de moral de um exército. Para o materialismo, o dinheiro continuará lutando se os homens caírem. Foi o que aconteceu com os príncipes mercantes púnicos. A religião deles era baseada no desespero, mesmo quando suas fortunas reais eram auspiciosas. Como eles poderiam entender que os romanos podiam esperar mesmo quando suas fortunas diziam que não?

A religião deles era baseada na força e no medo; como eles poderiam entender que os homens ainda podem desprezar o medo, mesmo quando se submetem à força? Sua filosofia de mundo tinha cansaço em seu âmago; acima de tudo, estavam cansados da guerra. Como eles entenderiam aqueles que ainda fazem guerra mesmo exaustos? Em uma palavra, como eles entenderiam a mente do homem, que há tanto tempo se curvara diante de coisas sem mente: dinheiro, força bruta e deuses que tinham o coração de animais selvagens? Eles acordaram repentinamente com a notícia de que as brasas que tanto haviam desprezado, até mesmo para pisoteá-las, estavam queimando mais uma vez em toda parte; que Asdrúbal fora derrotado, que Aníbal estava em menor número, que Cipião[187] havia levado a guerra para a Espanha; que ele a carregou para a África. Diante dos próprios portões da cidade dourada, Aníbal travou

187 Cipião Africano (236 a.C.-183 a.C.), general romano que venceu Aníbal na Batalha de Zama (202 a.C.), encerrando a Segunda Guerra Púnica. (N.T.)

sua última luta por ela e perdeu; a queda de Cartago se compara apenas à de Satanás[188]. Nova Cidade permaneceu sendo apenas um nome, não restou pedra sobre a areia. Outra guerra foi travada antes da destruição final, mas foi realmente o fim. Homens solitários, cavando em sua fundação, séculos depois encontraram montes com centenas de pequenos esqueletos, as relíquias sagradas daquela religião. Pois Cartago caiu porque era fiel à sua própria filosofia e seguiu-a até a conclusão lógica de sua própria visão do universo. Moloque havia comido os próprios filhos.

Os deuses haviam ressuscitado novamente, e os demônios haviam sido derrotados, afinal. Mas foram derrotados pelos perdedores, e quase derrotados pelos mortos. Ninguém entende o romance de Roma, e por que ela mais tarde se ergueu em uma liderança representativa que parecia quase predestinada e tão natural. Quem não se lembra da agonia de horror e humilhação pela qual ela continuara a testemunhar a sanidade que é a alma da Europa? Ela chegou a ficar sozinha no meio de um império porque uma vez ficou só no meio de uma ruína e de uma devastação. Depois disso, todos os homens sabiam no coração que ela tinha representado a humanidade, mesmo quando foi rejeitada pelos homens. E caiu sobre ela a imagem vaga de uma luz brilhante ainda invisível e o encargo do destino. Não cabe a nós adivinhar de que maneira ou em que momento a misericórdia de Deus poderia, de alguma forma, resgatar o mundo; mas é certo que a luta travada pela cristandade teria sido muito diferente se houvesse um império de Cartago em vez de um império de Roma.

Temos de agradecer à paciência das guerras púnicas se, depois de eras, as coisas divinas desceram sobre as coisas humanas e não sobre as desumanas. A Europa evoluiu para seus próprios vícios e sua própria impotência, como será sugerido em outra página; mas o pior do que evoluiu não era como o que havia escapado. Alguém, em sã consciência, pode

188 Referência a Lucas 10:18. (N.T.)

comparar a grande boneca de madeira, com quem as crianças esperavam compartilhar um pouco do jantar, com o grande ídolo do qual se esperava que comesse as crianças? Essa é a medida de quão longe o mundo se desviou em comparação ao quão longe ele poderia ter se desviado.

Se os romanos eram implacáveis, era no sentido verdadeiro com relação a um inimigo, e certamente não apenas um rival. Eles não se lembravam de rotas comerciais e regulamentos, mas sim do rosto de homens escarnecedores, e odiavam a alma detestável de Cartago. Graças a eles nunca tivemos de destruir os bosques de Vênus exatamente como os homens derrubaram os bosques de Baal. Em parte, devemos à severidade dos romanos o fato de nossos pensamentos sobre o passado humano não serem totalmente severos. Se a passagem do paganismo ao cristianismo foi tanto uma ponte como uma brecha, devemos isso a quem manteve esse pagão humano. Se, depois de todas essas eras, estamos em certo sentido em paz com o paganismo e podemos pensar de modo gentil a respeito de nossos pais, é bom lembrar de como as coisas eram e pensar em como poderiam ter sido. Por esse motivo, podemos carregar com leveza o peso da antiguidade e não precisamos estremecer com uma ninfa em uma fonte ou um cupido em um Dia dos Namorados. O riso e a tristeza nos ligam a coisas muito antigas e lembradas sem desonra. Não podemos ver sem ternura o crepúsculo caindo ao redor da fazenda Sabina e ouvir os deuses domésticos se alegrarem quando Catulo volta para casa em Sírmio[189]. *Delenda est Carthago.*

189 Em suas *Odes*, Horácio (65 a.C.-8 a.C.), poeta romano, diz ter recebido a fazenda Sabina de seu patrono, Mecenas. Ela simboliza riqueza e liberdade, pois ali o poeta ficava livre de certas obrigações da vida pública. Catulo (c. 87 a.C.-c. 57 a.C.), considerado o maior poeta lírico romano, tinha uma casa em Sírmio, cidade imperial da antiga província romana da Panônia. (N.T.)

CAPÍTULO 8

O FIM DO MUNDO

Certa vez, eu estava sentado, em um dia de verão, em uma campina em Kent, à sombra de uma pequena igreja da vila, com um companheiro bastante curioso com quem eu acabara de andar pelo bosque. Ele fazia parte de um grupo de excêntricos, que tenho encontrado em minhas andanças, que tinham uma nova religião chamada Pensamento Superior, na qual eu havia sido iniciado o bastante para perceber uma atmosfera geral de imponência ou eminência, e esperava, em algum estágio posterior e mais esotérico, descobrir a origem desse pensamento. Meu companheiro era o mais divertido deles, pois, não importando em que posição estivesse com relação ao pensamento, ele era pelo menos muito superior a eles em experiência, tendo viajado além dos trópicos enquanto os demais meditavam nos subúrbios – embora ele tivesse sido acusado de se exceder em contar histórias de viajantes.

Apesar de tudo o que foi dito contra ele, eu o preferi a seus companheiros e de bom grado o acompanhei pelo bosque, onde eu não podia deixar de achar que seu rosto queimado pelo sol, as sobrancelhas e a barba feroz e pontuda lhe davam um pouco da aparência de Pan. Então, sentamos na campina e contemplamos tranquilamente as copas das árvores e a torre da igreja da vila, enquanto a tarde quente começava a abrandar até chegar o início da noite e o canto de um pássaro soava distante lá no céu e não mais do que um sussurro de brisa acalmava, em vez de agitar, os pomares antigos do jardim da Inglaterra. Então, meu companheiro me disse: "Você sabe por que a torre daquela igreja se ergue desse modo?". Eu expressei um agnosticismo respeitável, e ele respondeu de maneira indireta: "Oh, o mesmo com os obeliscos: o culto fálico da antiguidade".

Então, olhei para ele de repente, enquanto ele permanecia ali, olhando de soslaio por cima da barba de bode; e por um instante pensei que não era Pan, mas o Diabo. Nenhuma palavra mortal pode expressar a imensa, a insana incongruência e a perversão antinatural do pensamento envolvido em dizer uma coisa dessas em um momento como aquele e naquele lugar. Por um momento, me veio a ideia de que homens queimavam bruxas; e então uma sensação de absurdo igualmente enorme pareceu se abrir sobre mim como um amanhecer. "É claro", eu disse, depois de pensar um pouco, "se não fosse pelo culto fálico, eles teriam construído a torre apontando para baixo e apoiada no próprio ápice".

Eu poderia ficar sentado naquele campo e rir por uma hora. Meu amigo não pareceu ofendido, pois de fato ele nunca foi sensível a respeito de suas descobertas científicas. Só o encontrei por acaso e depois nunca mais, e acredito que agora ele esteja morto; mas, embora não tenha relação alguma com o argumento, pode valer a pena mencionar o nome desse adepto do Pensamento Superior e intérprete de origens religiosas primitivas, ou, de qualquer forma, o nome pelo qual ele era conhecido. Era Louis de Rougemont[190].

---

190 Henri Louis Grin (1847-1921), embusteiro suíço, adotou o pseudônimo de Louis de Rougemont quando começou, em 1898, a publicar em um jornal suas histórias inventadas sobre viagens à Austrália, no qual dizia ter vivido 30 anos entre os indígenas, e a Nova Zelândia. Em 1899, elas foram publicadas em livro, *The Adventures of Louis de Rougemont As Told by Himself* [As aventuras de Louis de Rougemont conforme contadas por ele mesmo]. (N.T.)

Aquela imagem bizarra da igreja de Kent com sua torre erguida, como em alguma antiga história rústica sem lógica, sempre volta a minha imaginação quando ouço essas coisas sobre origens pagãs, e chamo em meu auxílio o riso dos gigantes. Então, sinto-me tão genial e caridoso com todos os outros pesquisadores, críticos superiores e autoridades sobre religião antiga e moderna, como me sinto em relação ao pobre Louis de Rougemont. Mas a memória desse imenso absurdo permanece como uma espécie de medida e de controle para manter a sanidade, não apenas no assunto das igrejas cristãs, mas também no tocante aos templos pagãos. Muitas pessoas falaram sobre origens pagãs, enquanto o ilustre viajante abordava a gênese cristã. De fato, muitos pagãos modernos têm sido duros demais com o paganismo e muitos humanitários modernos têm agido da mesma forma com a religião real da humanidade. Eles a representam como sendo em toda parte e desde o princípio enraizada apenas nesses arcanos repulsivos, e carregando o caráter de algo totalmente despido de vergonha e anárquico. Eu, porém, não acredito nisso de jeito nenhum.

Eu jamais pensaria em toda a adoração a Apolo da mesma forma que De Rougemont poderia pensar sobre a adoração a Cristo. Eu nunca admitiria que houvesse uma atmosfera em uma cidade grega como a que aquele louco pôde sentir em uma vila de Kent. Pelo contrário, o ponto a destacar, mesmo neste capítulo final sobre a derrocada do paganismo, é insistir mais uma vez que o pior paganismo já foi derrotado pelo melhor, que conquistou o ouro de Cartago e usou os louros de Roma. Foi a melhor coisa que o mundo já viu, considerando todas as coisas e em grande escala, que governou da muralha dos montes Grampianos até o jardim do Eufrates. Foi a melhor conquista, o melhor governo e foi o melhor que começou a decair.

A menos que essa verdade óbvia seja compreendida, toda a história é vista de modo distorcido. O pessimismo não significa estar fatigado do mal, mas, sim, do bem. O desespero não reside em estar cansado do sofrimento, mas da alegria. Quando, por um motivo ou outro, as coisas boas de uma sociedade não funcionam mais, ela começa a declinar; quando seu alimento não sacia, quando suas curas não funcionam, quando suas bênçãos não protegem. Quase podemos dizer que, em uma sociedade sem bases sólidas, dificilmente teríamos qualquer teste para registrar um declínio. É por isso que algumas das oligarquias comerciais estáticas, como Cartago, têm, na história, um ar de múmias em pé e olhando para o nada, tão secas, envoltas e embalsamadas que ninguém sabe se são novas ou velhas. Mas Cartago, em alguma medida, estava morta, e o pior ataque já feito pelos demônios à sociedade mortal havia sido combatido. Mas quanto importaria que o pior estivesse morto se o melhor estivesse morrendo?

Para começar, deve-se notar que a relação de Roma com Cartago foi parcialmente copiada e estendida em sua relação com nações mais convencionais e mais próximas que Cartago. Não estou aqui preocupado em contrariar a visão meramente política de que os estadistas romanos agiram de modo inescrupuloso em relação a Corinto ou às cidades gregas. Mas quero contradizer a noção de que não havia nada além de uma desculpa hipócrita na antipatia romana comum pelas cidades gregas. Não estou apresentando esses pagãos como paladinos da cavalaria, com um sentimento relativo ao nacionalismo jamais visto até os tempos cristãos. Mas eu os estou apresentando como homens com sentimentos humanos; e esses sentimentos não eram fingidos. A verdade é que uma das fraquezas no culto à natureza e na mera mitologia já havia criado uma perversão entre os gregos devida ao pior dos sofismas: a simplicidade. Assim como eles se tornaram antinaturais ao adorar a natureza, também se tornaram não varonis ao adorar o homem.

Se a Grécia liderasse seu conquistador, ela poderia tê-lo enganado; mas eram coisas assim que ele desejava conquistar, até para si mesmo. É verdade que, em certo sentido, havia menos desumanidade em Sodoma e Gomorra do que em Tiro e Sidônia. Quando consideramos a guerra dos demônios contra as crianças, não podemos comparar nem a decadência grega à adoração púnica ao diabo. Mas não é verdade que a repulsa sincera a qualquer uma delas seja meramente farisaica. Não é verdade para a natureza humana ou para o senso comum. Se qualquer rapaz que teve a sorte de crescer de modo saudável e simples em seus devaneios de amor ouvir pela primeira vez o culto a Ganímedes[191], ele não ficará apenas chocado, mas enojado. E essa primeira impressão, como já foi dito aqui tantas vezes, estará correta. Nossa indiferença cínica é uma ilusão; a maior de todas: a ilusão de familiaridade. É certo conceber as virtudes um tanto brutas da turba dos romanos originais como reação ao próprio boato sobre o tumulto, com total espontaneidade e sinceridade. É certo considerar que eles estavam reagindo, ainda que em menor grau, exatamente como eles fizeram contra a crueldade de Cartago. Porque eles não destruíram Corinto de forma tão violenta como Cartago.

Mas se a atitude e a força deles foram bastante destrutivas, em nenhum caso sua indignação foi apenas por justiça própria ou egoísmo. E se alguém insistir que nada poderia ter funcionado em ambos os casos, a não ser razões de conspiração estatal e comercial, podemos apenas dizer a ele que possivelmente falta algo que talvez nunca entenda. Ainda que um um dia assimile, não será suficiente para compreender os latinos. Esse "algo" é a democracia. É provável que ele já tenha ouvido essa palavra muitas vezes e até a usou, mas não tem noção do seu significado. Durante toda a história revolucionária de Roma, houve um impulso incessante em direção à democracia; sem a qual o Estado e o estadista não podiam fazer nada: a democracia que não tem nada a ver com diplomacia. É justamente por causa da presença da democracia que ouvimos muito sobre a oligarquia romana. Por exemplo: historiadores recentes tentaram explicar o valor e a vitória de Roma em relação

191 Ou Ganimedes, era, na mitologia grega, um belíssimo príncipe de Troia levado por Zeus para o Olimpo a fim de que servisse o néctar aos deuses e, aparentemente, também por interesse sexual no jovem. (N.T.)

à usura detestável e detestada praticada por alguns patrícios, como se Curião[192] tivesse conquistado os homens da falange macedônia emprestando-lhes dinheiro ou o cônsul Nero houvesse negociado a vitória de Metauro em cinco por cento. Mas percebemos a usura dos Patrícios por causa da revolta perpétua dos Plebeus. O governo dos príncipes mercantes púnicos tinha a própria alma da usura. Mas nunca houve uma multidão púnica que ousou chamá-los de usurários.

Como todas as coisas mortais, carregada com todos os pecados e fraquezas, a ascensão de Roma realmente foi a exaltação das coisas normais e, especialmente, populares; e em nada mais do que na instituição normal e popular do ódio à perversão – que entre os gregos se tornara uma convenção. É tão verdade que se tornou uma convenção literária, às vezes deliberadamente copiada por literatos romanos. É um daqueles equívocos que sempre surgem de convenções e não deve obscurecer nossa percepção da diferença de tom nas duas sociedades como um todo. É verdade que Virgílio, de certa forma, assumiu um tema de Teócrito[193], mas ninguém deve ter a impressão de que Virgílio gostava em particular desse tema. Os temas de Virgílio eram especial e notavelmente os comuns, sobretudo na moral: piedade, patriotismo e a honra da região rural. E podemos muito bem nos deter no nome do poeta ao passarmos para o declínio da antiguidade: em seu nome, que era, em um sentido tão supremo, a própria voz de declínio, de sua maturidade e de sua melancolia; de seus frutos de realização e sua perspectiva de decadência. Quem lê algumas linhas de Virgílio não pode duvidar de que ele entendeu o que a sanidade moral significa para a humanidade.

---

192 Caio Escribônio Curião (90 a.C.-49 a.C.), tribuno romano cujo apoio havia sido comprado por César, liderou um exército por este enviado para conter uma rebelião na África, mas foi totalmente derrotado em uma batalha contra o rei Juba I, da Numídia, aliado de Pompeu, rival de César. Além da imprudência de Curião, que morreu na batalha, sua derrota se deveu à deserção de seus soldados, grande parte dos quais era de ex-arregimentados de Pompeu. (N.T.)

193 Teócrito (c. 310 a.C.-c. 250 a.C.), o principal poeta bucólico, ou pastoral, grego, autor de *Idílios*, cuja obra influenciou Virgílio, especialmente as *Bucólicas* (ou *Éclogas*). (N.T.)

Ninguém pode duvidar de seus sentimentos quando os demônios foram levados a fugir diante dos deuses domésticos.

Mas há dois pontos particulares sobre ele e seu trabalho que são mais importantes para a tese principal aqui. O primeiro é que todo o seu grande épico patriótico é, em um sentido muito peculiar, fundado na queda de Troia; isto é, sobre um orgulho declarado por Troia, embora ela tenha caído. Ao indicar para os troianos o fundamento de sua amada raça e república, ele começou o que pode ser chamado de grande tradição troiana, que atravessa a história medieval e moderna. Nós já vimos o primeiro indício na compaixão de Homero com respeito a Heitor. Virgílio o transformou não apenas em literatura, mas em uma lenda sobre a dignidade quase divina que pertence aos derrotados. Essa foi uma das tradições que realmente preparou o mundo para a vinda do cristianismo e, em especial, da cavalaria cristã. Foi isso que ajudou a sustentar a civilização ao longo das incessantes derrotas da Idade das Trevas e das guerras bárbaras, das quais nasceu o que chamamos de cavalaria. É a atitude moral do homem encurralado contra o muro – nesse caso, era o muro de Troia.

Ao longo dos tempos medievais e modernos, essa versão das virtudes do conflito homérico pode ser encontrada de muitas maneiras, alinhada a tudo o que era semelhante a elas no sentimento cristão. Nossos próprios compatriotas, e os homens de outros países, adoravam afirmar, como Virgílio, que sua própria nação era descendente dos heroicos cavalos de Troia. Várias pessoas consideravam o tipo mais soberbo de heráldica reivindicar a descendência de Heitor – parece que ninguém queria descender de Aquiles. O próprio fato de o nome Trojan [Troiano] ter se tornado cristão e se difundido até os últimos limites da cristandade, para a Irlanda ou às Terras Altas Gaélicas, enquanto o nome grego permaneceu relativamente raro e pedante, é um tributo à mesma verdade. De fato, envolve uma curiosidade da linguagem quase da mesma natureza de uma piada. O nome foi transformado em verbo, e a própria frase sobre *hectoring*[194], no sentido de bancar o valentão, sugere a miríade de soldados que adotaram o Troiano caído como modelo. Como fato, ninguém na antiguidade foi menos dedicado a *heitorizar* do que Heitor. Mas até o valentão que fingia ser conquistador recebeu seu título do conquistado. É por isso que a popularização da origem troiana apresentada por Virgílio tem uma relação vital com todos aqueles elementos que fizeram os homens pensarem que Virgílio era quase um cristão. É quase como se duas grandes ferramentas ou brinquedos feitos da mesma madeira de lei, o divino e o humano, estivessem nas mãos da Providência; e a única coisa comparável à Cruz de Madeira do Calvário era o Cavalo de Madeira de Troia. Assim, em alguma alegoria selvagem, de propósito piedoso mas quase profano, o Santo Menino poderia ter combatido o Dragão com uma espada e um cavalo feitos de madeira.

O outro elemento em Virgílio, essencial ao argumento, é a natureza particular de sua relação com a mitologia, ou o que aqui, em um sentido especial, pode ser chamado de folclore: as crenças e fantasias da população. Todo mundo sabe que a poesia dele, em sua forma mais perfeita, está menos preocupada com a pompa do Olimpo do que com os *numina*[195] da vida natural e agrícola. Todo mundo sabe onde Virgílio procurou as origens da matéria. Ele menciona encontrá-las não tanto nas alegorias cósmicas de Urano e Cronos, mas antes em Pã e na irmandade das ninfas e em Silvano, o velho homem da floresta[196]. Talvez seja ele próprio em algumas passagens das *Éclogas*, nas quais perpetuou para sempre a grande lenda de Arcádia e dos pastores.

Aqui, novamente, é fácil sair do foco principal com críticas mesquinhas sobre todas as coisas que separam a convenção literária virgiliana da nossa. Não há nada mais falso do que a acusação de artificialidade

194 Agir como Hector [Heitor], ser como Heitor, "heitorizar". (N.T.)

195 Ver nota 136. (N.T.)

196 Na mitologia romana, o deus da floresta e dos campos, um velho que tem aparência jovial, com pés e orelhas de bode. (N.T.)

dirigida contra a velha poesia pastoral. Não aprendemos nada do que nossos pais queriam dizer ao ver além do que eles escreveram. As pessoas se divertem tanto com o simples fato material de a pastora ser de porcelana que nem sequer perguntaram por que, afinal, ela foi feita. Ficaram tão contentes em considerar o Camponês Alegre[197] como um personagem de ópera que nem mesmo questionaram como ele foi parar ali ou como ele se desgarrou para o palco.

Em suma, basta perguntar por que fizeram uma pastora de porcelana e não um comerciante. Por que as peças de decoração não eram adornadas com figuras de comerciantes da cidade em atitudes elegantes, de fabricantes de ferro forjados em metal ou de especuladores feitos do mesmo ouro que comercializavam? Por que a ópera exibiu um Camponês Alegre e não um Político Alegre? Por que não havia um balé de banqueiros, fazendo piruetas sobre a ponta dos pés? Porque o instinto antigo e o humor da humanidade sempre lhes disseram, sob quaisquer convenções, que os costumes de cidades complexas eram menos saudáveis e felizes de fato do que os da região campesina. O mesmo acontece com a eternidade dos *Éclogas*. De fato, um poeta moderno escreveu coisas chamadas *Fleet Street Eclogues*[198] [Éclogas da rua Fleet], nas quais os poetas tomaram o lugar dos pastores. Mas ninguém ainda escreveu nada chamado *Éclogas de Wall Street*, em que milionários tomariam o lugar dos poetas. E a razão é que existe um desejo real, mesmo que recorrente, por esse tipo de simplicidade, mas nunca há procura por esse tipo de complexidade.

A chave do mistério do Camponês Alegre é que o ele costuma estar de fato alegre. Aqueles que não acreditam nisso são os que não sabem nada sobre ele nem quais são seus momentos de alegria. Aqueles que

197 "Fröhlicher Landmann, von der Arbeit zurückkehrend" [O camponês alegre voltando do trabalho] é a décima peça da primeira parte do *Album für die Jugend* [Álbum para a jovem] que Robert Schumann (1810-1856), compositor e pianista alemão, compôs para suas três filhas.

198 Livro de John Davidson (1857-1909), poeta, dramaturgo e romancista escocês, lançado em 1896. (N.T.)

não acreditam na festa ou no cântico do pastor apenas desconhecem seu calendário. O verdadeiro pastor é, na verdade, muito diferente do ideal, mas isso não é motivo para esquecer a veracidade na origem do ideal. É preciso uma verdade para se fazer uma tradição, e uma tradição para se fazer uma convenção. A poesia pastoral é quase sempre uma convenção, especialmente em um declínio social. Foi nesse declínio que os pastores e pastoras de Watteau descansaram nos jardins de Versalhes[199] e continuaram a cantar e dançar por meio das imitações mais desvanecidas de Virgílio. Mas isso não é motivo para rejeitar o paganismo moribundo sem nunca ter entendido sua vida nem esquecer que a própria palavra pagão é igual à palavra camponês[200]. Podemos dizer que essa arte é apenas artificialidade, mas não é um amor pelo artificial. Pelo contrário, é, em sua própria natureza, apenas o fracasso do culto à natureza ou do amor ao natural.

Os pastores estavam morrendo porque seus deuses também estavam. O paganismo vivia da poesia, essa já considerada sob o nome de mitologia. Mas em toda parte, e especialmente na Itália, havia uma mitologia e uma poesia enraizadas na região campesina, e essa religião bucólica foi a grande responsável pela felicidade dos camponeses. Somente quando toda a sociedade cresceu em idade e experiência começou a aparecer essa fragilidade em toda mitologia já observada no capítulo sob esse nome. Não era exatamente uma religião nem uma realidade. Era o turbilhão do mundo jovem com imagens e ideias como o sentimento com respeito a vinho ou a fazer amor; não era tão imoral quanto era irresponsável; não tinha prenúncio do teste final do tempo. Era tão criativo quanto crédulo em qualquer dimensão. Pertencia ao lado artístico do homem, mas, mesmo considerado artisticamente, havia muito se sobrecarregado e enredado. As árvores genealógicas nascidas da semente de

---

199 Jean-Antoine Watteau (1684-1721), pintor francês. A referência é, possivelmente, à pintura *Prazer pastoral* (1714-1716). (N.T.)

200 Em latim, "pagão" é *pāgānus*, que significa "homem do campo, aldeão". A palavra se deriva de *pāgus*, "aldeia, vila". (N.T.)

Júpiter eram mais uma selva do que uma floresta; as reivindicações dos deuses e dos semideuses pareciam ser resolvidas mais por um advogado ou arauto profissional do que por um poeta.

Mas é desnecessário dizer que não foi apenas no aspecto artístico que essas coisas se tornaram mais caóticas. Aparecera de maneira cada vez mais flagrante aquela flor do mal que está de fato implícita na própria semente do culto à natureza, por mais natural que pareça. Não acredito que o culto natural necessariamente comece com essa paixão em particular – não sou da escola de folclore científico de De Rougemont – nem que a mitologia deva começar pelo erotismo, embora devesse terminar nele. E estou certo de que terminou. Além disso, não apenas a poesia se tornou mais imoral, mas a imoralidade se tornou mais insustentável. Vícios gregos, vícios orientais, indícios dos velhos horrores dos demônios semitas começaram a povoar o imaginário da Roma decadente, fervilhando como moscas em um monte de esterco. A psicologia sobre esse assunto é bastante humana para qualquer um que tente ver a história pelo lado de dentro. Chega uma hora da tarde em que a criança está cansada de "fingir", quando ela está cansada de ser um ladrão ou um pele-vermelha. É então que ela atormenta o gato. Chega um momento na rotina de uma civilização organizada em que o homem cansa de brincar de mitologia e de fingir que uma árvore é uma donzela ou que a Lua fez amor com um homem. O efeito dessa deterioração é o mesmo em todo lugar; é observado em todos os casos de uso de drogas e de ingestão de bebidas alcoólicas e em todas as formas de tendência a aumentar a dose. Os homens buscam pecados mais bizarros ou obscenidades mais surpreendentes como estimulantes de seus sentidos já saturados. Eles procuram loucas religiões orientais pela mesma razão. Tentam apunhalar os nervos a fim de trazê-los à vida, como se fossem as facas dos sacerdotes de Baal[201]. Estão caminhando em seus sonhos e tentam acordar com pesadelos.

---

201 Referência a 1Reis 18:17-28. (N.T.)

Nesse estágio, mesmo do paganismo, as canções e as danças camponesas desvaneciam cada vez mais na floresta. Por um lado, a civilização camponesa estava desaparecendo, ou já havia desaparecido, de toda a região rural. O Império, por fim, organizava-se cada vez mais nesse sistema servil que geralmente acompanha o orgulho da organização; na verdade, era quase tão servil quanto os projetos modernos para a organização da indústria. O que antes havia sido um campesinato foi reduzido a uma população da cidade dependente de pão e circo[202], o que pode, uma vez mais, sugerir a alguns uma multidão dependente de esmolas e cinemas. Nisso, como em muitos outros aspectos, o retorno moderno ao paganismo tem sido a volta para a velha era pagã, e não para a jovem era.

Mas as causas eram espirituais nos dois casos; e, em particular, o espírito do paganismo havia partido com seus espíritos familiares. O calor se dissipou com seus deuses domésticos, que se entendiam com os deuses do jardim, do campo e da floresta. O Velho Homem da Floresta era muito idoso; já estava morrendo. Diz-se com realidade que, em certo sentido, Pã morreu porque Cristo nasceu. É quase tão verdadeiro, em outro sentido, que os homens sabiam que Cristo havia nascido porque Pã já estava morto. Um vazio tomou o espaço deixado pelo desvanecimento de toda a mitologia da humanidade, que teria asfixiado como em um vácuo sem a teologia. Mas o ponto a destacar aqui é que a mitologia não poderia ter durado como uma teologia de jeito nenhum. Concordemos ou não, a teologia é pensamento – coisa que a mitologia nunca foi, já que ninguém poderia na verdade concordar ou discordar dela. Foi apenas uma moda e, quando passou, não voltou mais. Os homens não apenas deixaram de crer nos deuses, mas perceberam que nunca haviam acreditado neles.

202 Juvenal, poeta satírico romano, na obra *Sátira*, X, criticava o povo romano por seu desinteresse em assuntos políticos, preocupado apenas com alimento e diversão. A expressão "política do pão e circo" passou a denotar o modo pelo qual os governantes romanos mantinham a população apaziguada e os apoiando. (N.T.)

Eles cantaram seus louvores; dançaram em volta de seus altares. Tocaram até flauta – fizeram papel de bobo.

Então veio o crepúsculo sobre a Arcádia[203], e as últimas notas da flauta soaram tristemente do bosque de faias. Nos grandes poemas virgilianos já existia uma aura de tristeza, mas os amores e os deuses domésticos demoram-se ainda em versos encantadores como o que o sr. Belloc tomou como um teste de compreensão: *Incipe, parve puer, risu cognoscere matrem*[204]. Mas, com eles e conosco, a própria família humana começou a desmoronar sob a organização servil e o pastoreio das cidades. A massa urbana tornou-se erudita; isto é, perdeu a energia mental que poderia criar mitos. Em todo o círculo das cidades do Mediterrâneo, o povo lamentava a perda de deuses e era consolado por gladiadores. Enquanto isso, algo semelhante estava acontecendo com a aristocracia intelectual da antiguidade que andava de lá para cá e falava livremente de Sócrates e Pitágoras. Eles começaram a evidenciar ao mundo o fato de que estavam andando em círculos e dizendo sempre a mesma coisa. A filosofia virou uma piada; também passou a ser entediante. Essa sintetização forçada de tudo em um sistema ou outro, que notamos como falha do filósofo, revelou ao mesmo tempo sua finalidade e sua superficialidade. Tudo era virtude ou tudo era felicidade ou tudo era destino ou tudo era bom ou tudo era ruim; de qualquer forma, tudo era tudo, e não havia mais o que dizer; então, disseram isso. Em todos os lugares os sábios tornaram-se sofistas, isto é, retóricos contratados ou perguntadores de enigmas. Um dos sintomas disso é que o sábio começa a se transformar não apenas em sofista, mas em mágico. Um toque de ocultismo oriental é muito apreciado nas melhores casas. Como o filósofo já é um artista de teatro de variedades da sociedade, ele também pode ser um mágico.

---

203 Província da antiga Grécia que, por causa de seu isolamento e aspecto bucólico, passou a designar um lugar de inocência rústica e de prazeres simples e sossegados. (N.T.)

204 Ver nota 86. O verso citado é das *Éclogas* de Virgílio (IV, 60-63) e significa: "Começa, o bebezinho, a reconhecer a mãe no sorriso". (N.T.)

Muitos modernos têm insistido na pequenez daquele mundo mediterrâneo e nos horizontes mais amplos que poderiam ser alcançados com a descoberta dos outros continentes. Mas isso é uma das muitas ilusões do materialismo. Os limites que o paganismo havia alcançado na Europa eram os limites da existência humana; na melhor das hipóteses, atingira os mesmos limites em qualquer outro lugar. Os estoicos romanos não precisavam de nenhum chinês para ensinar-lhes estoicismo. Os pitagóricos não precisavam de nenhum hindu para ensinar-lhes sobre a recorrência ou a vida simples ou a beleza de ser vegetariano. Não importa o quanto podiam obter essas coisas do Oriente, eles já haviam obtido muito mais. Os sincretistas estavam tão convencidos quanto os teosofistas de que todas as religiões são realmente iguais. E de que outra forma eles poderiam ter difundido a filosofia apenas expandindo a geografia? Dificilmente se poderia propor que eles aprendessem uma religião mais pura vinda dos astecas ou se sentassem aos pés dos incas do Peru. O resto do mundo era caos e barbárie. É essencial admitir que o Império Romano foi reconhecido como a maior conquista da raça humana e também a mais importante. Um segredo terrível parecia estar escrito como em hieróglifos obscuros ao longo daquelas poderosas obras de mármore e pedra, colossais anfiteatros e aquedutos: o homem não podia fazer mais.

Pois esta não era a mensagem proclamada sobre a muralha babilônica: que um rei fora considerado deficiente ou que seu reino uno fora dado a um estranho. Não eram boas notícias como as de invasão e conquista. Não havia mais nada que pudesse conquistar Roma nem melhorá-la. A maior força estava se esvaindo, a melhor estava se encaminhando para o mal. É necessário insistir repetidamente que muitas civilizações se encontraram em uma civilização do mar Mediterrâneo, que já era universal, porém obsoleta e estéril. Os povos reuniram seus recursos e ainda não havia o suficiente. Os impérios haviam entrado em parceria e ainda estavam falidos. Nenhum filósofo realmente filosófico poderia pensar em outra coisa, exceto que, naquele mar central, a onda do mundo subira ao ponto mais alto, parecendo tocar as estrelas. Mas já estava declinando, pois era apenas uma onda.

Portanto, a mitologia e a filosofia, a partir das quais o paganismo já foi analisado, foram drenadas até literalmente virarem pó. Se, com a multiplicação da magia, o terceiro departamento, que temos chamado de demônios, foi cada vez mais ativo, ele nunca foi nada além de destrutivo. Resta apenas o quarto elemento, ou melhor, o primeiro; aquele que, de certo modo, foi esquecido porque foi o primeiro. Refiro-me à avassaladora primeira impressão, não obstante impalpável, de que o universo, afinal, tem uma origem e um objetivo; e, porque tem um objetivo, deve ter um autor.

O que aconteceu com essa grande verdade no fundo da mente dos homens, neste momento, talvez seja mais difícil de determinar. Alguns estoicos, sem dúvida, viram esse fato cada vez mais nítido quando as nuvens da mitologia se dissiparam e diminuíram; e grandes homens entre eles empenharam-se até o fim para lançar as bases de um conceito da unidade moral do mundo. Os judeus ainda mantinham zelosamente sua secreta certeza disso, guardadas pelas cercas altas do exclusivismo; no entanto, é bem característico da sociedade e da situação em que algumas figuras da moda, em especial mulheres, de fato abraçaram o judaísmo. Mas, no caso de muitos outros, imagino que tenha sido admitida nesse ponto uma nova negação. O ateísmo tornou-se, com certeza, possível naqueles tempos estranhos, pois ateísmo significa anormalidade. Ele é não apenas a negação de um dogma; é a inversão de uma hipótese subconsciente na alma – a percepção de que há um significado e uma direção no mundo que ela vê. Lucrécio[205], o primeiro evolucionista que se esforçou para substituir Deus pela Evolução, já havia balançado diante dos olhos dos homens sua dança de átomos

205 Tito Lucrécio Caro (c. 94 a.C.-c 55 a.C.), poeta e filósofo romano, atônito com o fato de que o povo, ao mesmo tempo em que desprezava os deuses, prestava-lhes culto com sacrifícios, escreveu o grande poema *Da natureza das coisas*, com o objetivo de acabar com a superstição dos romanos. (N.T.)

brilhantes, pela qual ele concebeu o cosmos como se fosse criado pelo caos. Mas não foi sua forte poesia ou sua triste filosofia, como eu imagino, que tornou possível aos homens ter essa visão. Foi algo na percepção de impotência e desespero com que os homens em vão brandiam os punhos para as estrelas, pois viam toda a melhor obra da humanidade afundando de forma lenta e impotente em um pântano. Eles podiam facilmente acreditar que a própria criação não existia, mas na verdade era uma queda livre, quando viram que a mais importante e a mais digna de todas as criações humanas estava caindo por causa de seu próprio peso. Eles podiam imaginar que todas as estrelas eram cadentes e que os próprios pilares de seus pórticos solenes eram curvados sob uma espécie de Dilúvio gradual. Para os homens com esse estado de espírito, havia uma razão para o ateísmo que é, de certo modo, razoável. A mitologia pode desaparecer e a filosofia pode fracassar, mas, se por trás dessas coisas houvesse uma realidade, com certeza esta poderia ter sustentado as coisas que afundavam. Não havia Deus; se houvesse um Deus, certamente esse seria o exato momento em que Ele se moveria e salvaria o mundo.

A vida da grande civilização continuou com uma indústria tão sombria quanto as suas festividades. Era o fim do mundo, e o pior era que ele não precisava ter um fim. Um acordo conveniente foi feito entre todos os numerosos mitos e religiões do Império: cada grupo poderia adorar livremente e apenas viveria uma espécie de rito oficial de agradecimento ao tolerante Imperador, lançando um pouco de incenso a ele sob seu título oficial de *Divus*[206]. Naturalmente, não havia dificuldade nisso; ou melhor, demorou muito tempo até que o mundo percebesse que havia alguma dificuldade trivial em certo lugar.

206 O imperador romano, para receber o título de *Divus* – embora já experimentasse previamente algo de sua deificação ao ser celebrado nas cerimônias de vitória de batalhas –, após a morte precisava passar pelo rito da *apotheosis* (deificação, gr.), que era uma decisão do Senado. Se aprovada, o *divus* se tornava um *novus numem*, podendo, então, ter templos, sacerdotes e estátuas a serem cultuadas. O título podia ser herdado pelos filhos. (N.T.)

Os membros de uma seita ou sociedade secreta oriental, ou coisa assim, pareciam ter feito uma cena em algum lugar; ninguém poderia imaginar o porquê. O incidente ocorreu uma ou duas vezes depois e começou a despertar irritações desproporcionais à sua insignificância. O problema não foi exatamente o que esses provincianos disseram; embora, é claro, soasse muitíssimo estranho. Eles pareciam dizer que Deus estava morto e que eles mesmos o haviam visto morrer. Essa pode ser uma das muitas manias surgidas no desespero da época, só que eles não pareciam tão desesperados. Pelo contrário, estavam muito felizes, e justificaram com o fato de que a morte de Deus lhes permitiu que o comessem e bebessem seu sangue. De acordo com outros relatos, Deus não estava exatamente morto, afinal. Na perplexa imaginação, havia algo como uma procissão surreal do funeral de Deus, na qual o Sol ficou escuro, mas que terminou com a onipotência morta saindo do túmulo e subindo de novo como o Sol.

Contudo, não era a história estranha à qual alguém prestava particular atenção, uma vez que pessoas naquele mundo tinham visto religiões estranhas o suficiente para encher um hospício. Era algo no tom dos loucos e em sua formação. Eles eram uma tímida companhia de bárbaros, escravos e gente pobre e sem importância, mas sua formação era militar; eles se moviam juntos e tinham muita certeza sobre quem e o que realmente fazia parte de seu pequeno sistema; e o que eles diziam, não importa o que fosse, era blindado. Os homens acostumados a muitas mitologias e moralidades não conseguiam analisar o mistério, exceto a curiosa conjectura de que estavam falando sério. Todas as tentativas de fazê-los ver a razão em um assunto tão simples como a estátua do Imperador pareciam ser jogadas ao vento. Era como se um novo metal meteórico tivesse caído sobre a terra; era uma substância diferente ao toque. Quem tocou no fundamento deles imaginava ter atingido uma rocha.

Com uma rapidez incomum, como as mudanças de um sonho, as proporções pareciam mudar na presença deles. Antes que a maioria dos homens soubesse o que havia acontecido, esses poucos homens estavam fisicamente presentes. Eles eram importantes demais para serem ignorados. As pessoas ficavam subitamente caladas a respeito deles e caminhavam tensas ao passar por eles. Vemos uma nova cena, na qual o mundo tirou seus limites desses homens e mulheres, e eles estão no centro de um grande espaço, como leprosos. A cena muda mais uma vez, e no grande espaço em que estão pendem por todos os lados, com uma nuvem de testemunhas, terraços intermináveis cheios de rostos atentos olhando para eles, pois coisas estranhas lhes estão acontecendo. Torturas foram inventadas para os loucos que trouxeram boas novas. Essa sociedade triste e cansada parece quase encontrar energia renovada a fim de estabelecer sua primeira perseguição religiosa. Contudo, ninguém ainda sabe direito por que esse mundo nivelado perdeu o equilíbrio em relação a essas pessoas em seu meio; mas elas permanecem estranhamente imóveis enquanto a arena e o mundo parecem girar em torno delas. E, então, brilhou sobre eles, naquela hora escura, uma luz que nunca foi apagada; um fogo imaculado envolveu esse grupo como uma fosforescência sobrenatural, abrindo caminho através dos crepúsculos da história e despistando todos os esforços para confundi-la com as névoas da mitologia e da teoria; aquele raio de luz ou relâmpago com que o próprio mundo atingiu, isolou e coroou; pelo qual seus inimigos a tornaram mais ilustre e seus críticos a tornaram mais inexplicável: a auréola do ódio em torno da Igreja de Deus.

PARTE 2

SOBRE O HOMEM CHAMADO CRISTO

CAPÍTULO 1

DEUS NA CAVERNA

Esse esboço da história humana começou em uma caverna; a mesma que a ciência popular associa ao homem das cavernas e na qual as pesquisas realmente encontraram desenhos arcaicos de animais. A segunda metade da história humana, que foi como uma nova criação do mundo, também se inicia em uma caverna. Existe até uma sombra de fantasia no fato de animais estarem novamente presentes, pois era uma caverna usada como estábulo pelos montanheses das terras altas ao redor de Belém, os quais ainda conduzem o gado para essas covas e cavernas à noite. Foi ali que um casal sem-teto se sujeitou a ficar debaixo da terra com o gado quando as portas da estalagem lotada lhes foram fechadas na cara, e foi ali, abaixo dos pés dos transeuntes, em um porão sob o próprio assoalho do mundo, que Jesus Cristo nasceu. Mas nessa segunda criação havia de fato algo simbólico nas raízes da rocha primeva ou nos chifres do rebanho pré-histórico. Deus também era um Homem das Cavernas e traçara estranhas formas de criaturas, curiosamente coloridas, nas paredes do mundo, mas as pinturas que ele fez ganharam vida.

Uma quantidade de lendas e de literatura, que aumenta e nunca terminará, tem repetido e reverberado as mudanças neste único paradoxo: as mãos que formaram o Sol e as estrelas eram pequenas demais para alcançar as enormes cabeças do gado. Sobre esse paradoxo – podemos quase dizer sobre essa brincadeira – toda a literatura de nossa fé é fundamentada. E isso, que tratamos como uma brincadeira, é algo que o crítico científico não pode ver. Ele explica com detalhes a dificuldade que nós, de maneira desafiadora e um tanto irônica, sempre superestimamos, e faz uma leve crítica, como se fosse improvável algo que em uma distração quase exaltamos como inacreditável, que seria bom demais para ser verdade, exceto pelo fato de que é verdade.

Quando esse contraste entre a criação cósmica e a pequena infância local é repetido, reiterado, sublinhado, enfatizado, digno de exultação, cantado, gritado, bradado, para não dizer berrado, em cem mil hinos, canções, rimas, rituais, gravuras, poemas e sermões populares, pode-se sugerir que dificilmente precisaremos de um crítico mais elevado que nos chame a atenção para algo um pouco estranho, ainda mais se ele for do tipo que leva muito tempo para entender uma piada, até a dele mesmo.

Mas, sobre esse contraste e combinação de ideias, uma coisa pode ser dita, porque é relevante para toda a tese deste livro: o tipo de crítico moderno de quem falo geralmente fica muito impressionado com a importância da educação na vida e com a importância da psicologia na educação. Esse tipo de homem nunca se cansa de nos dizer que as primeiras impressões fixam o caráter pela lei da causalidade; e ele ficará bastante nervoso se o sentido visual de uma criança for corrompido pelas cores erradas de uma boneca grotesca ou se seu sistema nervoso for prematuramente abalado por um chocalho cacofônico. No entanto, ele nos achará muito tacanhos se dissermos que é exatamente por isso que existe, de fato, uma diferença entre ser criado como cristão e como judeu, muçulmano ou ateu. A distinção é que toda criança católica aprendeu por meio de imagens, e toda criança protestante aprendeu por meio de histórias, essa incrível combinação de ideias contrastadas como uma das primeiras impressões em sua mente. Isso não é apenas uma diferença teológica. É uma diferença psicológica que pode durar mais que qualquer teologia. É realmente, como esse tipo de cientista adora dizer, incurável. Qualquer agnóstico ou ateu cuja infância tenha conhecido um verdadeiro Natal fará sempre, quer ele goste disso, quer não, uma associação na mente entre duas ideias que grande parte da humanidade deve considerar afastadas uma da outra: a de um bebê e a ideia de força desconhecida que sustenta as estrelas. Seus instintos e sua imaginação ainda poderão conectá-las quando sua razão não puder mais ver a necessidade da conexão; para ele, sempre haverá algum teor religioso a respeito de uma imagem da mãe com o bebê, alguma sugestão de misericórdia e suavização sobre a mera menção do terrível nome de Deus.

Mas as duas ideias não precisam estar em rigor combinadas. Elas não estariam obrigatoriamente alinhadas para um grego antigo ou um chinês, mesmo para Aristóteles ou Confúcio. É tão provável ligar Deus a uma criança quanto associar a gravitação a um gatinho. A conexão foi criada em nossa mente pelo Natal porque somos cristãos psicológicos, mesmo que não o sejamos teologicamente. Em outras palavras, essa combinação de ideias alterou de forma enfática, no sentido mais controverso, a natureza humana. Existe de fato uma diferença entre o homem que a conhece ou não. Talvez não seja uma distinção de valor moral, pois o muçulmano ou o judeu podem ser mais dignos de acordo com sua respectiva luz; mas é um fato evidente sobre o cruzar desses dois halos, a conjunção de duas estrelas em nosso horóscopo particular. Onipotência e impotência, ou divindade e infância, formam definitivamente um tipo de epigrama que um milhão de repetições não podem transformar em um lugar-comum. Não é irracional chamá-lo de único. Belém é definitivamente um lugar onde extremos se encontram.

Nem preciso dizer que aqui começa outra poderosa influência para a humanização da cristandade. Se o mundo quisesse o que é chamado de aspecto não controverso do cristianismo, provavelmente escolheria o Natal. No entanto, é evidente que ele está ligado ao que deveria ser um paradoxo (eu nunca consegui imaginar, em nenhum estágio de minhas opiniões, por que): o respeito devido à Santíssima Virgem. Quando eu era garoto, uma geração mais puritana se opôs a uma estátua em minha igreja paroquial que representava a Virgem e o Menino. Depois de muita controvérsia, eles fizeram uma concessão e tiraram o Menino. Alguém poderia pensar que isso se tornou ainda mais corrompido com a Mariolatria, a menos que a mãe fosse considerada menos perigosa quando privada de sua arma – seu filho, no caso. Mas a dificuldade real também é uma parábola. Você não pode separar a estátua da mãe de toda estátua de um recém-nascido. Não pode suspender a criança recém-nascida no ar; na verdade, você não pode, de modo algum, ter uma estátua de uma criança recém-nascida.

Da mesma forma, você não pode suspender a ideia de um filho recém-nascido no vazio ou pensar nele sem pensar na mãe. Não pode visitar a criança sem visitar a mãe – na vida humana comum, você não pode se aproximar da criança, exceto por intermédio da mãe. Se, de qualquer modo, quisermos pensar sobre Cristo nesse aspecto, a outra ideia decorre do mesmo modo na história. Devemos deixar Cristo fora do Natal, ou o Natal fora de Cristo, ou devemos admitir, mesmo que apenas em uma antiga pintura, que essas cabeças sagradas estão muito próximas umas das outras para que os halos não se misturem e se cruzem.

Pode-se sugerir, em uma imagem um tanto violenta, que nada havia acontecido naquela ondulação ou fenda nas grandes colinas cinzentas, exceto que todo o universo fora virado do avesso. Quero dizer que todos os olhos de admiração e adoração que estiveram voltados para a coisa maior agora estavam voltados para a menor. A própria imagem vai sugerir toda aquela maravilha multitudinária de olhos convergentes que veem, como a cauda de um pavão, boa parte da colorida imagística católica. Mas é verdade, em certo sentido, que Deus, considerado apenas uma circunferência, era visto como um centro; e um centro é muito pequeno. É fato que a curva espiritual trabalha para dentro e não para fora, e nesse sentido é centrípeta e não centrífuga. A fé se torna, de várias maneiras, uma religião das pequenas coisas. Mas suas tradições em arte, literatura e fábula popular atestaram o suficiente, como já foi dito, esse paradoxo particular do ser divino no berço. Talvez elas não tenham esclarecido muito o significado do ser divino na caverna. É bastante curioso, de fato, que a tradição também não tenha enfatizado a caverna de modo claro. Sabe-se que a cena em Belém já foi representada em todos os cenários possíveis de tempo e país, de paisagem e arquitetura; é um fato bem positivo e excelso que os homens a tenham concebido de modos bastante distintos de acordo com suas diferentes tradições e gostos individuais. Mas, embora todos tenham percebido que era um estábulo, muitos não notaram que era uma caverna.

Alguns críticos têm sido tolos a ponto de supor que há alguma contradição entre o estábulo e a caverna; nesse caso, eles podem não saber muito sobre o assunto na Palestina. Como veem diferenças que não existem, é desnecessário acrescentar que eles também não veem as existentes. Quando um crítico bem conhecido diz, por exemplo, que Cristo nascendo em uma caverna rochosa é como Mitra emergir vivo de uma rocha, soa como uma paródia da religião comparada. Existe o ponto central de uma história, mesmo que seja no sentido de uma mentira. E a noção de um herói aparecendo, como Palas do cérebro de Zeus[207],

207 Na mitologia grega, uma profecia dizia que o filho de Zeus iria tomar-lhe o trono. Preocupado, ele engoliu a esposa grávida (que, em uma brincadeira proposta por ele, transformara-se em mosca). Algum tempo depois, com terríveis dores de cabeça, Zeus teve o crânio aberto a machadadas, de onde saiu Atena, também conhecida por Palas Atena, sua filha, já adulta, paramentada e armada. Palas era filha de Tritão, pai adotivo de Atena. Acidentalmente, Atena matou a irmã, de quem tomou o nome como forma de homenageá-la. (N.T.)

maduro e sem mãe, é obviamente o oposto da ideia de um deus nascer como um bebê comum e dependente por completo da mãe. Qualquer que seja o ideal que venhamos a preferir, de certo devemos ver que eles são ideais contrários. Tentar conectá-los, por ambos terem uma substância chamada pedra, é tão estúpido quanto associar o castigo do Dilúvio com o batismo no Jordão, por ambos terem uma substância chamada água. Seja como mito ou mistério, Cristo foi, de forma clara, entendido como alguém nascido em uma fenda nas rochas principalmente porque isso marcava sua posição de excluído e sem-teto. Apesar disso, é verdade, como eu já disse, que a caverna não foi de forma tão comum ou clara usada como símbolo como as outras realidades que cercaram o primeiro Natal.

E a razão para isso também se refere à própria natureza desse novo mundo. Era, de certo modo, a dificuldade de uma nova dimensão. Cristo não nasceu apenas no nível do mundo, mas abaixo dele. O primeiro ato do drama divino foi encenado, não apenas em algum palanque montado acima da visão do espectador, mas em um palco escuro e com cortinas que ficava mais baixo, fora de vista; e essa é uma ideia muito difícil de expressar artisticamente. É a concepção de acontecimentos simultâneos em diferentes níveis da vida. Algo do tipo pode ter sido tentado na arte medieval mais arcaica e rebuscada. Mas, quanto mais os artistas aprendiam sobre realismo e perspectiva, menos eles podiam descrever de uma só vez os anjos nos céus e os pastores nas colinas, sob as quais estava a glória nas trevas. Talvez isso pudesse ter sido mais bem transmitido pelo expediente característico de algumas guildas medievais, quando elas percorriam as ruas com um teatro de três palcos, um acima do outro, com o céu acima da terra e o inferno embaixo. Mas no enigma de Belém aparecia o céu que estava debaixo da terra.

Há nisso apenas o traço de uma revolução, de como o mundo virou de cabeça para baixo. Seria inútil tentar dizer algo apropriado, ou novo, sobre a mudança que essa concepção de uma deidade nascida como um pária, ou mesmo um fora da lei, teve sobre toda a concepção de lei e seus deveres com relação a pobres e párias. É muito verdadeiro dizer que depois daquele momento não poderia haver mais escravos. Poderia haver, e havia, pessoas dessa classe social, até que a Igreja fosse forte o suficiente para eliminá-las, mas sem a tranquilidade pagã firmada na mera vantagem para o Estado de mantê-las em estado servil. Os indivíduos se tornaram importantes, acima de qualquer instrumento. Um homem não podia mais ser um meio para um fim, pelo menos para qualquer outro homem. Todo esse elemento popular e fraterno da história foi alinhado pela tradição ao episódio dos Pastores; os camponeses que se viram conversando cara a cara com os príncipes do céu[208]. Mas há outro aspecto do elemento popular representado pelos pastores que talvez não tenha sido desenvolvido de modo completo, e que tem mais relevância aqui.

Homens do povo, como os pastores, da tradição popular, haviam sido por toda parte os criadores das mitologias. Foram eles que sentiram mais diretamente, com menos controle ou desconforto da filosofia ou dos cultos corruptos da civilização, a necessidade que já consideramos: as imagens que eram aventuras da imaginação, a mitologia que era uma espécie de busca, os indícios tentadores e atormentadores de algo um pouco humano na natureza, o significado silencioso de estações e lugares especiais. Eles entenderam melhor que a alma de uma paisagem é uma história e que a alma de uma história é uma personalidade. Mas o racionalismo já havia começado a corromper esses tesouros tão irracionais, embora idealizados, do camponês, como a escravidão sistemática tinha devorado o camponês fora de casa e no lar. Sobre todos esses camponeses, em todos os lugares, se abatia uma obscuridade e um crepúsculo de decepção, na hora em que esses poucos homens descobriram o que procuravam. Arcádia estava desaparecendo da floresta.

208 Referência a Lucas 2:8-14. (N.T.)

Pã estava morto e os pastores se dispersaram como ovelhas. E, embora ninguém soubesse, estava próxima a hora que deveria terminar e cumprir todas as coisas; e, mesmo que ninguém o tivesse ouvido, houve um choro distante, em uma língua desconhecida, sobre o deserto selvagem das montanhas. Os pastores haviam encontrado seu Pastor.

E o que encontraram foi o que procuravam. A população estava errada em muitas coisas, mas não em acreditar que as coisas sagradas podiam ter um lugar cativo e que a divindade não precisava desdenhar dos limites do tempo e do espaço. E o bárbaro que concebeu a fantasia mais grotesca sobre o Sol ser roubado e escondido em uma caixa, ou o mito mais selvagem sobre o deus ser resgatado e seu inimigo enganado com uma pedra, estava mais próximo do segredo da caverna e sabia mais sobre a crise do mundo do que todos aqueles no círculo das cidades ao redor do Mediterrâneo, as quais se contentavam com abstrações frias ou generalizações universais; mais do que todos aqueles que estavam tecendo fios cada vez mais finos do pensamento do transcendentalismo de Platão ou do orientalismo de Pitágoras. O lugar que os pastores encontraram não era uma academia ou uma república abstrata; não era um local de mitos alegorizados, dissecados, explicados ou que se explicavam. Era um lugar de sonhos que se tornaram realidade. Desde aquela hora, nenhuma mitologia foi feita no mundo. Mitologia é uma busca.

Todos sabemos que a apresentação popular dessa história tão conhecida, em tantas peças de teatro e canções sobre milagres, deu aos pastores os figurinos, o idioma e a paisagem das diferentes regiões rurais inglesas e europeias. Todos sabemos que um pastor falará em um dialeto de Somerset ou outro falará em conduzir suas ovelhas de Conwy para Clyde[209]. A maioria de nós sabe altura quão verídico é esse erro, quão sábio, artístico, verdadeiramente cristão e católico é esse anacronismo.

209 Respectivamente, um condado da Inglaterra, uma cidade do País de Gales e um estuário na Escócia. (N.T.)

Mas alguns que o viram nessas cenas de rusticidade medieval talvez não o tenham visto em outro tipo de poesia, que às vezes é moda chamar de artificial e não de artística. Receio que muitos críticos modernos vejam apenas um classicismo desbotado no fato de que homens como Crashaw e Herrick[210] conceberam os pastores de Belém sob a forma dos pastores de Virgílio. No entanto, eles estavam certíssimos; e, ao transformar a peça de Belém em uma écloga latina, se apropriaram de um dos elos mais importantes da história da humanidade.

Virgílio, como já vimos, representa o paganismo mais sensato que havia derrubado o paganismo insano do sacrifício humano; mas o próprio fato de que mesmo as virtudes virgilianas e o paganismo *light* estavam em decadência incurável é todo o problema para o qual a revelação aos pastores é a solução. Se o mundo já tivesse tido a chance de se cansar de ser demoníaco, poderia ter sido curado apenas se tornando puro. Mas se tivesse se cansado até disso, o que mais poderia acontecer? Também não é enganoso pensar no pastor arcadiano das *Éclogas* comemorando o que aconteceu, já que uma das éclogas já foi reivindicada como profecia. Mas é tanto na elegância quanto na espontaneidade do grande poeta que sentimos a empatia latente pelo grande evento; e, mesmo em suas próprias frases humanas, as vozes dos pastores virgilianos podem, mais de uma vez, ter rompido com algo que ia além da ternura da Itália... *Incipe, parve puer, risu cognoscere matrem*... Eles poderiam ter encontrado naquele lugar estranho tudo o que havia de melhor nas tradições recentes dos latinos; melhor do que um ídolo de madeira a ocupar para sempre a posição de pilar da família humana: um Deus Doméstico. Mas eles e todos os outros mitólogos estariam justificados em regozijar-se com o fato de o evento ter considerado não apenas o misticismo, mas o materialismo da mitologia.

210 Richard Crashaw (1612-1649), devoto poeta metafísico inglês e clérigo anglicano convertido ao catolicismo. Robert Herrick (1591-1674), poeta e clérigo inglês. (N.T.)

A mitologia tinha muitos pecados, mas não errou em ser tão carnal quanto a encarnação. Mas alguma voz antiga que deveria ter corrido através dos túmulos poderia clamar novamente: "Nós vimos, ele nos viu, um Deus visível"[211]. Assim, os pastores antigos poderiam ter dançado, e seus pés seriam belos sobre as montanhas[212], regozijando-se com os filósofos. Mas os filósofos também ouviram.

Ainda é uma história mal explicada, embora antiga: como eles saíram de terras orientais, coroados com a majestade de reis e vestidos com algo do mistério dos mágicos? Essa verdade - que também é tradição - tem sabiamente lembrado deles inúmeras vezes, com seus misteriosos e melodiosos nomes: Melquior, Gaspar, Baltazar[213]. Mas veio com eles todo aquele mundo de sabedoria que observara as estrelas na Caldeia e o Sol na Pérsia; e não estaremos errados ao ver neles a mesma curiosidade que move todos os sábios. Eles representariam o mesmo ideal humano se seus nomes fossem Confúcio, Pitágoras ou Platão. Eles não buscavam histórias, mas a verdade das coisas, sedentos pela verdade e por Deus, e também receberam sua recompensa. Mas mesmo para entendê-la, precisamos saber que, tanto para a filosofia quanto para a mitologia, essa recompensa veio completar o que faltava.

Tais homens instruídos viriam, sem dúvida, a ter a confirmação de muitas coisas verdadeiras em suas próprias tradições e corretas em seu próprio raciocínio. Confúcio teria encontrado um novo fundamento para a família na própria inversão da Sagrada Família; Buda teria tratado com respeito uma nova renúncia, mais de estrelas do que joias, e mais divino do que nobre. Esses homens instruídos ainda teriam o

211 Linhas 319-20 do poema "Dolores", de Algernon Charles Swinburne. (N.T.)

212 Referência a Isaías 52:7. (N.T.)

213 Nomes atribuídos, a partir do século IX, aos sábios (o termo "magos" passou a ser utilizado para eles possivelmente por Orígenes, no século III) que vieram do Oriente trazer presentes para Jesus Cristo, Rei dos Judeus. A partir do século VI, passaram a ser chamados de reis. A Bíblia não diz que eram três; cita apenas os três presentes - ouro, incenso e mirra - que trouxeram. (N.T.)

direito de dizer, ou melhor, um novo direito de dizer, que havia verdade em seus antigos ensinamentos – mas, ao final, teriam aprendido. Teriam concluído suas hipóteses com algo que ainda não haviam concebido, até mesmo equilibrariam seu universo imperfeito com algo que eles poderiam, em algum momento, ter contradito. Buda teria vindo de seu paraíso impessoal para adorar uma pessoa. Confúcio teria provindo de seus templos de adoração aos ancestrais para adorar uma criança.

Devemos entender desde o início esse personagem no novo cosmos; bem maior que o antigo. Nesse sentido, a cristandade é maior que a criação, como esta havia sido antes de Cristo. Ela trouxe o novo, mas também renovou o que já existia. O argumento pode ser bem ilustrado no exemplo a seguir de piedade chinesa, mas seria válido para outras virtudes ou crenças pagãs. Ninguém pode duvidar que um respeito consciente pelos pais faça parte de um evangelho no qual o próprio Deus foi sujeito na infância a pais terrenos. Mas o outro sentido em que os pais estavam sujeitos a ele introduz uma ideia que não é confucionista. O bebê Cristo não é como o bebê Confúcio; nosso misticismo o concebe em uma infância imortal. Não sei o que Confúcio teria feito com o Bambino se ele ganhasse vida em seus braços, como aconteceu nos braços de São Francisco.

Mas isso é verdade em relação a todas as outras religiões e filosofias; é o desafio da Igreja oferecer o que o mundo não tem. A própria vida não supre como ela o faz com respeito a todos os aspectos. Qualquer outro sistema ser limitado e insuficiente em comparação a esse não é motivo de orgulho retórico, mas é um fato – um dilema real. Onde está a Santa Criança entre os estoicos e os adoradores de ancestrais? Onde está Nossa Senhora dos Muçulmanos, uma mulher que não foi feita para homem algum e colocada acima de todos os anjos? Onde está São Miguel dos monges de Buda, cavaleiro e mestre das trombetas, guardando para cada soldado a honra da espada? O que São Tomás de

Aquino poderia fazer com a mitologia do bramanismo, que expôs toda a ciência e a racionalidade e até mesmo o racionalismo cristão? No entanto, mesmo ao comparar Aquino com Aristóteles, no outro extremo da razão, encontraremos a mesma percepção de algo acrescentado. Aquino podia entender as partes mais lógicas de Aristóteles; mas não é certo que Aristóteles pudesse ter entendido as partes mais místicas de Aquino. Mesmo quando dificilmente conseguimos chamar o cristão de maior, somos forçados a chamá-lo de superior. Mas é assim com relação a qualquer filosofia ou heresia ou movimento moderno a que possamos recorrer. Como Francisco, o Trovador, se sairia entre os calvinistas ou entre os utilitaristas da Escola de Manchester[214]? No entanto, homens como Bossuet e Pascal[215] poderiam ser tão severos e lógicos quanto qualquer calvinista ou utilitarista. Como Santa Joana d'Arc, uma mulher acenando para os homens entrarem em guerra com a espada, se sairia entre os quacres ou os *doukhobors* ou a seita tolstoiana de pacifistas[216]? No entanto, muitos santos católicos passaram a vida pregando a paz e evitando guerras. É o mesmo que ocorre com todas as tentativas modernas de Sincretismo. Eles nunca são capazes de fazer algo maior que o Credo sem deixar algo de fora. Não me refiro a ignorar algo divino, mas humano: o estandarte ou a estalagem ou a

---

214 Na juventude, Francisco de Assis foi um entusiasta trovador e seresteiro. Depois de seu chamamento, continuou compondo, sendo considerado por muitos como o primeiro poeta da Itália. A Escola de Manchester, na Inglaterra, ficou conhecida por seus estudos antropológicos na África com grupos tribais que haviam sofrido processos de urbanização e de descolonização. (N.T.)

215 Jacques Bénigne Bossuet (1627-1704), bispo e teólogo francês que defendia o absolutismo, pois, para ele, reis recebiam poderes divinos para exercer seu ofício. Blaise Pascal (1623-1662), físico, matemático, filósofo e teólogo francês. (N.T.)

216 Joana d'Arc (1412-1431), heroína francesa que comandou exércitos contra a Inglaterra na Guerra dos Cem Anos (1337-1453). Foi canonizada em 1920. Os quacres, movimento religioso surgido na Inglaterra no século XVII, pregavam uma vida pacífica e simples, sem hierarquia clerical. Os *doukhobors* são uma seita herética russa, de caráter pacifista, que surgiu no século XVIII como uma reação campesina à excessiva opulência, aos rituais elaborados e à imposição de práticas da Igreja Ortodoxa. Liev (Leon) Nikoláievich Tolstói (1828-1910), escritor russo, adotou, em determinado momento da vida, a moral cristã ascética, bem como uma doutrina de pacifismo radical, que ele considerava uma obrigação cristã. Ele teve contato com os *doukhobors* e os ajudou a fugir da perseguição na Rússia. (N.T.)

história de batalha do menino ou a cerca viva no final do campo. Os teosofistas constroem um panteão, mas apenas para panteístas. Eles chamam um Parlamento das Religiões de reunião de todos os povos, mas reúne apenas pedantes. No entanto, um panteão exatamente como esse havia sido estabelecido dois mil anos antes próximo às margens do Mediterrâneo; e os cristãos foram convidados a colocar a imagem de Jesus ao lado da imagem de Júpiter, de Mitra, de Osíris, de Atys ou de Amon. A recusa dos cristãos foi o ponto de virada da história. Se tivessem aceitado, eles e o mundo inteiro certamente teriam, em uma metáfora grotesca, mas exata, se arruinado[217]. Todos teriam sido reduzidos a um chorume naquele poço de corrupção universal em que todos os outros mitos e mistérios já estavam derretendo. Foi uma fuga impressionante e ameaçadora. Ninguém entende a natureza da Igreja, ou a nota ressoante do credo que descende da antiguidade, ninguém percebe que o mundo inteiro quase morreu por causa da tolerância a todas as religiões e da irmandade com elas.

Aqui é importante mencionar que os Magos, que representam o misticismo e a filosofia, são realmente concebidos como se buscassem algo novo e até encontraram algo inesperado. Essa sensação tensa de crise que ainda rodeia a história de Natal, e mesmo em todas as celebrações natalinas, acentua a ideia de uma busca e uma descoberta. Esta é, nesse caso, verdadeiramente científica. Para as outras figuras místicas na peça milagrosa, para o anjo e a mãe, os pastores e os soldados de Herodes[218], pode haver aspectos mais simples e sobrenaturais, mais elementares ou emocionais. Mas os Homens Sábios buscavam sabedoria, e para eles deve haver uma luz também no intelecto. E esta é a luz: que o credo Católico é apenas isso, e que nada mais o é.

---

217 A expressão em inglês é *gone to pot* e significa, literalmente, "ir para a panela ou para o cadinho". É o que o autor chama de metáfora, sentido que ele explora na frase seguinte. (N.T.)
218 Referência a Mateus 2. (N.T.)

A filosofia da Igreja é universal, mas a dos filósofos, não. Se Platão, Pitágoras e Aristóteles permanecessem um instante à luz que saía daquela pequena caverna, saberiam que sua própria luz não era universal. Não temos nenhuma certeza de que eles já não o soubessem. Assim como a mitologia, a filosofia também tinha o mote de uma busca. É a percepção dessa verdade que torna as figuras dos Três Reis tradicionalmente nobres e misteriosas: a descoberta de que a religião é superior à filosofia e que essa é a religião suprema, contida nesse espaço limitado. Os Mágicos olhavam para o estranho pentáculo com o triângulo humano invertido, e eles nunca chegaram ao fim desses cálculos. Pois o paradoxo daquele grupo na caverna é que, embora nossas reações a ele sejam de simplicidade quase infantil, nossos pensamentos podem se ramificar com uma complexidade infinita. E nunca podemos chegar ao fim nem de nossas próprias ideias sobre a criança que era pai e a mãe que era criança.

Podemos nos contentar em dizer que a mitologia veio com os pastores e a filosofia com os filósofos, e que só lhes restava combiná-las no reconhecimento da religião. Mas havia um terceiro elemento que não deve ser ignorado, e que essa religião jamais ignora, em qualquer festividade ou reconciliação. Havia nas cenas primárias do drama o Inimigo que apodrecera as lendas com luxúria e congelara as teorias transformando-as em ateísmo, mas que respondeu ao desafio direto usando aquele método mais imediato que vimos no culto consciente aos demônios. Na descrição dessa adoração, da devoradora aversão à inocência mostrada nas obras de sua bruxaria e no mais desumano de seus sacrifícios humanos, falei pouco de sua entrada incorreta e secreta no paganismo mais sensato; da imersão da imaginação mitológica no sexo; da ascensão do orgulho imperial à insanidade. Mas tanto a influência indireta quanto a direta estão implícitas no drama de Belém.

Um governante sob a suserania romana, provavelmente equipado e cercado com o ornamento e a ordem romanos, embora ele próprio fosse de sangue oriental, nessa hora parece sentir agitado dentro de si um espírito diferente. Todos nós conhecemos a história de como Herodes, alarmado com os rumores de um rival misterioso, lembrou-se do gesto selvagem dos déspotas caprichosos da Ásia e ordenou um massacre de suspeitos da nova geração da população. Todo mundo sabe, mas nem todo mundo talvez tenha notado seu lugar na história das religiões humanas não convencionais. Nem todos viram o significado desse contraste com as colunas coríntias e o pavimento romano daquele mundo conquistado e superficialmente civilizado. Somente quando o propósito em seu espírito sombrio começou a aparecer e a brilhar aos olhos de Idumeu[219], um vidente talvez tivesse previsto algo como um grande fantasma cinza que olhava por cima do ombro; teria visto atrás dele, enchendo a cúpula da noite e pairando pela última vez ao longo da história, aquele rosto imenso e horrendo que era Moloque dos cartagineses, aguardando seu último tributo vindo de um governante das raças de Sem. Os demônios também, naquele primeiro festival de Natal, festejaram à sua maneira.

Sem compreender a presença desse Inimigo, não apenas perderemos o objetivo do cristianismo, mas também o objetivo do Natal. Para o cristão, o Natal se tornou uma coisa até simples. Mas, como todas as verdades dessa tradição, é, em outro sentido, muito complexa. Sua nota única é o soar simultâneo de várias: de humildade, alegria, gratidão, medo místico, mas também de vigilância e drama. É um evento não apenas para os pacificadores, mas também para os foliões; não é apenas uma conferência de paz hindu, mas também um festival de inverno escandinavo[220]. Também há algo desafiador ali; fazendo com que os sinos repentinos à meia-noite pareçam os grandes canhões de uma

---

219 Referência a Herodes, o Grande (c. 74 a.C.-c. 4 a.C.), rei romano sobre Israel visitado pelos sábios do Oriente e que ordenou o assassinato dos meninos em Belém. (N.T.)
220 É preciso lembrar que, no hemisfério norte, o Natal ocorre no inverno. (N.T.)

batalha que acaba de ser vencida. Toda essa cena indescritível a que chamamos de atmosfera natalina paira no ar semelhante a uma fragrância persistente ou um vapor desvanecente da explosão exultante daquele momento nas colinas da Judeia, há quase dois mil anos. Mas o gosto ainda é inconfundível, e é algo sutil ou diferente demais para ser abrangido por nosso uso da palavra paz.

Pela própria natureza da história, as alegrias na caverna aconteciam em uma fortaleza ou em um covil de foras da lei; entendido de forma correta, não é errado dizer que eles estavam felizes em um abrigo subterrâneo. É verdade que tal câmara subterrânea era um esconderijo dos inimigos e também que eles já estavam vasculhando a planície pedregosa que jazia acima dela como um céu. Pode ser que os cascos dos cavalos de Herodes tenham, nesse sentido, passado como um trovão sobre a cabeça escondida de Cristo. Também é verdade que nessa imagem existe uma verdadeira ideia de posto avançado, de perfuração através da rocha e de entrada em território inimigo. Existe nessa divindade oculta uma ideia de *minar* o mundo, de mexer com as bases das torres e palácios; assim como Herodes, o grande rei, sentiu aquele terremoto sob ele e oscilou junto com seu palácio.

Talvez esse seja o mais poderoso dos mistérios da caverna. Já é evidente que, embora se diga que os homens procuraram o inferno embaixo da terra, neste caso é o céu que está abaixo dela. E se segue nessa estranha história a ideia de um levante do céu. Este é o paradoxo de toda a posição: a partir de agora a coisa mais elevada só pode funcionar de baixo para cima. A realeza só pode retornar por meio de uma rebelião. De fato, a Igreja desde o início, e talvez especialmente no início, não era tanto um principado quanto uma revolução contra o príncipe do mundo. Essa sensação de que o mundo havia sido conquistado pelo grande usurpador e estava em sua posse foi muito deplorada ou ridicularizada pelos otimistas que alinham o iluminismo à despreocupação. Mas foi responsável por toda aquela emoção do desafio e de um risco inesperado que fez as boas novas parecerem realmente tão boas quanto novas. Foi, na verdade, contra uma enorme usurpação inconsciente que se levantou uma revolta e, originalmente, a abafou. O Olimpo ainda ocupava o céu como uma nuvem estática moldada em muitas formas poderosas; a filosofia ainda estava nos lugares elevados e até nos tronos dos reis, quando Cristo nasceu na caverna e o cristianismo, nas catacumbas.

Nos dois casos, podemos observar o mesmo paradoxo da revolução: a sensação de algo desprezado e temido ao mesmo tempo. A caverna, em certo aspecto, é apenas uma fenda ou um canto para o qual os párias são varridos como lixo; contudo, por outro lado, é o esconderijo de algo valioso que os tiranos buscam como tesouro. Em certo sentido, eles estão lá porque o estalajadeiro nem mesmo se lembrava deles, e, também, porque o rei não pode jamais esquecê-los.

Já observamos que esse paradoxo apareceu também no tratamento dado à Igreja primitiva. Ela era importante enquanto ainda era insignificante, e talvez enquanto ainda fosse impotente. Era importante apenas por ser intolerável; e, nesse aspecto, é verdade dizer que era intolerável por ser intolerante. Ela causou ressentimento porque, à sua maneira apática e quase secreta, declarara guerra. Ela se ergueu do chão para destruir o céu e a terra do paganismo; não tentou destruir toda aquela criação de ouro e mármore, mas contemplou um mundo sem ela. Ousou ver através daquilo como se o ouro e o mármore fossem vidro. Aqueles que acusavam os cristãos de incendiar Roma com ativistas radicais eram caluniadores; mas estavam, pelo menos, muito mais próximos da natureza do cristianismo do que aqueles modernos que definem os cristãos como uma espécie de sociedade ética, que sofriam o martírio como vítimas por dizer aos homens que estes tinham um dever em relação ao próximo e, então, eram pouco hostilizados apenas por serem mansos e brandos.

Herodes teve seu lugar, portanto, na peça milagrosa de Belém, porque ele é uma ameaça à Igreja Militante, e ela foi mostrada desde o início sob perseguição e lutando pela sobrevivência. Para quem considera isso uma discórdia, ela bate simultaneamente com os sinos de Natal. Para quem pensa que a ideia da Cruzada corrompe a ideia da Cruz, podemos apenas dizer que, para eles, a ideia da Cruz foi deturpada: literalmente desde o berço. Não é pertinente aqui discutir com eles a ética abstrata da luta; o objetivo neste ponto é apenas resumir a combinação de ideias que compõem a ideia cristã e católica e observar que todas elas já estão cristalizadas na primeira história de Natal. São três coisas distintas e comumente contrastadas que, no entanto, são uma só, mas essa é a única coisa que pode torná-las uma só. A primeira é o instinto humano a respeito de um céu que deve ser tão literal e quase tão local quanto um lar. É a ideia seguida por todos os poetas e pagãos que criam mitos: que um lugar em particular deve ser o santuário do deus ou a morada dos sagrados, que a fadalândia é uma terra ou que o retorno do fantasma deve ser a ressurreição do corpo. Não argumento aqui sobre a recusa do racionalismo em satisfazer essa necessidade, digo apenas que, se os racionalistas se recusarem a satisfazê-la, os pagãos não ficarão satisfeitos.

Isso está tão presente na história de Belém e Jerusalém quanto na de Delos e de Delfos[221] e como *não* está presente em todo o universo de Lucrécio ou de Herbert Spencer[222]. O segundo elemento é uma filosofia *superior* a outras filosofias; acima de Lucrécio e infinitamente além de Herbert Spencer. Ela vê o mundo através de uma centena de janelas, ao passo que o estoico antigo ou o agnóstico moderno veem apenas por

221 Delos é uma pequena ilha no Mar Egeu na qual, segundo a mitologia grega, nasceram Apolo e Ártemis. Delfos era uma cidade da Grécia Antiga em que ficava o mais conhecido oráculo, um templo ao qual o povo recorria a fim de receber respostas dos deuses. O de Delfos era dedicado a Apolo. (N.T.)

222 Para Lucrécio, ver nota 205. Para Spencer, ver nota 95. (N.T.)

uma. Ela vê a vida com milhares de olhos pertencentes a milhares de pessoas diferentes, ao passo que a outra é apenas o ponto de vista individual de um estoico ou de um agnóstico. Ela tem uma resposta para todos os estados de espírito do homem, obras para todos os homens, entende segredos da psicologia, está consciente das profundezas do mal, é capaz de distinguir entre maravilhas reais e irreais e exceções milagrosas, se aprimora ao lidar com casos difíceis, tudo com multiplicidade e delicadeza e imaginação sobre as multiplicidades da vida que estão muito além dos lugares-comuns despojados ou joviais da maioria das filosofias morais antigas ou modernas. Em uma palavra, há algo mais profundo; ela encontra muito o que pensar na existência; ela tira mais proveito da vida. Grande parte desse material sobre as faces da vida tem sido adicionada desde os tempos de São Tomás de Aquino. Mas se estivesse só, São Tomás de Aquino se encontraria limitado no mundo de Confúcio ou de Comte[223].

E o terceiro ponto é: embora ela seja muito local para a poesia e maior do que qualquer outra filosofia, também é desafio e luta. Embora seja deliberadamente ampliada para abranger todos os aspectos da verdade, ela ainda está em luta contra todas as modalidades de erro. Faz com que todo tipo de homem lute por ela, com qualquer arma, amplia seu conhecimento, com toda arte de curiosidade ou simpatia, das coisas que defende e contra as quais luta; mas nunca esquece que está lutando. Ela proclama a paz na terra e nunca esquece por que houve guerra no céu.

Essa é a trindade das verdades representadas aqui pelos três tipos na velha história de Natal: os pastores, os reis e aquele outro rei que guerreava contra as crianças. Não é verdade dizer que outras religiões e filosofias são rivais em relação a isso; e nem que qualquer uma delas combina esses personagens ou pretenda fazê-lo. O budismo pode

223 Ver nota 88. (N.T.)

se declarar igualmente místico, mas nem por isso alega ser do mesmo modo militar. O Islã pode ser igualmente militar, mas não se diz da mesma forma metafísico e sutil. O confucionismo pode professar satisfazer a necessidade dos filósofos por meio da ordem e da razão, mas nem sequer pensa em satisfazer a necessidade dos místicos por meio de milagres, sacramentos e consagrações.

Existem muitas evidências da presença de um espírito ao mesmo tempo universal e único. Uma nos servirá de exemplo, que é o símbolo do assunto deste capítulo: nenhuma outra história, nenhuma lenda pagã ou historieta filosófica ou evento histórico afeta, de fato, qualquer um de nós com a impressão peculiar e até pungente causada em nós pela palavra Belém. Nenhum outro nascimento de um deus ou a infância de um sábio nos lembra o Natal ou nada parecido. Eles são muito frios ou muito frívolos, ou muito formais e clássicos, ou muito simples e selvagens, ou muito ocultos e complexos. Nenhum de nós, não importa quais sejam as opiniões, jamais iria a um evento desses com a sensação de que estava indo para casa. Poderíamos admirá-la por ser poética, filosófica ou por qualquer outra série de motivos separados, mas não porque ela era ela mesma.

A verdade é que existe um caráter bastante peculiar e individual a respeito da forte influência dessa história sobre a natureza humana. Ela não está em sua essência psicológica como uma lenda qualquer ou como a biografia de um grande homem. No sentido comum, ela não volta nossa mente para a grandeza, para aqueles exageros e extensões da humanidade que são transformados em deuses e heróis, até pela mais sensata adoração a heróis. Ela não se move exatamente para fora, de modo aventureiro, para as maravilhas encontradas nos confins da Terra. É algo que nos surpreende vindo de trás da cena, da parte oculta e pessoal do nosso ser; desse modo, às vezes pode nos pegar de surpresa na comoção com pequenos objetos ou com as piedades cegas dos pobres. É como se um homem tivesse encontrado uma sala interior no coração da própria casa, do qual ele nunca suspeitara, e vê uma luz saindo lá de dentro. É como se ele encontrasse algo no fundo do próprio coração que o desviasse para o bem. Não é feito daquilo que o mundo chamaria de materiais fortes; ou melhor, é feito de materiais cuja força está nessa leveza etérea com a qual eles nos tocam levemente e se vão. É tudo o que existe em nós além de uma breve ternura que se torna eterna; tudo isso não significa nada mais que um alívio momentâneo, que, de algum jeito, se torna um fortalecimento e um descanso. O discurso quebrado e a palavra perdida são concluídos positivamente e suspensos sem mácula, enquanto os reis estrangeiros caem em algum país longínquo e as montanhas não estremecem mais com os pés dos pastores, e apenas a noite e a caverna se encontram, onda sobre onda acima de algo mais humano que a humanidade.

CAPÍTULO 2

OS ENIGMAS DO EVANGELHO

Para entender a natureza deste capítulo precisamos recorrer à natureza deste livro. O argumento que deve ser a espinha dorsal do livro é do tipo chamado *reductio ad absurdum*[224]. Isso significa que os resultados da admissão da tese racionalista são mais irracionais que a nossa, mas, para provar isso, devemos admiti-la. Assim, na primeira seção, muitas vezes tratei o homem apenas como um animal, a fim de mostrar que o resultado seria mais absurdo do que se fosse tratado como um anjo. Do mesmo modo que era necessário tratá-lo apenas como um animal, é necessário tratar Cristo como homem. Eu devo esquecer minhas próprias crenças por um tempo, que são muito mais positivas, e assumir essa limitação mesmo que com o propósito de eliminá-la. Devo tentar imaginar o que aconteceria a alguém que realmente leu a história de Cristo como se fosse uma biografia, ou a história de um homem de quem ele

224 Latim: "redução ao absurdo". Forma de argumentação que consiste em procurar demonstrar que uma proposição é verdadeira porque sua negação resulta em um argumento falso, logicamente insustentável e/ou absurdo. (N.T.)

nunca tivesse ouvido falar. E gostaria de salientar que uma leitura realmente imparcial desse tipo levaria, se não imediatamente à crença, pelo menos a uma perplexidade para a qual não há nenhuma solução, exceto na crença. Neste capítulo, por esse motivo, não mencionarei nada do espírito de meu próprio credo. Excluirei o próprio estilo de expressão, e até de redação, que considero adequado ao falar de mim mesmo. Estou falando como um ser humano imaginário pagão, que honestamente olha para a história do Evangelho pela primeira vez.

No entanto, não é nada fácil reverenciar o Novo Testamento. Não é nada fácil identificar as boas novas como novidade. Tanto para o bem como para o mal, a familiaridade nos vicia com suposições e associações; e nenhum homem de nossa civilização, não importa o que ele pense de nossa religião, pode de fato ler algo como se fosse a primeira vez. É claro que, de qualquer forma, não é nada histórico falar como se o Novo Testamento fosse um livro encadernado cuidadosamente que caiu do céu. Ele é simplesmente a seleção feita pela autoridade da Igreja a partir de um volume de literatura cristã original. Mas, à parte de qualquer questionamento, existe um bloqueio psicológico em receber o Novo Testamento como novo e esvaziar o significado dessas palavras tão conhecidas, sem ir além do que elas intrinsecamente representam. E esse bloqueio deve ser de fato muito limitante, pois o resultado é bem curioso: a maioria dos críticos modernos e as opiniões mais atuais, mesmo as populares, dizem exatamente o contrário da verdade – quase se poderia suspeitar de que eles nunca leram o Novo Testamento.

Todos já ouvimos pessoas dizerem centenas de vezes, pois parecem nunca se cansar de dizê-lo, que o Jesus do Novo Testamento é, sem dúvida, o mais misericordioso e humano amante da humanidade, mas que a Igreja escondeu esse caráter humano em repulsivos dogmas e a empederniu com terrores eclesiásticos até que assumisse um caráter desumano. Isso é, atrevo-me a repetir, quase o inverso da verdade.

A verdade consiste no fato de que é a imagem de Cristo nas igrejas que é quase inteiramente mansa e misericordiosa. É a imagem de Cristo nos Evangelhos que também é muitas outras coisas. A figura dos Evangelhos realmente expressa em lindas palavras de quase partir o coração a sua compaixão por nosso coração partido. Mas essas estão muito longe de ser o único estilo de palavra que ele pronuncia. Não obstante, são quase o único estilo de palavras que a Igreja, em suas imagens populares, o apresenta proferindo. Essa imagem é inspirada por um imaginário popular perfeitamente equilibrado. A maior parte dos pobres está em pedaços, e a maior parte do povo é pobre, e para a maior parte da humanidade o mais importante é levar a convicção da incrível compaixão de Deus. Mas ninguém de olhos abertos pode duvidar que seja principalmente essa ideia de compaixão que o sistema popular da Igreja procura carregar. A imagem popular carrega em excesso o sentimento de "Bom Jesus, manso e humilde"[225]. É a primeira coisa que o estranho sente e critica em uma *Pietà* ou em um santuário do Sagrado Coração[226]. Como eu disse, embora a arte seja insuficiente, não tenho certeza de que o imaginário seja doentio. De qualquer forma, há algo terrível, que congela o sangue, na ideia de ter uma estátua de Cristo irado. Há algo de insuportável até para a imaginação na ideia de virar a esquina ou de ir aos espaços amplos de um mercado para encontrar a paralisante petrificação *dessa* figura quando ela se dirigiu contra uma raça de víboras ou daquele rosto quando fixou os olhos no rosto de um hipócrita. Portanto, a Igreja pode ser razoavelmente justificada se ela voltar o rosto ou o aspecto mais misericordioso aos homens – mas com certeza ela volta este último. E o ponto aqui é que esse aspecto é muito mais especial e exclusivamente

225 Trecho da Ladainha em Louvor à Sagrada Humanidade de Jesus e da Ladainha ao Senhor Bom Jesus, da liturgia católica, e de uma conhecida canção religiosa infantil em inglês. (N.T.)

226 *Pietà* (piedade, em italiano) refere-se a um tema da arte cristã em que Maria tem nos braços o corpo de Cristo morto. O mais conhecido exemplar dessa arte, com o mesmo nome, é uma escultura em mármore de autoria de Michelangelo (1475-1564), pintor e escultor italiano. Na piedade católica, a devoção ao Sagrado Coração de Jesus começou a ser mais difundida a partir do século XVII. (N.T.)

misericordioso do que qualquer impressão que possa ser formada por um homem que está apenas lendo o Novo Testamento pela primeira vez. Um homem que tão somente toma as palavras da história como elas se apresentam formaria outra impressão; cheia de mistério e talvez de inconsistência, mas com certeza não seria superficial. Essa impressão seria bem interessante, mas parte do interesse consistiria em deixar muito a ser adivinhado ou explicado. Ela está repleta de gestos repentinos notadamente significativos, exceto por mal sabermos o que significam, de silêncios enigmáticos, de respostas irônicas. Os rompantes de ira, como tempestades acima de nossa atmosfera, não parecem irromper exatamente no ponto em que deveríamos esperá-los, mas seguem sua própria meteorologia para o alto. O Pedro apresentado pelo ensino popular da Igreja é precisamente o Pedro a quem Cristo disse com perdão: "Apascenta meus cordeiros"[227]. Não é o Pedro para quem Cristo se voltou como se fosse o diabo, clamando naquela obscura ira: "Afasta-te de mim, Satanás"[228]. Cristo não lamentou nada além de amor e piedade sobre Jerusalém, que estava para matá-lo[229]. Não sabemos que estranha atmosfera ou discernimento espiritual o levou a afundar Betsaida mais abaixo no abismo que Sodoma[230].

Estou deixando de lado, por um momento, todas as questões de inferências ou exposições doutrinárias, ortodoxas ou não. Estou apenas imaginando o efeito na mente de um homem que tenha realmente feito o que esses críticos estão sempre aconselhando: ter lido, de verdade, o Novo Testamento sem referência à ortodoxia nem à doutrina. Ele encontraria uma série de coisas que são menos relacionadas à heterodoxia atual do que à ortodoxia atual. Ele descobriria, por exemplo,

227 João 21:15. (N.T.)

228 Mateus 16:23. (N.T.)

229 Lucas 19:41-44. (N.T.)

230 Chesterton funde as palavras de Cristo dirigidas à Betsaida, para a qual o rigor seria maior do que o de Tiro e Sidônia, com as dirigidas à Cafarnaum, em relação à qual haveria menos rigor para a terra de Sodoma (Lc 11:20-24). (N.T.)

que, se existem descrições que merecem ser chamadas de realistas, são precisamente as descrições do sobrenatural. Se existe um aspecto do Jesus do Novo Testamento no qual se pode dizer que ele se apresenta, de modo destacado, como uma pessoa prática, é no aspecto de um exorcista. Não há nada manso e humilde, nada disso, mesmo no sentido místico comum, com respeito ao tom da voz que diz: "Cala-te e sai dele"[231]. É muito mais parecido com o tom de um domador de leões muito profissional ou de um médico resoluto que lida com um maníaco homicida. Mas isso é apenas uma questão paralela para fins de ilustração; não estou levantando essas controvérsias agora, mas considerando o caso do imaginário homem da Lua para quem o Novo Testamento é inédito.

A primeira coisa a notar é que, se a considerarmos apenas como uma biografia, ela é, sob vários aspectos, uma história bem estranha. Não me refiro aqui à sua tremenda e trágica culminação ou a quaisquer implicações que envolvam triunfo nessa tragédia nem ao que é comumente chamado de elemento miraculoso, pois nesse ponto as filosofias variam e as filosofias modernas oscilam bastante. De fato, pode-se dizer que o inglês educado de hoje passou de um costume antigo, no qual ele não acreditava em milagres a menos que fossem antigos, e adotou um novo costume, no qual ele não acredita em milagres a menos que sejam modernos. Ele costumava sustentar que as curas milagrosas foram extintas com os primeiros cristãos, e agora está inclinado a suspeitar de que eles começaram com os primeiros Cientistas Cristãos[232]. Mas me refiro aqui, especialmente, a partes nada milagrosas, e até despercebidas e apagadas da história. Existem muitas coisas a respeito das quais ninguém teria

231 Marcos 1:25. (N.T.)

232 Integrantes do movimento religioso fundado por Mary Baker Eddy (1821-1920), que prega a cura de todas as doenças por meio da oração. Propunha-se a estabelecer, segundo a fundadora, o cristianismo original. (N.T.)

inventado, das quais ninguém jamais fez uso particular, e que, se foram observadas, permaneceram mais como enigmas.

Por exemplo, há um longo período de silêncio na vida de Cristo [dos doze] até os trinta anos. É, de todos os silêncios, o maior e mais instigante. Mas não é o tipo de coisa que alguém estaria particularmente inclinado a inventar a fim de provar algo, e, até onde sei, ninguém tentou provar algo em específico com base nisso. É algo impressionante, mas só como fato; não há nada particularmente popular ou óbvio nisso como fábula. A tendência comum da adoração a heróis e da criação de mitos tem muito mais probabilidade de dizer com exatidão o oposto. É muito mais fácil dizer (como acredito que alguns dos evangelhos rejeitados pela Igreja dizem) que Jesus demonstrou uma precocidade divina e iniciou sua missão em uma idade milagrosamente precoce. E de fato soa estranho pensar que a pessoa, de toda a humanidade, que precisava de menos preparação, parece tê-la tido mais. Quer se trate de algum método da humildade divina, quer se trate de alguma verdade da qual vemos a sombra naquela tutela doméstica mais longa por parte das criaturas mais elevadas da terra, não proponho especular; menciono isso simplesmente como exemplo do que, de qualquer forma, dá origem a novas especulações, além das que já conhecemos. A história toda está repleta delas. Não é, de forma alguma, como é mal apresentado no meio impresso, uma história da qual seja fácil investigar tudo. É qualquer coisa, menos o que essas pessoas chamam de um simples Evangelho. Relativamente falando, o Evangelho tem o misticismo – o enigma – e a Igreja tem o racionalismo – a resposta. Mas, seja qual ela for, o Evangelho em sua essência é quase um livro de enigmas.

Em primeiro lugar, um homem lendo as palavras do Evangelho não encontraria banalidades. Se ele tivesse lido, mesmo com o espírito mais respeitoso, a maioria dos filósofos antigos e dos moralistas modernos, apreciaria a importância única de dizer que não encontrou banalidades. É mais do que se pode dizer até de Platão, de Epiteto, Sêneca, Marco

Aurélio ou Apolônio de Tiana[233]. E, de maneira incomensurável, é mais do que se pode dizer da maioria dos moralistas agnósticos e dos pregadores das sociedades éticas, com suas canções de culto e sua religião de irmandade. A moral de grande parte dos moralistas, antigos e modernos, tem sido uma cachoeira forte e reluzente de banalidades que fluem para todo o sempre.

Essa com certeza não seria a impressão do imaginário livre profano estudando o Novo Testamento. Ele teria consciência de algo nada comum e, em certo sentido, de nada tão contínuo quanto aquela corrente de água. Ele encontraria uma série de afirmações sem nexo que poderiam dar a entender ser o irmão do Sol e da Lua; uma série de conselhos aterradores; de reprimendas assombrosas; de histórias estranhamente belas. Ele veria figuras de linguagem colossais sobre a impossibilidade de passar um camelo pelo buraco de uma agulha ou a possibilidade de jogar uma montanha no mar[234]. Ele veria várias simplificações muito ousadas das dificuldades da vida, como o conselho de brilhar sobre todos sem exceção, assim como faz o Sol, ou de não se preocupar com o futuro, assim como fazem os pássaros[235]. Por outro lado, encontraria passagens de trevas quase impenetráveis, no que diz respeito a ele, como a moral da parábola do Administrador Infiel[236]. Algumas podem parecer fábulas e outras, verdades, mas nenhuma tem a ver com truísmos. Por exemplo: ele não encontraria as banalidades comuns em favor da paz, mas vários paradoxos. Ele encontraria diversos ideais de não resistência, que, ao pé da letra, seriam pacíficos demais para qualquer

233 Epiteto (55 d.C.-135 d.C.), filósofo grego, ex-escravo em Roma, acreditava que todos os acontecimentos são determinados pelo destino, sem possibilidade de controle por parte do homem. Influenciou Marco Aurélio, com quem, junto a Sêneca, forma o grupo dos "novos estoicos". Para eles, a virtude é o único bem da vida. Sêneca (4 a.C.-65 d.C.), filósofo, escritor e político romano, pregou, com base em pensamentos estoicos, uma fraternidade universal. Para Marco Aurélio, ver nota 158. Apolônio (15?-100?) foi filósofo e taumaturgo grego. Diz-se que era profeta, operador de milagres, capaz de aparecer e desaparecer no meio das pessoas. (N.T.)

234 Mateus 19:24; Marcos 11:23. (N.T.)

235 Mateus 5:14-16; 6.25,26. (N.T.)

236 Lucas 16:1-8. (N.T.)

pacifista. Em uma passagem, ele seria instruído a tratar um ladrão *não* com resistência passiva, mas com encorajamento positivo e entusiasta se os termos fossem interpretados literalmente, cobrindo de presentes o homem que havia roubado mercadorias[237]. Mas ele não encontraria uma palavra sobre toda aquela retórica óbvia contra a guerra que tem inundado tantos livros, odes e discursos; nem uma palavra sobre a perversidade, o desperdício, a assustadora escala do massacre e todo aquele furor já conhecido; na verdade, nem uma palavra sobre a guerra. Não há nada que lance uma luz particular sobre a atitude de Cristo em relação à guerra organizada, exceto que ele parece gostar bastante de soldados romanos. De fato, é outra perplexidade, falando do mesmo ponto de vista externo e humano, que ele pareça ter se saído muito melhor com os romanos do que com os judeus. Mas a questão aqui é certo tom a ser apreciado pela simples leitura de determinado texto, e podemos dar vários exemplos disso.

A afirmação de que os mansos herdarão a terra[238] está muito longe de ser mansa. Quero dizer, não é manso no sentido comum de "leve, moderado e inofensivo". Para justificá-la, seria necessário mergulhar na história e antecipar coisas não sonhadas na época e, em muitos aspectos, ainda não realizadas, como a maneira pela qual os monges místicos recuperaram as terras que os reis, por suas práticas, haviam perdido. Se isso era verdade, era por ser uma profecia. Mas certamente não era uma verdade no sentido de um truísmo. A bênção para os mansos pareceria uma declaração muito violenta, no sentido de corromper a razão e a probabilidade. E com isso chegamos a outro estágio importante da especulação. Como profecia, ela realmente foi cumprida, mas muito tempo depois. Os mosteiros eram as propriedades e experiências mais práticas e prósperas em reconstrução após o dilúvio bárbaro: os mansos haviam de fato herdado a terra. Mas ninguém poderia

237 Mateus 5:38-48. (N.T.)
238 Mateus 5:4. (N.T.)

ter adivinhado coisa alguma sobre isso na época – a menos que alguém já soubesse.

Algo parecido pode ser dito sobre o incidente de Marta e Maria, que foi interpretado em retrospecto e a partir do lado de dentro pelos místicos da vida contemplativa cristã. Mas não era de todo uma visão óbvia do ocorrido, e a maioria dos moralistas, antigos e modernos, com certeza se precipitaria para o óbvio. Que torrentes de eloquência teriam fluido deles sem esforço para intensificar a mínima superioridade por parte de Marta; que esplêndidos sermões sobre a Alegria de Servir e o Evangelho do Trabalho e o Mundo que Deixamos Melhor do que o Encontramos e, de modo geral, todas as dez mil banalidades que podem ser proferidas sobre preocupar-se – por pessoas que não precisam se preocupar em proferi-los. Se em Maria, a mística e filha do amor, Cristo estava protegendo a semente de algo mais sutil, quem provavelmente entenderia isso na época? Ninguém mais poderia ter visto Clara, Catarina e Teresa[239] brilhando acima do pequeno teto de Betânia. Ocorre algo assim também com aquela ameaça magnífica de trazer ao mundo uma espada para separar e dividir[240]. Ninguém poderia ter imaginado, na ocasião, como isso se cumpriria ou se justificaria. De fato, alguns livres-pensadores ainda são tão simplistas que caem na armadilha e ficam chocados com uma frase tão intencionalmente desafiadora. Na verdade, eles reclamam do paradoxo por não ser uma banalidade.

Mas o ponto a ser destacado aqui é que, se *pudéssemos* ler os relatos do Evangelho como se fossem tão recentes quanto as reportagens de jornais, eles nos intrigariam e talvez nos aterrorizariam muito *mais* do que já conhecemos conforme foram desenvolvidas pelo cristianismo

239 Possível referência a Clara de Assis (1193-1253), fundadora da Ordem das Clarissas e canonizada em 1255, a Catarina de Siena (1347-1380), padroeira da Itália e Doutora da Igreja, canonizada em 1461, e Teresa de Ávila (1515-1582), freira carmelita, canonizada em 1622. (N.T.)
240 Mateus 10:34. (N.T.)

histórico. Por exemplo: Cristo, após uma clara alusão aos eunucos das cortes orientais, disse que haveria eunucos no reino dos céus[241]. Se isso não significa o entusiasmo voluntário pela virgindade, só poderia significar algo muito mais antinatural ou desagradável. É a religião histórica que a humaniza pela experiência dos Franciscanos ou das Irmãs de Caridade. A mera afirmação pode, se isolada, muito bem sugerir uma atmosfera bastante desumanizada: o silêncio sinistro e desumano do harém e do divã asiáticos. Esse é apenas um exemplo dentre muitos; mas a moral é que o Cristo do Evangelho pode, sem dúvida, parecer mais estranho e terrível que o Cristo da Igreja.

Estou me demorando no lado sombrio, deslumbrante, desafiador ou misterioso das palavras do Evangelho, não porque elas não tivessem notoriamente um lado mais óbvio e popular, mas porque essa é a resposta a uma crítica comum sobre um ponto vital. O livre-pensador sempre diz que Jesus de Nazaré era um homem comum, mesmo que estivesse à frente de seu tempo, e que não podemos aceitar sua ética como definitiva para a humanidade. O livre-pensador, então, critica a ética de Jesus, dizendo que é bastante plausível que os homens não deem a outra face, ou que pensem no dia de amanhã, ou que o negar a si mesmo seja muito ascético ou a monogamia muito severa. Mas os Zelotes e os Legionários deram a outra face tanto quanto nós, se tanto. Os comerciantes judeus e os cobradores de impostos romanos pensaram no dia seguinte tanto quanto nós, se não mais. Não podemos fingir que estamos abandonando a moralidade do passado por alguma mais adequada ao presente. Ela certamente não é a moralidade de outra era, mas bem pode ser a de outro mundo.

Em suma, podemos dizer que esses ideais são impossíveis em si mesmos, mas não para nós. Eles são notavelmente marcados por um misticismo que, se fosse uma espécie de loucura, sempre teria atingido as mesmas pessoas – loucas. Tomemos por exemplo o caso do casamento e das relações entre os sexos. Pode muito bem ser verdade que um

241 Mateus 19:12. (N.T.)

mestre galileu tenha ensinado coisas que eram naturais a um ambiente galileu, mas não foi assim. Pode-se racionalmente esperar que aquele homem no tempo de Tibério tivesse promovido uma visão condicionada pelo contexto em que vivia[242], mas não o fez. O que ele promoveu foi algo bem diferente e muito difícil; mas não mais difícil do que foi à época. Quando, por exemplo, Maomé fez seu compromisso polígamo, podemos dizer, com alguma razão, que ele foi condicionado por uma sociedade polígama. Quando permitiu que um homem tivesse quatro esposas, ele estava de fato fazendo algo adequado às circunstâncias, o que poderia ter sido menos adequado a outras. Ninguém vai fingir que as quatro esposas eram como os quatro ventos, algo que, aparentemente, faz parte da ordem da natureza; ninguém dirá que a figura quatro foi escrita para sempre em estrelas no céu. Mas ninguém dirá que o número quatro é um ideal inconcebível, que está além do poder da mente do homem contar até quatro, ou que ele conte o número de esposas para ver se são quatro. É um compromisso prático que leva consigo o caráter de uma sociedade em particular.

Se Maomé tivesse nascido em Acton[243] no século XIX, podemos muito bem duvidar se ele teria lotado instantaneamente aquele subúrbio com haréns de quatro esposas cada. Como ele nasceu na Arábia no século VI, fez com que seus arranjos conjugais sugerissem as condições da Arábia nessa época. Mas Cristo, em seu ponto de vista sobre o casamento, não lembra em nada as condições da Palestina do século I. Ele não cita nada, exceto a visão sacramental do casamento, desenvolvida muito depois pela Igreja Católica. Era tão difícil para as pessoas

242 Tibério Cláudio Nero César foi imperador romano de 18 de setembro do ano 14 d.C. até à sua morte, a 16 de março do ano 37 d.C.. Era filho de Tibério Cláudio Nero e Lívia Drusa. Foi o segundo imperador de Roma pertencente à dinastia júlio-claudiana, sucedendo ao padrasto Augusto.(42 a.C-37 d.C.), imperador romano (14-37) à época da crucificação de Jesus Cristo. (N.T.)

243 Área na região oeste de Londres, anteriormente foi um povoado com habitantes desde os anos 1200. (N.T.)

daquele tempo quanto o é para as pessoas agora e muito mais intrigante para a época do que agora. Judeus, romanos e gregos não acreditavam, nem entendiam o suficiente para não acreditar, na ideia mística de que o homem e a mulher haviam se tornado uma substância sacramental. Podemos pensar que isso é um ideal inacreditável ou impossível, mas não mais do que eles pensaram ser. Em outras palavras, não importa o que seja verdade, a controvérsia não foi alterada pelo tempo nem as ideias de Jesus de Nazaré eram adequadas a sua época, mas também não são mais adequadas à nossa. Talvez o final da história dele mostre exatamente o quão apropriadas elas eram para seu tempo.

A mesma verdade pode ser afirmada de outra maneira, dizendo que, se a história é considerada meramente humana e histórica, é notável como há tão poucas palavras registradas de Cristo que o vinculem a seu próprio tempo. Não estou me referindo aos detalhes de uma época, que até um homem daquele período sabe serem passageiros. Refiro-me aos fundamentos que até o homem mais sábio costuma assumir de modo muito vago que são eternos. Por exemplo: Aristóteles talvez tenha sido o homem mais sábio e de mente mais aberta que já viveu. Ele se baseou inteiramente em fundamentos, que de modo geral se mantêm racionais e sólidos ao longo de todas as mudanças sociais e históricas. Ainda assim, ele vivia em um mundo em que era considerado natural ter escravos assim como ter filhos. E, portanto, ele se permitiu um sério reconhecimento de uma diferença entre escravos e homens livres. Cristo, tanto quanto Aristóteles, viveu em um mundo que tratava a escravidão como algo comum. Ele não denunciou particularmente a escravidão, mas iniciou um movimento que poderia existir em um mundo escravocrata ou não. Ele nunca usou uma frase que fez sua filosofia depender até mesmo da própria existência da ordem social em que ele vivia. Ele falou como alguém consciente de que tudo era efêmero, incluindo as coisas que Aristóteles considerava eternas. Naquela época, o Império Romano passou a ser apenas o *orbis terrarum*, outro nome para o mundo. Mas Cristo nunca tornou sua moralidade dependente da existência do Império Romano ou mesmo da existência do mundo. "Passarão o céu e a terra. Minhas palavras, porém, não passarão."[244]

A verdade é que, quando os críticos falam das limitações locais do Galileu, sempre é um caso de limitações locais dos *críticos*. Ele sem dúvida acreditava em certas coisas que uma seita moderna particular de materialistas não acredita, mas não eram peculiares a seu tempo. Seria mais próximo da verdade dizer que a negação delas é bastante peculiar ao nosso tempo, e, mais ainda, dizer apenas que certa importância social solene, presente na minoria que não acredita nelas, é peculiar ao nosso tempo. Ele tomava por verdadeiro por exemplo, espíritos malignos ou a cura psíquica de doenças corporais, mas não porque ele era um galileu nascido no tempo de Augusto. É absurdo dizer que um homem acreditou porque era galileu no tempo de Augusto, quando poderia ter aceitado as mesmas coisas se fosse egípcio no tempo de Tutancâmon ou indiano no tempo de Gengis Khan. Mas trato em outro lugar dessa questão geral da filosofia do satanismo ou dos milagres divinos. É suficiente dizer que os materialistas têm de provar a impossibilidade de milagres contra o testemunho de toda a humanidade, e não contra os preconceitos dos provincianos do norte da Palestina submetidos aos primeiros imperadores romanos. O que eles têm de provar, para o presente argumento, é a presença desses preconceitos nos Evangelhos. E, humanamente falando, é surpreendente o quão pouco eles podem produzir, mesmo para apenas começar a argumentar sobre isso.

O mesmo se dá no sacramento do matrimônio. Podemos não acreditar em sacramentos, como podemos não acreditar em espíritos, mas é bem claro que Cristo creu nesse sacramento à sua maneira e não de maneira atual ou contemporânea. Ele certamente não formou seu argumento contra o divórcio a partir da lei mosaica ou romana, ou dos

244 Mateus 24:35. (N.T.)

hábitos do povo palestino. Para seus críticos da época, o argumento soou exatamente como para seus críticos de agora: um dogma arbitrário e transcendental vindo de lugar nenhum, exceto no sentido de que veio dele. Não estou preocupado em defender esse dogma; o ponto a destacar é que é tão fácil defendê-lo agora quanto era naquela época. É um ideal completamente atemporal, difícil em qualquer tempo, impossível em qualquer período. Em outras palavras, se alguém disser que isso era o esperado de um homem andando por aquela região naquele período, podemos responder de modo bastante razoável que é muito *mais* parecido com o que poderia ser o enunciado misterioso de um ser além do homem, se ele estivesse vivo e andando entre nós.

Insisto, portanto, que um leitor do Novo Testamento de mente aberta e sem prejulgamentos *não* teria a impressão do que hoje muitas vezes se entende por um Cristo humano. Ele é uma figura inventada, um pedaço de seleção artificial, como o homem meramente evolucionário. Além disso, muitos desses Cristos humanos têm sido encontrados na mesma história, assim como muitas chaves para a mitologia têm sido encontradas nas mesmas histórias. Três ou quatro escolas separadas de racionalismo trabalharam nas mesmas bases e produziram três ou quatro explicações igualmente racionais da vida de Cristo. A primeira diz que ele nunca viveu, e essa, por sua vez, abriu caminho para três ou quatro explicações diferentes, como se ele fosse um mito do Sol ou um mito do milho, ou qualquer outro que seja também uma monomania. Depois, a ideia de que ele era um ser divino que não existia deu lugar à ideia de que ele era um ser humano que existiu. Na minha juventude, era moda dizer que ele era apenas um mestre de ética à maneira dos essênios[245], que aparentemente não tinha muito o que dizer além do que Hillel[246] ou uma centena de outros judeus já não houvessem dito, como:

245 Seita judaica restrita que, afastada da sociedade, dedicava-se ao estudo da Torá. (N.T.)

246 Hillel (c. 60 a.C.-c. 9 d.C.), o Ancião ou o Babilônico, influente sábio rabínico em Jerusalém nos tempos de Herodes. (N.T.)

ser gentil é bom e ser puro eleva a purificação. Então, alguém disse que ele era um louco com uma ilusão messiânica. Outros disseram que era de fato um mestre original, porque não se importava com nada além do socialismo ou (como outros disseram) do pacifismo. Em seguida, um personagem científico mais inflexível disse que Jesus nunca teria sido ouvido se não fossem suas profecias do fim do mundo. Ele era importante apenas por ser um milenarista como o dr. Cumming[247], e criou um pânico provinciano ao anunciar a data exata do juízo final.

Entre outras variantes do mesmo tema, estava a teoria de que ele era um curandeiro espiritual e nada mais - uma visão sugerida pela Ciência Cristã, que tem exposto um cristianismo sem a crucificação para explicar a cura da mãe da esposa de Pedro ou da filha de um centurião[248]. Há outra teoria que se concentra inteiramente no âmbito do satanismo e no que se pode chamar de superstição contemporânea sobre coisas demoníacas, como se Cristo fosse um jovem diácono que, ao receber suas primeiras ordens, tivesse avançado até o exorcismo e dele não mais saído.

Cada uma dessas explicações em si mesmas me parecem singularmente inadequadas; mas, tomadas em conjunto, sugerem algo do próprio mistério que lhes escapa. Com certeza deve ter havido algo não apenas misterioso, mas multifacetado sobre Cristo, se tantos cristos menores podem ser extraídos dele. Se estão satisfeitos o Cientista Cristão com ele como curador espiritual e o Socialista Cristão com ele como reformador social, tanto que nem esperam que ele seja outra coisa, parece que ele realmente abrange muito além da expectativa. E parece sugerir que pode haver muito mais do que imaginam nos outros atributos misteriosos de expulsar demônios ou profetizar o juízo.

Acima de tudo, um leitor tão novo do Novo Testamento não tropeçaria em algo que o surpreenderia muito mais do que a nós? Já tentei

247 John Cumming (1807-1881), clérigo e escritor escocês, anticatólico, obcecado pelo fim do mundo, previu que ele ocorreria em 1867. (N.T.)
248 Lucas 4:38,39; Marcos 5:22-24,35-43. (N.T.)

aqui, mais de uma vez, cumprir a tarefa impossível de reverter o tempo e o método histórico e, na imaginação, olhar em frente, aos fatos, em vez de retroceder nas lembranças. Desse modo, imaginei a qual monstro o homem poderia se assemelhar perante a mera natureza a seu redor. Teríamos um choque pior se realmente imaginássemos a primeira menção da natureza de Cristo. O que sentiríamos ao primeiro indício de certa sugestão sobre determinado homem? Decerto não devemos culpar ninguém que considere esse primeiro sussurro selvagem apenas ímpio e insano. Pelo contrário, tropeçar nessa rocha de escândalo é o primeiro passo. A incredulidade gritante é um tributo muito mais leal a essa verdade do que uma metafísica modernista que a tornaria apenas uma questão de grau. Seria melhor rasgar nossas vestes com um grande grito contra a blasfêmia, como Caifás no julgamento, ou considerar o homem um maníaco possuído de demônios, como os parentes e a multidão fizeram[249], em vez de ficar estupidamente debatendo finos matizes de panteísmo na presença de uma reivindicação tão catastrófica. Há mais sabedoria que se identifica com a surpresa em qualquer pessoa simples, muito sensível em sua simplicidade, que esperaria a grama murchar e os pássaros caírem mortos do ar, quando um aprendiz de carpinteiro perambulando dissesse calmamente e quase sem pensar, como alguém inconsequente: "Antes que Abraão existisse, Eu Sou"[250].

---

249 Mateus 26:57,65; Marcos 3:21; João 7:20. (N.T.)
250 João 8:58. (N.T.)

CAPÍTULO 3

A HISTÓRIA MAIS ESTRANHA DO MUNDO

No último capítulo, enfatizei deliberadamente o que hoje em dia parece ser um lado negligenciado da história do Novo Testamento, mas imagino que ninguém deva preferir ocultar esse lado que pode, com toda a verdade, ser chamado de humano. Que Cristo foi e é o mais misericordioso dos juízes e o mais simpático dos amigos é um fato consideravelmente mais importante em nossa vida privada do que nas especulações históricas de qualquer pessoa. Mas o objetivo deste livro é apontar que algo único foi submerso em generalizações baratas, e, para esse fim, é relevante insistir que mesmo o que foi mais universal também foi mais original. Por exemplo: podemos considerar um tópico que é realmente alinhado ao humor moderno, como as vocações ascéticas há pouco mencionadas não o são. A exaltação da infância é algo que com certeza entendemos, mas não era de forma alguma entendida antes desse modo. Se quiséssemos um exemplo da originalidade dos Evangelhos, dificilmente poderíamos citar um mais forte ou mais surpreendente. Quase dois mil anos depois, encontramo-nos com um estado de espírito que de fato sente o encanto místico da criança; nós o expressamos em romances e lamentos sobre a infância, com *Peter Pan* ou *The Child's Garden of Verses* [O jardim de versos da criança][251]. E sobre as palavras de Cristo, podemos dizer, acompanhados por um anticristão tão furioso como Swinburne:

> "Nenhum sinal que tenha sido alguma vez dado, a olhos fiéis ou infiéis, mostrou alguma vez, além das nuvens divididas, um paraíso tão claro.
> Os credos da Terra podem ser setenta vezes sete, e sangue tem manchado cada credo, mas, se esse é o reino dos céus, isso deve ser realmente o céu"[252].

Mas esse paraíso não era claro até que o cristianismo gradualmente o esclarecesse. O mundo pagão, como tal, não teria entendido nada como uma sugestão séria de que uma criança é mais evoluída ou mais santa do que um homem. Pareceria a sugestão de que um girino é maior ou mais santo do que um sapo. Para a mente apenas racionalista, seria como dizer que um broto deve ser mais bonito que uma flor ou que uma maçã verde deve ser melhor que uma madura. Em outras palavras, esse sentimento moderno é tão inteiramente místico quanto o culto à virgindade; na verdade, ele é o próprio culto a ela. Mas a antiguidade pagã tinha muito mais noção da santidade da virgem do que da santidade da criança. Por várias razões, hoje veneramos crianças, talvez em parte porque as invejamos por ainda fazerem o que os homens faziam,

251 Peter Pan é o personagem principal de uma história de James Matthew Barrie (1860-1937), dramaturgo escocês. É um menino que não quer crescer. *O jardim...* é uma coletânea de poemas para crianças (1885) feita por Robert Louis Stevenson (1850-1894), escritor escocês, conhecido por *A ilha do tesouro*. (N.T.)

252 Para Swinburne, ver nota 141. Os versos são as duas últimas estrofes do Canto XXII do poema "Dark Month" [Mês de trevas]. A tradução aqui feita não tentou preservar nem métrica nem rima. (N.T.)

como brincar e apreciar contos de fadas. Além disso, porém, existe muita psicologia real e sutil em nossa apreciação da infância; mas, se fizermos dela uma descoberta moderna, devemos admitir mais uma vez que o histórico Jesus de Nazaré já a havia descoberto dois mil anos antes. Certamente não havia nada no mundo ao redor dele que o ajudasse nessa descoberta. Nesse ponto, Cristo era de fato humano, mas é muito provável que fosse mais humano do que uma pessoa seria. Peter Pan não pertence ao mundo de Pã, mas ao mundo de Pedro[253].

Mesmo considerando apenas o estilo literário, se supomos estar suficientemente desapegados para vê-lo sob essa luz, há uma qualidade curiosa à qual nenhum crítico parece ter feito justiça. Havia, entre outras coisas, uma atitude singular de empilhar torres pelo uso do *a fortiori*[254]; fazendo um templo de graus diversos como os sete céus. Já indiquei a visão imaginária quase invertida, que retratava a penitência impossível das Cidades da Planície[255]. Talvez não haja nada tão perfeito em qualquer língua ou literatura como o uso desses três graus na parábola dos lírios do campo, na qual ele parece primeiro pegar uma pequena flor e notar sua simplicidade e até sua fragilidade; de repente, ele a expande em cores extravagantes para todos os palácios e pavilhões cheios de um famoso nome na lenda e na glória nacionais; e então, por uma terceira guinada, a reduz a nada uma vez mais, com um gesto, como se a jogasse fora: "Se Deus veste assim a erva do campo, que existe hoje e amanhã é lançada ao forno, não fará ele muito mais..."[256]. É como a construção de uma boa torre de Babel por magia branca em um momento e com o movimento de uma das mãos; uma torre ergueu-se subitamente até o céu, no topo da qual pode ser vista ao longe, mais alta do que imaginávamos,

253 Lembrando que, em inglês, Pedro é Peter. (N.T.)

254 *A fortiori* é o início da expressão latina *a fortiori ratione* que significa "por causa de uma razão mais forte", isto é, "com muito mais razão". Ela indica que uma conclusão deverá ser aceita, já que é logicamente muito mais verdadeira que outra já apresentada. (N.T.)

255 Referência a Sodoma e Gomorra, citadas no capítulo anterior. (N.T.)

256 Mateus 6:27-31. (N.T.)

a figura do homem, elevada por três infinitos acima de todas as outras coisas, em uma escada estrelada de lógica luz e imaginação veloz.

Se considerada apenas sob o ponto de vista literário, seria mais do que a maioria das obras-primas nas bibliotecas; no entanto, parece ter sido pronunciada quase aleatoriamente enquanto um homem arrancava uma flor. Mas, sob esse mesmo ponto, o uso do comparativo em vários graus tem um aspecto que parece indicar coisas muito mais elevadas do que a sugestão moderna do simples ensino de ética pastoral ou comunitária. Não há nada que de fato indique uma mente sutil e, no verdadeiro sentido, tão superior quanto esse poder de fazer comparações de baixo para cima, e outra vez, com algo ainda mais superior, de pensar em três planos ao mesmo tempo. Não há nada que exija tanto esse tipo mais raro de sabedoria do que, digamos, considerar que o cidadão é superior ao escravo e, no entanto, que a alma é infinitamente superior ao cidadão ou à cidade. Não se trata de uma faculdade encontrada com facilidade nesses simplificadores do Evangelho, aqueles que insistem em chamar de moralidade simples e outros chamam de moralidade sentimental. Não é, de modo algum, corroborado por aqueles que estão satisfeitos em dizer a todos para permanecerem em paz. Pelo contrário, há um exemplo bem destacado sobre isso na aparente inconsistência entre os ditos de Cristo sobre paz e sobre espada. É precisamente esse poder que percebe que, embora uma boa paz seja melhor que uma boa guerra, mesmo uma boa guerra é melhor que uma paz desagradável. Essas comparações dispersas não são tão comuns como nos Evangelhos; para mim, elas sugerem algo muito maior. Assim, algo absoluto, com a dimensão adicional de profundidade ou altura, pode se elevar sobre as criaturas rasas que vivem apenas em um plano.

Essa qualidade de algo que só pode ser chamado de sutil e superior, que tem visões de longo alcance e até de duplo sentido, não é notada aqui apenas como uma resposta aos exageros comuns da amabilidade e do idealismo moderado. Ela também deve ser observada com a verdade mais tremenda mencionada no final do último capítulo. Pois essa é a última característica que comumente acompanha a megalomania, em especial aquela abrupta e inacreditável que pode fazer parte dessa afirmação. Essa qualidade que só pode ser chamada de distinção intelectual não é, lógico, uma evidência da divindade, mas de uma provável repulsa por afirmações vulgares e vangloriosas à divindade. Um homem desse tipo, se fosse apenas um homem, seria o último no mundo a sofrer dessa intoxicação por uma noção vinda do nada, que é a praxe do sensacionalista autoiludido da religião, nem é evitada ao negar-se que Cristo fez essa afirmação. De um homem como esse, de nenhum outro profeta ou filósofo da mesma ordem intelectual seria possível imaginar que Ele a fez. Mesmo que a Igreja tivesse se enganado quanto a seu significado, ainda seria verdade que nenhuma outra tradição histórica, exceto a Igreja, jamais cometera o mesmo erro. Os maometanos não entenderam mal Maomé e supuseram que ele fosse Alá. Os judeus não interpretaram mal Moisés e o identificaram como Jeová. Por que somente essa afirmação foi exagerada se não apenas por ser proferida? Mesmo que o cristianismo tenha sido um grande erro universal, ainda é um erro tão solitário quanto a Encarnação.

O objetivo destas páginas é corrigir a falsidade de certas suposições vagas e vulgares, e aqui temos uma das mais enganosas. Há, por todo lado, uma espécie de noção de que todas as religiões são iguais porque todos os seus fundadores eram rivais, brigando pela mesma coroa estrelada. Isso é totalmente falso. A reivindicação a essa coroa, ou a qualquer coisa parecida, é de fato tão rara que é única. Maomé não a pleiteou mais do que Miqueias ou Malaquias[257]. Confúcio não a quis mais que Platão ou Marco Aurélio. Buda nunca disse que era Brahma. Zoroastro não desejou ser mais Ormuz do que ser Arimã. A verdade é que, no modo como as coisas costumam acontecer, é exatamente isso

257 Miqueias e Malaquias são dois dos chamados profetas menores do Antigo Testamento. (N.T.)

que deveríamos esperar no bom senso e com certeza na filosofia cristã. Mas acontece justamente o contrário.

Normalmente, quanto mais evoluído o homem for, menor é a probabilidade de ele fazer muitas reivindicações. Fora do caso único que estamos considerando, o único tipo de homem que faz uma afirmação como essa é aquele de alma pequena, um monomaníaco discreto ou egocêntrico. Ninguém pode imaginar Aristóteles alegando ser o pai de deuses e homens, que desceu do céu, embora possamos imaginar algum imperador romano lunático, como Calígula, fazendo essa afirmação com respeito a ele, ou, mais provavelmente, sobre si mesmo. Ninguém pode imaginar Shakespeare falando como se fosse literalmente divino, embora possamos conceber um excêntrico americano louco encontrando essa afirmação como um criptograma nas obras de Shakespeare, ou de preferência nas próprias obras. É possível achar aqui e ali seres humanos que fazem uma afirmação tão sobre-humana – em manicômios, em celas acolchoadas, possivelmente usando camisa de força.

Muito mais importante do que o mero destino deles em nossa sociedade deveras materialista, sob leis tão cruéis e estúpidas sobre insalubridade mental, é o tipo que conhecemos com essa tendência, ou inclinado a ela, que é doente e desproporcional: limitado, mas inchado e mórbido a ponto de ser uma aberração. É por uma metáfora infeliz que falamos de um louco como alguém em quem falta uma parte, pois, em certo sentido, ele não está totalmente quebrado. Ele está em curto-circuito, mas ainda funciona: não há orifícios suficientes na cabeça para ventilar. Essa impossibilidade de deixar entrar a luz do dia em uma ilusão às vezes encobre e oculta uma ilusão de divindade. Ela não pode ser encontrada entre profetas, sábios e fundadores de religiões, mas apenas entre um grupo vil de lunáticos. Porém, é exatamente aí que o argumento se torna mais interessante, porque justifica muita coisa. Ninguém supõe que Jesus de Nazaré fosse *esse* tipo de pessoa. Nenhum crítico moderno em seu pleno juízo pensa que o pregador do Sermão da Montanha era um idiota estúpido e bobo que estaria rabiscando estrelas nas paredes de uma cela. Nenhum ateu ou blasfemador acredita que o autor da Parábola do Filho Pródigo tenha sido um monstro com uma ideia maluca como um ciclope. Em qualquer crítica histórica possível, ele deve ser mais elevado na escala dos seres humanos do que isso. No entanto, por qualquer analogia, temos realmente de colocá-lo no pedestal ou então no mais elevado lugar de todos.

De fato, aqueles que tomam esse assunto (como eu hipoteticamente faço) com um espírito bem impessoal e desapegado, têm aqui um problema humano mais curioso e interessante, tanto que com essa indiferença, por assim dizer, eu gostaria que alguns deles tivessem transformado esse problema tão complexo em algo como um retrato humano inteligível. Se Cristo era apenas um personagem humano, sem dúvida era um altamente complexo e contraditório, pois combinou de forma exata os dois extremos da variação humana sendo precisamente o que o homem com uma ilusão nunca é: sábio e justo. O que Ele disse sempre foi inesperado, mas também magnânimo e muitas vezes moderado. Tomemos algo como o argumento da parábola do joio e do trigo[258]. Ela tem a qualidade que une sanidade e sutileza e não possui a simplicidade de um louco nem de um fanático. Pode ser proferida por um filósofo de cem anos, depois de um século de utopias. Nada poderia ser menos parecido com essa qualidade de enxergar além e ao redor do óbvio do que a condição do egomaníaco com o único ponto sensível no cérebro. Realmente não vejo como essas duas características poderiam coexistir de maneira aceitável, exceto da maneira surpreendente como o credo as combina. Pois até alcançarmos a plena aceitação do fato como ele é, por mais maravilhoso que seja, todas as meras aproximações a ele estão realmente cada vez mais distantes. A divindade é elevada o suficiente para ser divina e

258 Mateus 13:24-30. (N.T.)

assim considerada por todos. Mas, à medida que a humanidade cresce, diminui cada vez mais a probabilidade de fazer-se divina. Deus é Deus, como dizem os muçulmanos; mas um grande homem sabe, olhando para si mesmo, que não é Deus – e quanto mais elevado ele for, mais tem certeza disso. Este é o paradoxo: tudo o que apenas se aproxima desse ponto está se afastando. Sócrates, o homem mais sábio, admitiu não saber nada. Um lunático pode pensar que é onisciente, e um tolo pode falar como se assim o fosse. Mas Cristo é, em certo sentido, onisciente não apenas se souber, mas ciente de que sabe.

Mesmo sob o lado puramente humano e compreensivo, portanto, o Jesus do Novo Testamento parece-me ter, em muitos aspectos, a marca de algo sobre-humano, isto é, mais que humano. Mas há outra qualidade que percorre todos os seus ensinamentos, a qual me parece negligenciada na maioria das conversas modernas em que eles são abordados: a ideia persistente de que ele não veio de fato ensinar. Se há uma passagem no registro que me afeta de maneira pessoal por ser grandiosa e gloriosamente humano, é o incidente de prover vinho para o banquete de casamento[259]. Esse fato é tão humano no sentido em que até uma multidão de pessoas esnobes dificilmente pode ser descrita como humana. O incidente ultrapassa todas as pessoas superiores. É tão humano quanto Herrick e tão democrático quanto Dickens[260]. Mas, mesmo nessa história, há algo meio mal explicado que é, de certa forma, muito relevante aqui. Refiro-me à primeira hesitação, não por qualquer motivo que toque a natureza do milagre, mas ao ser apropriado realizar milagres, pelo menos naquele estágio: "Minha hora ainda não chegou"[261]. O que isso significa? Com certeza, significava no mínimo um plano ou um objetivo geral na mente, no qual certas coisas se

---

259 João 2:1-12. (N.T.)

260 Para Herrick, ver nota 210. Charles Dickens (1812–1870) é tido como o mais humano e popular dos romancistas ingleses. (N.T.)

261 João 2:4. (N.T.)

encaixavam ou não. E se deixarmos de fora esse plano estratégico solitário, não cortaremos apenas um aspecto importante, mas a história toda.

Muitas vezes ouvimos falar de Jesus de Nazaré como um mestre errante, e há uma verdade vital nesse ponto de vista, pois enfatiza uma atitude em relação ao luxo e às convenções que as pessoas mais respeitáveis ainda considerariam a de um vagabundo. Isso é expresso nas próprias grandiosas palavras dele sobre as tocas das raposas e os ninhos das aves[262], e, como muitos de seus grandiosos ditos, esse é considerado menos poderoso pela falta de apreciação desse grande paradoxo pelo qual falou de sua própria humanidade como, de alguma forma, coletiva e representativamente humana, chamando a si mesmo simplesmente de Filho do Homem; ou seja, com efeito, chamando-se apenas de Homem. É apropriado que o Novo Homem ou o Segundo Adão[263] repita, em um tom retumbante e com um gesto tão cativante, o grande fato que veio primeiro na história original: que o homem difere dos brutos em tudo, mesmo em deficiência; que ele é, de certo modo, menos normal e até menos nativo – é um estranho na terra.

É bom falar de suas andanças mostrando que era um errante e que compartilhou a vida à margem com os pobres mais desabrigados e sem esperança. É muito bom lembrar que ele sem dúvida teria sido levado pela polícia e com certeza seria preso por não ter meios visíveis de subsistência. Pois nossa lei tem um quê de humor ou toque de fantasia em que Nero e Herodes nunca pensaram: o de punir os sem-teto por não dormirem em casa.

Mas, em outro sentido, a palavra "errante" aplicada à vida de Cristo é um pouco enganadora. De fato, muitos sábios e sofistas pagãos podem com justiça ser descritos como mestres errantes. No caso de alguns deles, suas andanças não eram totalmente desvinculadas a seus comentários perambulantes. Apolônio de Tiana, que aparecia em alguns cultos

262 Mateus 8:20. (N.T.)

263 O termo usado por Paulo é, na verdade, "o último Adão" (1Co 15:45). (N.T.)

da moda como uma espécie de filósofo ideal, é representado perambulando até o Ganges e a Etiópia, falando quase o tempo todo. Na verdade, havia uma escola de filósofos chamada Peripatéticos[264]; e a maioria dos grandes filósofos nos dá uma vaga impressão de que tinha muito pouco a fazer, exceto andar e conversar.

As notáveis conversas que nos dão vislumbres da grande mente de Sócrates, de Buda ou mesmo de Confúcio com frequência parecem fazer parte de um piquenique sem-fim; e, especialmente, o que é mais importante, que não tem começo nem fim. Sócrates teve a conversa interrompida pelo incidente de sua execução. Mas é o ponto principal, e todo o mérito particular, da posição de Sócrates que sua morte foi apenas uma interrupção e um incidente. Perdemos de vista a real importância moral do grande filósofo se deixarmos escapar este ponto: que ele encara o carrasco com uma surpresa inocente, e quase com um aborrecimento ingênuo, ao encontrar alguém tão doido a ponto de interromper uma breve conversa para a elucidação da verdade. Ele está procurando a verdade, e não a morte. A morte é apenas uma pedra na estrada que pode derrubá-lo. Seu trabalho na vida é vagar pelas estradas do mundo e falar sobre a verdade para sempre. Buda, por outro lado, chamou a atenção com o gesto de renúncia, e, portanto, teve o sentido de negação. Mas, por uma negação dramática, ele entrou em um mundo de negação que não era dramático, pelo menos não para ele. Aqui, uma vez mais, perdemos a importância moral singular do grande místico se não vemos a distinção, que era o ponto principal do que ele havia transformado em drama, que consiste em desejo e luta e, geralmente, em derrota e decepção. Ele alcança a paz e vive para instruir os outros sobre como fazer o mesmo. Doravante, sua vida é a do filósofo ideal; certamente um muito mais que Apolônio de Tiana; mas ainda é um filósofo não no sentido

264 Termo aplicado aos discípulos de Aristóteles, pois o filósofo os ensinava ao ar livre, enquanto caminhava com eles. O termo vem do grego *peripatetikós* que significa, literalmente, "aquele que anda ao redor"; portanto, "itinerante, caminhante". (N.T.)

de ter uma ocupação, mas de explicar tudo; no caso dele, podemos quase dizer, suave e calmamente, para explodir tudo – pois as mensagens são diferentes na essência. Cristo disse: "Buscai, em primeiro lugar, seu Reino e sua justiça, e todas essas coisas vos serão adicionadas"[265]. Buda disse: "Busque primeiro o reino, e então você não precisará de nada disso".

Agora, comparada a esses andarilhos, a vida de Jesus foi tão breve e direta como um raio. Foi acima de tudo dramática; sobretudo porque consistia em cumprir uma missão. Isso enfaticamente não teria acontecido se Jesus tivesse andado pelo mundo sem destino e sem fazer nada, exceto dizer a verdade. E mesmo esse movimento externo não deve ser descrito como um vagar no sentido de esquecer que era uma jornada. Ali estava o cumprimento dos mitos mais do que das filosofias; era uma jornada com um objetivo e um objeto, como Jasão indo encontrar o Velocino de Ouro; ou Hércules, as maçãs douradas das Hespérides[266]. O ouro que Cristo procurava era a morte. Seu principal feito seria morrer. Ele faria outras coisas igualmente definidas e objetivas; quase poderíamos dizer de igual maneira externas e materiais. Mas do primeiro ao último, a morte era o fato mais definitivo.

Não há duas coisas mais diferentes do que a morte de Sócrates e a de Cristo. Estamos inclinados a sentir que a morte daquele foi, pelo menos do ponto de vista de seus amigos, uma confusão estúpida e um erro judicial interromper o fluxo de uma filosofia humana e lúcida, e eu quase diria brilhante. Estamos inclinados a sentir que a Morte era a noiva de Cristo, assim como a Pobreza era a noiva de São Francisco, e que a vida dele era, nesse sentido, uma espécie de caso de amor com a morte, um romance sobre a busca do sacrifício final. Do momento em que a estrela cadente passou como fogos em um aniversário até o momento em que o Sol se apagou como uma tocha fúnebre, toda a história se move

265 Mateus 6:33. (N.T.)
266 Ver nota 26. (N.T.)

com a velocidade e a direção de um drama, terminando em um ato além das palavras.

Portanto, a história de Cristo é sobre uma jornada, quase ao modo de marcha militar; certamente como um herói caminhando para sua conquista ou seu destino. É uma história que começa no paraíso da Galileia, uma terra pastoril e pacífica que tem mesmo um pouco do Éden, e gradualmente sobe o país que se eleva pelas montanhas mais próximas das nuvens de tempestade e das estrelas, como na Montanha do Purgatório[267]. Ele pode ser visto como errante por lugares estranhos ou parado no caminho para discussão ou debate, mas seu rosto está voltado para a cidade montanhosa. Esse é o significado da grande culminação quando ele chegou ao topo da cordilheira, parou na curva da estrada e, de repente, chorou até soluçar, lamentando sobre Jerusalém. Alguma lágrima desse lamento aparece em todo poema patriótico; se estiver ausente, o patriotismo fede a vulgaridade.

Esse é o significado do episódio emocionante e surpreendente nos portões do Templo, quando as mesas foram viradas como trastes jogados pela escada e os mercadores ricos foram expulsos com golpes no corpo[268] – o incidente que deve ser pelo menos tão enigmático para os pacifistas quanto qualquer paradoxo sobre a não resistência pode ser para qualquer militarista. Comparei a busca à jornada de Jasão, mas nunca devemos esquecer que, em um sentido mais profundo, ela tem mais a ver com a jornada de Ulisses. Não era apenas um romance de viagem, mas um romance de retorno e do fim de uma invasão. Nenhum garoto saudável lendo a história considera a derrota dos pretendentes de Ítaca[269]

267 *Purgatório* é a segunda parte daobra *Divina Comédia*, de Dante Alighieri (1265-1321), maior poeta italiano. Ele descreve o Purgatório como uma montanha com níveis em que cada tipo de pecado é punido. A última divisão dessa montanha é o Paraíso Terrestre, onde as almas são purificadas. (N.T.)

268 João 2:13-16. (N.T.)

269 Ítaca era a ilha para onde Ulisses, dez anos após o fim da Guerra de Troia, não conseguia voltar, impedido pelos deuses. Penélope é sua esposa que sofre o assédio de muitos pretendentes, uma vez que Ulisses é tido por morto. (N.T.)

como um final que não seja feliz. Mas, sem dúvida, alguns consideram a derrota dos comerciantes e cambistas judeus com aquela repugnância refinada que nunca deixa de comovê-los na presença de violência, especialmente contra os abastados.

Porém, o ponto aqui é que todos esses episódios têm um caráter de crise crescente – em outras palavras, não são incidentais. Quando Apolônio, o filósofo ideal, é levado ao tribunal de Domiciano e desaparece como mágica, o milagre é totalmente ao acaso. Pode ter ocorrido em qualquer momento na vida errante do tianeano; de fato, acredito que isso seja questionável tanto na data quanto na substância. O filósofo ideal simplesmente desapareceu e retomou sua existência ideal em outro lugar por um período indeterminado. Isso contrasta, possivelmente, com a suposição de que Apolônio teve uma velhice quase milagrosa. Jesus de Nazaré foi menos prudente em seus milagres. Quando Jesus foi levado ao tribunal de Pôncio Pilatos, ele não desapareceu – foi a crise e o objetivo; era a hora e o poder das Trevas[270]. Não ter desaparecido foi o ato mais sobrenatural de toda a sua vida extraordinária.

Todas as tentativas de amplificar essa história apenas a diminuem. Muitos homens de verdadeira genialidade e eloquência têm se dedicado a essa tarefa, bem como muitos sentimentalistas vulgares e retóricos autoconscientes. A história foi recontada com apelos emotivos paternalistas por céticos refinados e com entusiasmo fluente por *best-sellers* campeões de público – e não será recontada aqui. O poder triturador das palavras claras da história do Evangelho tem a força das pedras de um moinho, e aqueles que podem interpretá-las com simplicidade o suficiente sentirão como se as pedras tivessem rolado sobre eles. A censura é apenas uma crítica a respeito de palavras, e que utilidade elas têm a respeito de palavras como essas? Qual o propósito de pintar com palavras a respeito do jardim escuro repentinamente lotado de tochas

270 Lucas 22:53. (N.T.)

e rostos furiosos? "Serei eu um ladrão? Saístes para prender-me com espadas e paus! Eu estive convosco no Templo, ensinando todos os dias, e não me prendestes"[271]. Algo pode ser adicionado ao constrangimento duro e inferido dessa ironia, como uma grande onda que se ergue em direção ao céu e se recusa a cair? "Filhas de Jerusalém, não choreis por mim; chorai, antes, por vós mesmas e por vossos filhos!"[272]. Como o Sumo Sacerdote perguntou por que haveria necessidade de testemunhas, podemos perguntar também por que precisamos de mais palavras. Pedro em pânico o repudiou: "Imediatamente [...] um galo cantou, e o Senhor, voltando-se, fixou o olhar em Pedro. [...] E, saindo para fora, chorou amargamente"[273]. Alguém tem mais comentários a fazer?

Pouco antes de morrer, ele orou por toda a raça assassina de homens, dizendo: "Não sabem o que fazem"[274]. Há algo a dizer sobre isso, exceto que sabemos tão pouco o que dizemos? É necessário repetir e prolongar a história de como a tragédia se arrastou na *via crucis* e como eles o colocaram ao acaso com dois ladrões em um dos grupos comuns de execução; e como, em todo aquele horror e extremo deserto de abandono, uma voz falou em respeito, vindo do último lugar em que poderia ser procurada: o patíbulo do criminoso; e ele disse àquele malfeitor sem nome: "Hoje estarás comigo no Paraíso"[275]? Existe algo para se colocar depois disso que não seja um ponto final? Ou alguém está preparado para responder adequadamente àquele gesto de despedida dirigido a toda carne, o qual criou para sua Mãe um novo Filho[276]?

Está mais dentro de minhas capacidades, e aqui mais de imediato para meu propósito, indicar que naquela cena estavam reunidas de maneira simbólica todas as forças humanas que foram vagamente

271 Marcos 14:48-49. (N.T.)
272 Lucas 23:28. (N.T.)
273 Lucas 22:60-62. (N.T.)
274 Lucas 23:33. (N.T.)
275 Lucas 23:43. (N.T.)
276 João 19:26-27. (N.T.)

esboçadas nessa história. Como reis, filósofos e o elemento popular estiveram de modo simbólico presentes em seu nascimento, eles estavam, de modo prático, mais preocupados com sua morte; e com isso nos deparamos com o fato essencial a ser percebido. Todos os grandes grupos que estavam ao redor da cruz representam, de uma maneira ou de outra, a grande verdade histórica das eras: que o mundo não poderia salvar a si mesmo. O homem não podia fazer mais. Roma, Jerusalém, Atenas e tudo o mais desaguavam como um mar transformado em uma lenta cachoeira. Externamente, de fato, o mundo antigo ainda estava em seu momento mais forte – é sempre nesse momento que a fraqueza mais íntima começa. Mas, a fim de entender essa fraqueza, devemos repetir o que já foi dito: a fraqueza não era originalmente frágil. Foi a força do mundo que, com vigor, se transformou em fraqueza e a sabedoria do mundo que se transformou em loucura.

Nessa passagem da Sexta-feira Santa, as melhores coisas do mundo estão em seu pior estado. Isso é o que de fato mostra a pior face do mundo. Ali estavam, por exemplo, os sacerdotes de um verdadeiro monoteísmo e os soldados de uma civilização internacional. Roma, a lenda, fundada sobre Troia e triunfante sobre Cartago, representara o heroísmo mais próximo da cavalaria do qual nenhum pagão havia chegado até então. Roma havia defendido os deuses domésticos e os pudores humanos contra os ogros da África e as aberrações hermafroditas da Grécia. Mas no clarão desse incidente, vemos a grande Roma, a república imperial, sucumbindo sob sua destruição lucreciana. O ceticismo corroeu até a confiança dos conquistadores do mundo. Quem tem moral para dizer o que é justiça só consegue perguntar: "O que é verdade?"[277]. Assim, naquele drama que determinou o fim da antiguidade, uma das figuras centrais está fixada no que parece ser o inverso de seu verdadeiro papel. Roma era quase outro nome para responsabilidade.

---

277 Pergunta feita pelo governador romano Pôncio Pilatos a Cristo, quando o interrogava (Jo 18:38). (N.T.)

No entanto, ele permanece para sempre como uma espécie de estátua oscilante do irresponsável. O homem não podia fazer mais nada. Até o fácil tornara-se impraticável. Em pé entre os pilares de seu próprio tribunal, um romano lavara as mãos perante o mundo[278].

Havia também os sacerdotes dessa verdade pura e original que estava por trás de todas as mitologias, como o céu por trás das nuvens. Era a verdade mais importante do mundo; e nem isso poderia salvá-lo. Talvez haja algo avassalador no puro teísmo pessoal; como ver o Sol, a Lua e o céu se unirem para formar um rosto completo. Talvez a verdade seja tremenda quando não for partida por alguns intercessores, divinos ou humanos; talvez ela seja apenas muito pura e distante. De qualquer forma, ela não poderia salvar o mundo; nem mesmo convertê-lo. Alguns filósofos a mantinham em sua forma mais elevada e mais nobre, mas nem tentaram converter o mundo. Você poderia tanto continuar a combater a selva da mitologia popular com uma opinião particular quanto carpir uma floresta com um canivete. Os sacerdotes judeus a guardavam zelosamente, no bom e no mau sentido.

Eles a mantiveram como um segredo gigantesco. Como heróis selvagens poderiam ter mantido o Sol em uma caixa, eles mantiveram o Eterno no tabernáculo. Estavam orgulhosos de poder ver o Sol ofuscante de uma única divindade, e não sabiam que estavam cegos. Desde aquele dia, seus representantes têm agido como cegos em plena luz do dia, atacando à direita e à esquerda com suas bengalas e amaldiçoando a escuridão. Mas seu monoteísmo monumental que havia, pelo menos, permanecido como um monumento, guardava a última coisa de seu gênero e, de certo modo, continuou inerte em um mundo tão inquieto que não pode acompanhá-lo, por algum motivo. Desde o boato de que Deus havia deixado seus céus para remediar o mundo, nunca foi suficiente dizer que ele estava lá e que estava tudo bem.

278 Mateus 27:24. (N.T.)

E como ocorreu com esses poderes do bem, ou que, ao menos, foram bons um dia, aconteceu também com o elemento que talvez fosse o melhor, ou que o próprio Cristo parece ter visto como o melhor. Os pobres a quem ele pregou as boas novas, as pessoas comuns que o ouviram com alegria, a população que havia feito tantos heróis e semideuses populares no velho mundo pagão também mostraram as fraquezas que estavam dissolvendo o mundo. Eles sofreram os males que apareciam sempre na multidão da cidade, e, de modo especial, na capital, durante o declínio de uma sociedade. A população rural vive de tradição e a população urbana vive de boatos pelos mesmos motivos. Assim como seus mitos, na melhor das hipóteses, eram irracionais, seus gostos e aversões mudam facilmente por afirmações infundadas que são arbitrárias, mas não impostas. Um salteador ou outro foi transformado em uma figura pitoresca e popular e apresentado como uma espécie de candidato contra Cristo. Em tudo isso, reconhecemos a população urbana que nos é familiar, com suas manchetes nos jornais e furos jornalísticos. Mas havia nessa população antiga um mal mais peculiar ao mundo antigo.

Já observamos isso como negligência ao indivíduo, mesmo aquele que vota pela condenação e, ainda mais, com o condenado. Era a alma da colmeia; uma coisa pagã. O clamor desse espírito também foi ouvido naquela hora: "É de vosso interesse que um só homem morra pelo povo"[279]. No entanto, esse espírito antigo de devoção à cidade e ao Estado também havia sido, em si e em seu tempo, um espírito nobre. Tinha seus poetas e seus mártires; homens que seriam homenageados perpetuamente. Falhou devido à sua fraqueza ao não ver a alma separada de um homem, o santuário de todo misticismo; mas estava apenas seguindo o fluxo de todas as falhas à sua volta. A multidão acompanhou os Saduceus e os Fariseus, os filósofos e os moralistas. Ela acompanhou os magistrados imperiais e os sacerdotes sagrados, os escribas e

279 João 11:50. (N.T.)

os soldados, ao pensar que o único espírito humano universal poderia sofrer uma condenação universal, que podia haver um coro profundo e unânime de aprovação e harmonia quando o Homem foi rejeitado pelos homens.

Havia solidões além das quais ninguém deveria ir. Havia segredos na parte secreta e invisível desse drama que não têm expressão na fala ou em qualquer separação no que se refere aos homens. Tampouco é fácil para quaisquer palavras menos severas e sinceras do que as da narrativa despojada sequer mencionar o horror da exaltação que se elevou acima da colina. Exposições infinitas não chegaram ao fim, nem mesmo ao começo. E se houver algum som que possa fazer silêncio, certamente podemos nos calar sobre o fim e a extremidade; quando um grito emergiu daquela escuridão em palavras terrivelmente distintas e ininteligíveis, que o homem nunca entenderá em toda a eternidade que elas lhe trouxeram; e, por um instante decisivo, um abismo que nossos pensamentos não alcançam se abriu na unidade do absoluto – e Deus havia sido abandonado por ele mesmo.

Eles tiraram o corpo da cruz, e um dos poucos homens ricos entre os primeiros cristãos obteve permissão para enterrá-lo em uma tumba de pedra em seu jardim; os romanos montaram uma guarda militar, para que não houvesse tumultos e tentativas de recuperarem o corpo. Havia mais uma vez um simbolismo natural nesses procedimentos: era bom que o túmulo fosse selado com todo o sigilo de sepultura oriental antiga e guardado pela autoridade dos césares. Pois naquela segunda caverna, toda a grande e gloriosa humanidade que chamamos de antiguidade foi reunida e coberta e, naquele lugar, foi enterrada. Foi o fim de uma grande iniciativa chamada história humana, a história que era meramente humana. As mitologias e as filosofias foram enterradas ali: os deuses, os heróis e os sábios. Na grande expressão romana, eles tinham vivido. Mas, como eles só podiam viver, também podiam só morrer, e eles estavam mortos.

No terceiro dia, os amigos de Cristo que chegaram ao amanhecer encontraram a tumba vazia e a pedra movida. De várias maneiras, eles perceberam a nova maravilha; mas até eles tiveram dificuldade de perceber que o mundo havia morrido durante a noite. O que eles estavam olhando era o primeiro dia de uma nova criação, com um novo céu e uma nova terra; e, na aparência do jardineiro, Deus voltou a andar no jardim, no frescor, não da tarde, mas do amanhecer[280].

280 Gênesis 3:8; João 20:14-16. (N.T.)

CAPÍTULO 4

O TESTEMUNHO DOS HEREGES

Cristo fundou a Igreja com duas grandes figuras de linguagem, usadas nas palavras finais aos Apóstolos que receberam autoridade para fundá-la. A primeira foi a respeito de fundamentá-la sobre Pedro como sobre uma rocha; a segunda foi o símbolo das chaves[281]. Sobre o significado da primeira, para mim naturalmente não há qualquer dúvida, mas isso não afeta de maneira direta o argumento aqui, salvo em dois outros aspectos secundários. É mais um exemplo de algo que só depois poderia se expandir e ser completamente esclarecido, e até muito tempo depois. E é mais um exemplo de algo bem contrário do que é simples e óbvio, mesmo na linguagem, à medida que descreve um homem como uma rocha quando ele tem muito mais a aparência de um junco.

Mas a imagem das chaves tem uma exatidão que não tem sido percebida como deveria. As chaves se tornaram bastante evidentes na arte e na heráldica da cristandade, mas nem todos notaram a peculiar

281 Mateus 16:18,19. (N.T.)

subjetividade da alegoria. Chegamos agora ao ponto da história em que algo deve ser dito sobre a primeira aparição e as atividades da Igreja no Império Romano; e, para essa breve descrição, nada poderia ser mais perfeito do que a antiga metáfora.

O Cristão Primitivo era, falando de modo muito preciso, uma pessoa carregando uma chave, ou o que ele chamava assim. Todo o movimento cristão consistiu em reivindicar a sua posse – não era apenas um movimento vago para a frente, que poderia ser mais bem representado por um aríete. Não foi algo que trouxe coisas semelhantes e diferentes, como faz um movimento social moderno. Como veremos daqui a pouco, definitivamente ele se recusou a fazer isso. Ele afirmou que havia uma chave, que a possuía e que não havia nenhuma outra como essa; nesse sentido, era tão limitado quanto lhe conviesse. Apenas aconteceu de ser a chave que poderia destrancar a prisão do mundo inteiro e deixar entrar a clara luz do dia da liberdade.

O credo era como uma chave em três aspectos, que podem ser devidamente resumidos sob esse símbolo. Primeiro: uma chave é, acima de tudo, um objeto com uma forma e depende inteiramente de mantê-la. O credo cristão é, acima de tudo, a filosofia das formas e o inimigo da deformidade. É nisso que difere de todo esse infinito amorfo, maniqueísta ou budista, ao gerar uma espécie de charco sombrio no coração de trevas da Ásia: o ideal de recriar todas as criaturas. É nisso que também difere da imprecisão análoga do mero evolucionismo: a ideia de criaturas em constante deformação. Um homem cuja sua única chave de casa foi derretida com um milhão de outras em uma unidade budista ficaria furioso. Mas um homem cuja chave aos poucos cresceu e brotou no bolso, e ramificou-se em novos dentes de proteção ou presas, não poderia sentir-se mais gratificado.

Segundo: a forma de uma chave é, em si mesma, bastante exótica. Um selvagem que não soubesse o que é uma chave teria muita dificuldade em adivinhar o que ela poderia ser. E é fantástico porque, de certo modo, ela é arbitrária. Uma chave não é uma questão de abstrações; nesse sentido, não é uma questão de argumento. Ela se encaixa na fechadura ou não. É inútil que os homens discutam sobre isso, considerando-a em si mesma; ou que tentem desconstruí-la com base em princípios puros de geometria ou de arte decorativa. Não faz sentido um homem dizer que gostaria de uma chave simples; seria muito mais sensato fazer o melhor que pudesse com um pé de cabra.

Em terceiro lugar, como a chave segue um padrão obrigatório, então a chave de Pedro era, de certa forma, bastante elaborada. Quando as pessoas reclamam que a religião é muito complexa com teologia e coisas do gênero, esquecem que o mundo não só entrou em um buraco, mas em um labirinto inteiro de fossos e cantos. O problema em si era complicado; no sentido comum, não envolvia apenas algo tão simples como o pecado. Também estava cheio de segredos, de falácias inexploradas e indecifráveis, de doenças mentais inconscientes, de perigos para todos os lados. Se a fé tivesse encarado o mundo apenas com as banalidades sobre paz e simplicidade a que alguns moralistas a limitariam, ela não iria fazer o mais tênue efeito naquele luxuoso e labiríntico manicômio. Devemos agora descrever de modo aproximado o que ela fez. Basta dizer aqui que, sem dúvida, havia muita coisa a respeito da chave que parecia complexa; na verdade, havia apenas uma coisa bem simples: ela abriu a porta.

Existem certas declarações reconhecidas e aceitas nesse assunto que, por questões de brevidade e conveniência, podem ser descritas como mentiras. Todos nós já ouvimos pessoas dizerem que o cristianismo surgiu em uma era de barbárie, mas poderiam muito bem substituí-lo por Ciência Cristã[282]. Elas podem pensar que o cristianismo era um sintoma de decadência social, como eu penso que a Ciência Cristã é um sintoma de decadência mental, ou tratá-lo como uma superstição que

282 Ver nota 215. (N.T.)

acabou destruindo uma civilização, como eu penso que a Ciência Cristã também é uma superstição capaz (se levada a sério) de destruir várias. Mas dizer que um cristão do século IV ou V era um bárbaro vivendo em tempos bárbaros é exatamente como dizer que a sra. Eddy era uma pele-vermelha. E se eu permitisse que minha impaciência constitucional com a sra. Eddy me impelisse a chamá-la de pele-vermelha, eu, aliás, estaria mentindo. Podemos gostar ou não da civilização imperial de Roma no século IV e da civilização industrial da América no século XIX; mas nenhuma pessoa de bom senso poderia negar que ambas eram o que de modo geral é chamado de civilização, mesmo se quisesse. Esse é um fato muito óbvio, mas também fundamental; e devemos usá-lo como base de qualquer descrição adicional do cristianismo construtivo no passado. Para o bem ou para o mal, ele foi sobretudo o produto de uma era civilizada, talvez de uma era supercivilizada.

Esse é o primeiro fato à parte de todo elogio ou culpa; na verdade, sou tão sem sorte que não sinto estar louvando algo que comparo à Ciência Cristã. Mas é desejável pelo menos conhecer algum aspecto da sociedade em que estamos condenando ou louvando alguma coisa; e a ciência que liga a sra. Eddy aos tacapes ou a *Mater Dolorosa*[283] aos totens pode, para nossa conveniência geral, ser eliminada. O fato dominante, não apenas sobre a religião cristã, mas sobre toda a civilização pagã, foi repetido várias vezes nestas páginas. O Mediterrâneo era um lago no sentido real de uma piscina, no qual vários cultos ou culturas diferentes foram reunidos. As cidades em frente uma à outra nas margens do lago tornaram-se cada vez mais uma cultura cosmopolita. Em sua face legal e militar estava o Império Romano, mas era apenas uma de muitas. Ela pode ser chamada de supersticiosa, uma vez que tinha várias crendices; mas de maneira alguma qualquer parte dela pode ser chamada de bárbara.

283 *Mater Dolorosa* é uma forma pela qual Maria, mãe de Cristo, é venerada, representada como se estivesse sentindo dores. De modo específico, é o nome de uma pintura atribuída ao pintor alemão Hans Memling (c. 1430-1494). (N.T.)

Nesse nível de cultura cosmopolita surgiu a religião cristã e a Igreja Católica; e tudo na história sugere que elas pareciam algo novo e diferente. Aqueles que arriscaram sugerir que elas evoluíram de algo muito mais brando ou mais comum descobriram que, nesse caso, seu método evolutivo é muito difícil de ser aplicado. Eles podem sugerir que essênios ou ebionitas[284] ou coisas assim foram a semente; mas a semente é invisível, a árvore logo se manifesta crescida e é bem diferente. Com certeza, é uma árvore de Natal, no sentido de que mantém a bondade e a beleza moral da história de Belém; mas era tão ritualística quanto o candelabro de sete braços, e as suas velas eram consideravelmente mais do que talvez fossem permitidas pelo primeiro livro de orações de Eduardo VI[285]. Pode-se perguntar, de fato, por que alguém que aceita a tradição de Belém deveria se opor a ornamentos dourados ou suntuosos, já que os próprios Magos trouxeram ouro; por que ele não gostaria de incenso na igreja, uma vez que o incenso foi trazido até o estábulo? Mas essas controvérsias não me interessam aqui. Preocupo-me apenas com o fato histórico, cada vez mais aceito pelos historiadores, de que muito cedo isso se tornou visível para a civilização da antiguidade, e que a Igreja já veio pronta, com tudo o que lhe é implícito e com todos os seus defeitos. Discutiremos em um momento até que ponto ela era como outros mistérios rituais, mágicos ou ascéticos de sua época. Ela, certamente, não se parecia de maneira alguma com movimentos apenas éticos e idealistas de nossa época. Ela tinha uma doutrina; uma disciplina; sacramentos; teve graus de iniciação; admitia e expulsava pessoas; afirmava um dogma com autoridade e repudiava outro com anátemas.

284 Membros de seita herética do século I que misturava elementos da fé judaica (como a guarda da lei de Moisés) com a fé cristã, embora aceitassem apenas o Evangelho de Mateus e rejeitassem a divindade de Cristo. (N.T.)

285 O candelabro de sete braços (menorá) é um dos mais importantes símbolos da religião judaica. Eduardo VI (1537-1553), rei da Inglaterra e da Irlanda, o primeiro rei inglês criado como protestante, cuja fé implementou em seu reinado. Em sua época foi publicado o *Livro de oração comum* (1549), manual litúrgico da Igreja da Inglaterra. (N.T.)

Se todas essas coisas são marcas do Anticristo, o seu reino veio muito rapidamente após Cristo.

Aqueles que sustentam que o cristianismo não era uma Igreja, mas um movimento moral de idealistas, têm sido forçados a adiar cada vez mais o período do desvio ou do desaparecimento do cristianismo. Um bispo de Roma escreve reivindicando autoridade para si durante a vida de São João Evangelista, e essa atitude é descrita como a primeira agressão ao papa. Um amigo dos Apóstolos escreve sobre eles como homens a quem conhecia e diz que lhe ensinaram a doutrina do Sacramento, e o sr. Wells consegue apenas murmurar que a reação aos rituais bárbaros de sangue pode ter ocorrido antes do esperado. A data de redação do Quarto Evangelho, que, em certa época, era cada vez mais tardia, agora se torna cada vez mais precoce; até que os críticos sejam surpreendidos com a possibilidade clara e terrível de que ele possa realmente ser o que professa.

O limite definitivo de uma data anterior para a extinção do verdadeiro cristianismo foi provavelmente encontrado pelo último professor alemão cuja autoridade é invocada pelo deão Inge[286]. Esse sábio estudioso diz que o Pentecostes foi a ocasião da primeira fundação de uma Igreja eclesiástica, dogmática e despótica, totalmente alheia aos ideais simples de Jesus de Nazaré. Isso pode ser chamado, tanto no sentido popular quanto no erudito, de limite. Esses professores imaginam que os homens são feitos do quê? Suponha que se tratasse de qualquer movimento apenas humano, como aquele dos Objetores de Consciência[287]. Alguns dizem que os primeiros cristãos eram pacifistas; eu não acredito nisso nem por um momento, mas estou disposto a aceitar o paralelo por

286 William Ralph Inge (1860-1954), controverso clérigo da Igreja da Inglaterra. Foi deão da St. Paul's Cathedral, em cujo púlpito atacou otimistas, progressistas, democratas, socialistas e advogou o controle da natalidade e a eugenia. (N.T.)

287 Pessoas que se opõem ao porte de armas ou a qualquer tipo de treinamento ou serviço militar, por questão de consciência com base em princípios religiosos, filosóficos ou políticos. Os movimentos quacres e *dukhobors*, já citados, encaixam-se nessa categoria. (N.T.)

causa do argumento. Tolstói ou algum grande pregador da paz entre os camponeses foi baleado como amotinado por desafiar o alistamento, e, pouco mais de um mês depois, seus raros seguidores se reúnem no cenáculo em memória dele. Eles nunca tiveram nenhum motivo para se reunir, a não ser aquela memória comum; eram muito diferentes, sem nada em comum, exceto que o maior evento de toda a vida deles foi essa tragédia do mestre da paz universal. Eles estão sempre repetindo suas palavras, revisitando seus questionamentos, tentando imitar seu caráter. Os pacifistas se reúnem em seu Pentecostes e são possuídos por um súbito êxtase de entusiasmo e de imoderada torrente do furacão de inspiração, no decorrer do qual eles procedem ao estabelecimento de Alistamento Geral, para aumentar as Estimativas da Marinha, insistem que todos andem armados até os dentes e que todas as fronteiras sejam cheias de artilharia; os procedimentos foram concluídos com o canto de "Meninos da Raça Buldogue"[288] e "Não deixe que eles destruam a Marinha Britânica"[289]. Isso forma um paralelo quase exato à teoria desses críticos: a transição da ideia deles a respeito de Jesus à ideia deles a respeito do catolicismo poderia ter ocorrido no pequeno cenáculo do Pentecostes. Certamente o bom senso de qualquer um lhe dirá que os entusiastas, aqueles que se reúnem apenas por causa de seu entusiasmo comum por um líder a quem amavam, não se apressariam de forma instantânea a estabelecer tudo o que ele odiava. Não. Se o "sistema eclesiástico e dogmático" é tão antigo quanto o Pentecostes, ele é tão antigo quanto o Natal. Se seguirmos sua história até os primeiros cristãos, temos de segui-la até Cristo.

Podemos começar, então, com as duas negações a seguir. Não faz sentido dizer que a fé cristã surgiu em uma era simples, como se isso

---

288 Designação dada a jovens que faziam parte da tripulação de vários navios da Marinha Real Britânica. (N.T.)

289 *Don't Let 'Em Scrap The British Navy!* é uma música humorística de 1922 da autoria de Melville Gideon (1884-1933), ator e músico. (N.T.)

significasse uma era iletrada e crédula. É da mesma maneira absurdo dizer que a fé cristã era simplista, no sentido de ser uma coisa vaga, infantil ou meramente instintiva. Talvez o único aspecto que nos possibilitava afirmar que a Igreja se encaixava no mundo pagão fosse o fato de que ambos não eram apenas civilizados em demasia, mas bastante complicados. Ambos eram enfaticamente multifacetados, e a antiguidade também, como um buraco hexagonal à espera de uma tampa exata. Nesse sentido, apenas a Igreja era multifacetada o suficiente para encaixar-se no mundo.

Os seis lados do mundo mediterrâneo se enfrentaram do outro lado do mar e esperaram por algo que pudesse olhar para todos os lados ao mesmo tempo. A Igreja tinha de ser romana, grega, judia, africana e asiática. Nas próprias palavras do Apóstolo dos Gentios, ela era realmente tudo para todos os homens[290]. O cristianismo não era apenas bruto e simples, mas o completo oposto ao crescimento de um tempo bárbaro. Porém, quando chegamos à acusação contrária, ela nos parece muito mais plausível. É bem mais defensável que a fé seja apenas o final da decadência da civilização, no sentido do excesso; que essa superstição era um sinal de que Roma estava morrendo, justamente por ser muito civilizada. Esse é um argumento que merece ser bem considerado, e assim vamos fazê-lo.

No começo deste livro, aventurei-me em um resumo geral do assunto, fazendo um paralelo entre o surgimento da humanidade a partir da natureza e o surgimento do cristianismo a partir da história. Indiquei que, em ambos os casos, o que viesse antes poderia ter alguma consequência futura, mas isso não aconteceu. Se uma mente desapegada tivesse visto certos macacos, poderia deduzir que deles viriam mais antropoides, mas não teria imaginado o homem ou qualquer coisa dentro de mil quilômetros do que o homem tenha feito. Em resumo, poderia

290 Referência de Paulo a Cristo (Cl 3:11). (N.T.)

ter visto o *Pithecanthropus* ou o Elo Perdido[291] surgindo no futuro, talvez tão vaga e duvidosamente quanto o vimos no passado. Mas, se pudesse saber que ele iria aparecer, também o teria visto desaparecendo e deixando alguns tênues vestígios, assim como ocorreu de fato, se é que podemos considerar vestígios. Prever aquele Elo Perdido não seria prever o Homem ou algo parecido. Essa explicação anterior deve ser guardada em mente, porque é um paralelo exato à verdadeira visão da Igreja e a sugestão de que ela evoluiu naturalmente a partir do Império em decadência.

A verdade é que, em certo sentido, um homem poderia muito bem ter previsto que a decadência imperial resultaria em algo como o cristianismo – um pouco parecido e drasticamente diferente. Um homem poderia muito bem ter dito, por exemplo: "O prazer foi perseguido de forma tão extrema que haverá uma reação em direção ao pessimismo. Talvez ela assuma a forma de ascetismo: os homens se mutilarão em vez de apenas se enforcarem". Ou um homem poderia dizer, de modo muito razoável: "Se estivermos cansados de nossos deuses gregos e latinos, estaremos ansiosos por algum mistério oriental ou de outro lugar; virá uma onda de costumes persas ou hindus". Ou um homem do mundo poderia ter sido perspicaz o suficiente para dizer: "Pessoas poderosas estão adotando esses modismos; um dia, a corte adotará um deles e ele se tornará oficial". Ou ainda outro profeta mais pessimista seria perdoado por dizer: "O mundo está vindo ladeira abaixo; superstições trevosas e bárbaras retornarão, não importa muito quais delas. Serão todas sem nexo e efêmeras como os sonhos da noite".

É bem interessante lembrar que todas essas profecias realmente se cumpriram, mas sem intermédio da Igreja, que as desviou e confundiu para erguer-se acima delas em triunfo. A aposta de que a simples natureza do hedonismo provavelmente causaria uma mera reação de

291 Para *Pithecanthropus*, ver nota 35. O Elo Perdido é, segundo a teoria evolucionista, o último ancestral comum entre chimpanzés e humanos. (N.T.)

ascetismo se confirmou – era o movimento chamado maniqueísta[292], e a Igreja era seu inimigo mortal. Da mesma maneira espontânea como surgiu naquele ponto da história, apareceu e também desapareceu. A mera reação pessimista veio com os maniqueístas e se foi junto com eles. Mas a Igreja não fez esse movimento, e ela estava muito mais relacionada à partida deles do que à vinda. Ou, ainda, era tão provável que o crescimento do ceticismo trouxesse o estilo de religião oriental que realmente o trouxe; Mitra[293] veio de muito além da Palestina, do coração da Pérsia, trazendo estranhos mistérios do sangue de touros.

Com certeza, tudo indicava que alguma dessas formas surgiria em qualquer caso, mas certamente não havia nada no mundo para indicar que elas não seriam passageiras. Com certeza, uma tendência oriental se alinhava muito ao século IV ou V, mas isso não explica sua longevidade até o século XX e a força que mantém até hoje. Em resumo, na medida em que se poderiam esperar reações como essa naquela época, outras como o mitraísmo foram experimentadas; mas isso não explica nossas experiências mais recentes. E se ainda fôssemos mitraístas apenas porque os ornatos mitraicos para a cabeça e outros aparatos persas estavam na moda nos dias de Domiciano[294], parece que, a essa altura, já estaríamos um tanto deselegantes.

O mesmo ocorre, como será sugerido em breve, com a ideia de favoritismo oficial. Confrontá-lo a uma moda passageira era algo que deveria acontecer durante o declínio e a queda do Império Romano, e assim o foi, tanto que declinou e caiu com ele. Isso não esclarece o que exatamente se recusou a declinar e a cair, que crescia com vigor enquanto outro lado estava em queda; e que, mesmo neste momento, avançou com destemida energia, quando outro éon terminava seu ciclo e outra civilização parecia quase pronta para deixar de existir.

---

292 Ver nota 169. (N.T.)

293 Ver nota 170. (N.T.)

294 Tito Flávio Domiciano (51-96), imperador romano que estimulou a volta à antiga religião tradicional e pagã, especialmente à adoração a Júpiter e a Minerva. (N.T.)

Mas o fato curioso é que as próprias heresias que a Igreja Primitiva é acusada de destruir atestam a injustiça pela qual é culpada. Se algo merecesse repreensão, seria justamente o motivo pelo qual ela teria sido punida ao repreender. Se houvesse apenas uma superstição, ela mesma a teria condenado; se houvesse mera reação à barbárie, ela mesma teria resistido, porque isso era uma reação. Se algo saísse de moda junto com a queda do império, que morreu e mereceu morrer, teria sido apenas a Igreja que a teria matado. A Igreja é repreendida exatamente pelos mesmos motivos que a heresia o foi. As explicações dos historiadores evolucionários e daqueles da alta crítica de fato esclarecem por que o arianismo, o gnosticismo e o nestorianismo[295] nasceram – e também porque foram extintos. Eles não explicam por que a Igreja nasceu ou por que ela persiste até hoje, e muito menos por que ela deveria ter combatido os mesmos males com os quais supostamente compactua.

Vamos dar alguns exemplos práticos: o princípio de que, se algo fosse realmente uma superstição do império em decadência, ela de fato morreria com ele e, com certeza, não teria relação com o que o destruiu. Para esse fim, tomaremos em ordem duas ou três das explicações mais comuns dadas pelos críticos modernos do cristianismo quanto às origens cristãs. Nada é mais comum, por exemplo, do que encontrar um deles escrevendo algo assim: "O cristianismo era acima de tudo um movimento de ascetas, uma corrida ao deserto, um refúgio no claustro, uma renúncia a toda vida e felicidade, e isso era parte de uma reação pessimista e desumana contra a própria natureza, um ódio ao corpo, um horror ao universo material, uma espécie de suicídio universal dos

295 Arianismo era a doutrina defendida por Ário (250-336), presbítero cristão egípcio, que afirmava ser Cristo uma criatura superior ao homem, mas não Deus, negando-lhe, portanto, a divindade. Negava também a Santíssima Trindade. O gnosticismo é um sincretismo de correntes filosófico-religiosas que pregava a existência de um conhecimento (*gnose*, em grego) especial, obtido apenas por iniciados. Segundo os gnósticos, um deus mau, menor, chamado de demiurgo, criou o mundo. O nestorianismo foi uma heresia do século V, que se desenvolveu a partir dos ensinamentos de Nestório, bispo de Constantinopla. Sustentava que em Jesus havia duas pessoas, uma divina e uma humana. (N.T.)

sentidos e até do ego. Veio de um fanatismo oriental como o dos faquires e foi, por fim, fundado sobre um pessimismo oriental, que parece perceber a própria existência como um mal".

Contudo, a coisa mais extraordinária é que há verdade em todos os detalhes, exceto pelo fato de ser atribuído inteiramente à pessoa errada. Isso não se afirma em relação à Igreja, mas é verdadeiro para os hereges condenados pela Igreja. É como se alguém escrevesse uma análise mais detalhada dos erros e da má administração dos ministros de George III apenas com a pequena imprecisão de que toda a história foi contada sobre George Washington[296]; ou como se alguém fizesse uma lista dos crimes dos bolcheviques sem variação, exceto pelo fato de todos terem sido atribuídos ao Czar[297]. A Igreja primitiva era, de fato, muito ascética em conexão com uma filosofia totalmente diferente: a filosofia de uma guerra pela vida e pela natureza que existiam de fato no mundo, se os críticos soubessem onde procurá-las.

O que realmente aconteceu foi isto: quando a Fé surgiu no mundo, logo de cara foi envolvida em uma espécie de enxame de seitas místicas e metafísicas, principalmente vindas do Oriente, como uma solitária mamangaba presa em um enxame de vespas. Para o espectador comum, não parecia haver muita diferença ou nada além de um zumbido genérico; de fato, em certo sentido, não havia muita diferença no que se refere à picada ou ao ser picado. Mas apenas um ponto dourado em todo aquele zumbido com pó de ouro tinha o poder de sair para criar colmeias para toda a humanidade, fornecer mel e cera ao mundo ou (como foi tão bem dito em um contexto facilmente esquecido) "as duas

296 George III (1738-1820), rei da Inglaterra. Sob seu reinado, as colônias americanas declararam independência. George Washington (1732-1799), militar americano, liderou a guerra pela independência das colônias americanas e tornou-se o primeiro presidente da nova nação. (N.T.)

297 Os bolcheviques eram a maioria (significado do nome em russo) dos ex-integrantes do Partido Operário Social-Democrata Russo. Iniciaram as atividades com o fim da monarquia e pregavam a revolução socialista e a ditadura do proletariado. Czar era o título do imperador no período da monarquia russa, que se encerrou em 1917. (N.T.)

coisas mais nobres, que são doçura e luz"[298]. Todas as vespas morreram naquele inverno, e um dos obstáculos é que dificilmente alguém saberia algo sobre elas e a maioria nem sabe que elas existiram; assim, toda a história daquela primeira fase de nossa religião seria perdida.

Ou, usando outra metáfora, quando esse movimento ou algum outro rompeu o canal entre o Oriente e o Ocidente e trouxe mais ideias místicas para a Europa, trouxe consigo uma enxurrada de concepções místicas diferentes, a maioria delas ascéticas e quase todas pessimistas. Elas quase submergiram e sobrepujaram o elemento puramente cristão. Vieram principalmente daquela região que era uma espécie de fronteira sombria entre as filosofias e as mitologias orientais, e compactuavam com os filósofos mais subversivos que, curiosos, ansiavam por criar padrões fantásticos do cosmos na forma de mapas e árvores genealógicas. Os que descendiam do misterioso Manis foram chamados maniqueus, e cultos análogos passaram a ser mais conhecidos como gnósticos; são marcados por uma complexidade labiríntica, mas o ponto sobre o qual insistem é no pessimismo: o fato de que quase todos, de uma forma ou de outra, consideravam a criação do mundo como obra de um espírito maligno. Alguns tinham aquela atmosfera asiática que envolve o budismo: a sugestão de que a vida é uma corrupção da pureza do ser. Alguns deles sugeriam uma ordem puramente espiritual que fora traída pelo truque baixo e malfeito de fazer brinquedos como o Sol, a Lua e as estrelas. De qualquer maneira, toda essa maré sombria vinda do mar obscuro no meio da Ásia passou pelos canais junto com a doutrina cristã. Mas o ponto principal da história é que os dois não eram iguais: eles fluíam como óleo e água. Essa crença permaneceu na forma de um milagre; um rio ainda fluindo através do mar. E a prova do milagre foi, mais uma vez, concreta: enquanto todo o mar era salgado e amargo com o gosto da morte, um homem podia beber daquela fonte que corria no meio.

---

298 Expressão criada por Jonathan Swift (1667-1745), clérigo, satírico e escritor anglo-irlandês, autor de *As viagens de Gulliver*. Ele cunhou a expressão em seu livro de prosa heroica e satírica *The Battle of the Books* [A batalha dos livros]. (N.T.)

Essa pureza, contudo, foi preservada por definições e exclusões dogmáticas – não poderia ter sido de outro modo. Se a Igreja não tivesse rejeitado os maniqueístas e os gnósticos, ela poderia ter se tornado um deles. Mas, pelo fato de tê-los rejeitado, ela provou que não era gnóstica ou maniqueísta. De qualquer forma, o que poderia tê-los condenado a não ser as boas novas originais dos mensageiros de Belém e da trombeta da Ressurreição?

A Igreja primitiva era ascética, mas provou que não era pessimista simplesmente por condená-los. A crença declarou que o homem era pecador, mas não afirmou que a vida era má e provou isso condenando aqueles que o fizeram. A condenação dos hereges primitivos é criticada como um ato rabugento e mesquinho, mas era, na verdade, a prova real de que a Igreja pretendia ser fraterna e acolhedora. Isso provou que os católicos primitivos estavam de maneira especial ansiosos para explicar que não consideravam o homem absolutamente vil, que a vida não era incuravelmente miserável, que o casamento não é um pecado nem a procriação é uma tragédia. Eles eram ascéticos porque o ascetismo era o único expurgo possível dos pecados do mundo, mas, no próprio trovejar de seus anátemas, eles afirmavam para sempre que seu ascetismo não deveria ser anti-humano ou antinatural, pois desejavam purgar o mundo e não destruí-lo.

E nada a não ser esses anátemas poderia ter deixado isso claro, em meio a um caos que ainda os confunde com seus inimigos mortais. Nada além do dogma poderia resistir ao tumulto da fértil imaginação com a qual os pessimistas estavam travando sua guerra contra a natureza, com seus éons e seus demiurgos, seu estranho Logos e sua sinistra Sophia[299]. Se a Igreja não tivesse insistido na teologia, teria se dissolvido

299 Para os gnósticos e os neoplatônicos, os éons eram entidades intermediárias entre Deus e o mundo físico. Demiurgo: ver nota 295. Logos ("palavra", em grego) se tornou um conceito filosófico a partir de Heráclito de Éfeso (c. 540 a.C.), conhecido como "o obscuro" e "Pai da Dialética". Para ele, o Logos era o princípio cósmico da ordem e da beleza. Sophia ("a que detém a sabedoria", em grego), para os gnósticos, correspondia à alma humana e a um aspecto feminino de Deus, o Espírito Santo. (N.T.)

em uma mitologia sem nexo dos místicos, ainda mais afastada da razão ou do racionalismo, e, acima de tudo, mais distante da vida e do amor à vida. Lembre-se de que isso seria uma mitologia invertida, que contradiz tudo o que é natural no paganismo; uma mitologia em que Plutão ficaria acima de Júpiter e o Hades estaria mais alto que o Olimpo; em que Brahma e tudo o que tem o fôlego da vida estariam sujeitos a Shiva, brilhando com os olhos da morte.

O fato de a Igreja primitiva estar em pleno estado de êxtase pela renúncia e pela virgindade torna essa distinção muito mais impressionante, e nada menos. Torna ainda mais importante o lugar onde o dogma traçou a linha de separação. Um homem podia rastejar como um animal quadrúpede por ser um asceta. Ele podia ficar noite e dia no topo de um pilar e ser adorado por ser um asceta[300], mas não podia dizer, sem ser herege, que o mundo era um erro ou que o casamento indica um pecado. O que foi que, assim, deliberadamente se desvencilhou do ascetismo oriental por meio de uma definição nítida e de repulsa feroz, se não algo com uma individualidade própria, muito distinta? Se os católicos são confundidos com os gnósticos, podemos apenas dizer que não é por culpa daqueles. E é bastante difícil que os católicos sejam responsabilizados pelos mesmos críticos por perseguir os hereges e simpatizar com a heresia.

A Igreja não era um movimento maniqueísta nem ascético, até porque não era um movimento. Seria mais fidedigno chamá-la de domadora do ascetismo do que de sua representante ou submissa a ele. A Igreja era algo que tinha sua própria teoria do ascetismo, mas, o que era mais notável à época, moderava outras teorias e vertentes. Este é o único sentido que pode ser dado, por exemplo, à história de Santo Agostinho[301]. Enquanto

300 Referência a São Simeão, o Estilita (390-459), asceta sírio que passou 37 anos em uma pequena plataforma sobre um pilar. (N.T.)

301 Aurélio Agostinho, mais conhecido como Santo Agostinho de Hipona (354-430), bispo, escritor, teólogo e filósofo nascido na atual Argélia. Um dos mais influentes pensadores cristãos, com ampla influência tanto entre católicos como entre protestantes. Autor de *Confissões* e *Cidade de Deus*. Foi maniqueísta na juventude, antes de abraçar a fé cristã, em 386. (N.T.)

foi apenas um homem do mundo, sendo carregado pela corrente de seu tempo, ele era, na verdade, um maniqueísta, o que era realmente muito moderno e elegante. Mas, quando ele se tornou católico, logo foi atacado e censurado pelos maniqueístas. A maneira católica de dizer isso é que ele deixou de ser um pessimista para se tornar um asceta. Mas, do modo como os pessimistas interpretaram o ascetismo, deve-se dizer que ele deixou de ser um asceta para se tornar um santo. A guerra à vida e a negação da natureza eram exatamente as coisas que ele já havia encontrado no mundo pagão, e às quais teve de renunciar quando entrou na Igreja. O próprio fato de Santo Agostinho ser uma figura um pouco mais severa ou mais triste do que São Francisco ou Santa Teresa apenas acentua o dilema. Face a face com o mais sério ou até mais austero dos católicos, ainda podemos perguntar: "Por que o catolicismo fez guerra aos maniqueístas, se o catolicismo era maniqueísta?".

Tome outra explicação racionalista da ascensão da cristandade. É bastante comum encontrar outro crítico dizendo: "Na verdade, o cristianismo não ascendeu; ou seja, ele não surgiu de baixo, mas foi imposto de cima. É um exemplo do poder do executivo, em especial em Estados despóticos. O Império era realmente um Império, ou seja, ele de fato foi governado pelo Imperador. Aconteceu de um dos Imperadores se tornar cristão. Ele poderia muito bem ter se tornado mitraísta, judeu ou adorador do fogo – era comum no declínio do Império que pessoas eminentes e instruídas adotassem esses cultos orientais excêntricos. Mas quando ele adotou o cristianismo, essa se tornou a religião oficial do Império Romano, e desde então, ele se tornou tão forte, universal e invencível quanto o Império Romano. Ele só permaneceu no mundo como uma relíquia desse Império; ou, como muitos têm dito, é apenas o fantasma de César ainda pairando sobre Roma". Essa também é uma linha de pensamento muito comum adotada nas críticas à ortodoxia, para dizer que foi apenas o oficialismo que a tornou ortodoxa. E, mais uma vez, nesse ponto podemos chamar os hereges para refutar esse pensamento.

Toda a grande história da heresia ariana[302] pode ter sido inventada para detonar essa ideia. É uma história muito interessante, repetida com frequência em conexão com esse assunto, e o resultado é que, se desde sempre houve uma religião meramente oficial, ela de fato morreu por esse mesmo motivo, destruída pela religião real. Ário apresentou uma versão do cristianismo que se direcionou, de modo um tanto vago, ao que deveríamos chamar de unitarismo[303], embora não fosse exatamente isso, pois dava a Cristo uma curiosa posição intermediária entre o divino e o humano. A questão é que essa hipótese parecia muito mais razoável e menos fanática, e entre os que a seguiam havia vários da classe culta, como uma reação ao primeiro idílio da conversão. Os arianos eram outra vertente de moderados e de modernistas. E é perceptível que, após as primeiras disputas, essa era a forma final da religião racionalizada sobre a qual a civilização poderia se estabelecer. Foi aceita pelo próprio Divus César e tornou-se a ortodoxia oficial; generais e príncipes militares trazidos das novas potências bárbaras do norte, cheios de expectativas, a apoiaram de modo vigoroso.

Mas a continuação é ainda mais importante. Da mesma maneira que um homem moderno pode passar do unitarismo para o completo agnosticismo, o maior dos imperadores arianos largou, de modo definitivo, a última e mais fiel imitação de cristianismo: ele abandonou Ário para sempre e voltou para Apolo. Ele era um César dos Césares; um soldado, um estudioso, um homem de grandes ambições e ideais; mais um rei filósofo. Sentia como se o Sol pudesse nascer novamente sob sua ordem. Os oráculos começaram a falar como pássaros começando a cantar ao amanhecer; o paganismo era novamente ele mesmo; os deuses voltaram. Parecia o fim daquele estranho interlúdio de uma superstição

302 Ver nota 295. (N.T.)

303 Ou unitarianismo. Doutrina herética que nega a Santíssima Trindade ao afirmar que Deus é uma pessoa, e não três. Nega também o pecado original e a depravação humana. É um desenvolvimento das ideias de Ário. (N.T.)

pária – e de fato acabou. Era o fim disso, assim como a queda de um imperador ou a moda de uma geração. Se houve algo que começou mesmo com Constantino, então terminou com Juliano[304].

Mas havia algo que não acabara. Surgira naquele momento da história, desafiador acima do tumulto democrático dos Concílios da Igreja, Atanásio contra o mundo[305]. Podemos fazer uma pausa no ponto em questão, pois é relevante para toda essa história, e o mundo moderno parece não entender a importância disso. Podemos colocar da seguinte maneira: se há uma questão que os esclarecidos e os liberais têm o hábito de ridicularizar e expor como um péssimo exemplo de dogma superficial e de conflito sectário sem nexo, é essa questão atanasiana da Coeternidade do Filho Divino. Por outro lado, se há uma coisa que os mesmos liberais sempre nos apresentam como uma amostra do cristianismo puro e simples, sem ser corrompido pelas disputas doutrinárias, é a frase singular "Deus é Amor"[306]. No entanto, as duas afirmações são quase idênticas; pelo menos uma é quase um absurdo sem a outra. O dogma superficial é apenas a maneira lógica de expressar o belo sentimento. Pois, se havia um ser sem origem, existindo antes de todas as coisas, Ele estava amando quando não havia nada para ser amado? Se, nessa impensável eternidade, Ele está solitário, qual é o significado de dizer que Ele é amor? A única justificativa para esse mistério é a concepção mística de que, em Sua própria natureza, havia algo análogo à autoexpressão, algo do que gera e vê o que gerou. Sem essa concepção,

---

304 Flávio Valério Constantino (272-337), Constantino I, também conhecido como Constantino Magno ou Constantino, o Grande, imperador romano, embora continuasse praticando ritos pagãos, é considerado o primeiro imperador romano cristão. Ele tornou o cristianismo a religião oficial do Império. Flávio Cláudio Juliano (331-363), último imperador pagão do mundo romano, recebeu a alcunha de "o Apóstata" por não professar a fé cristã e atacá-la duramente, como em sua obra *Contra os galileus*, e por adotar antigas crenças pagãs greco-romanas. (N.T.)

305 Atanásio de Alexandria (296-373), bispo e Doutor da Igreja, participou, à época como diácono, do Concílio de Niceia (convocado por Constantino I), em que o arianismo foi declarado heresia. Por sua constante luta contra heresias, mesmo envolvendo imperadores, como Constantino I e Juliano, foi cunhada a expressão latina *Athanasius Contra Mundum*. (N.T.)

306 Primeira Epístola de São João 4:8. (N.T.)

é realmente ilógico complicar a essência última da divindade com uma ideia como o amor. Se os modernos realmente querem uma religião simples de amor, devem procurá-la no Credo Atanasiano[307].

A verdade é que a trombeta do verdadeiro cristianismo, o desafio das caridades e das simplicidades de Belém ou do dia de Natal nunca soaram de maneira mais arrebatadora e inconfundível do que no desafio de Atanásio à indiferença dos arianos. Foi enfaticamente ele quem de fato estava lutando por um Deus de Amor contra um Deus de controle cósmico pálido e distante, que era o Deus dos estoicos e dos agnósticos. Era justamente ele que estava lutando pelo Santo Menino contra a divindade triste dos fariseus e saduceus. Ele estava lutando por esse mesmo equilíbrio de bela interdependência e intimidade, na própria Trindade da Natureza Divina, que atrai nosso coração à Trindade da Sagrada Família. Seu dogma, se a frase não for mal interpretada, transforma até mesmo Deus em uma Sagrada Família. O fato de esse dogma puramente cristão se rebelar pela segunda vez contra o Império e, pela segunda vez, refundar a Igreja, apesar do Império, é uma prova de que havia algo positivo e pessoal agindo no mundo, diferente de qualquer fé que tenha sido adotada oficialmente. Esse poder destruiu completamente a fé oficial que o Império adotou. Ele seguiu seu próprio caminho, como o continua.

Há muitos outros exemplos nos quais se repete exatamente o mesmo processo que analisamos no caso dos maniqueístas e dos arianos. Alguns séculos depois, por exemplo, a Igreja teve de sustentar a mesma Trindade, que é simplesmente o lado lógico do amor, contra outra aparência da divindade isolada e simplificada na religião do Islã[308].

---

307 Embora tenha o nome de Atanásio, essa profissão de fé não foi por ele redigida, mas registra as ideias que ele defendia, principalmente quanto à cristologia. (N.T.)

308 Ou islamismo, religião monoteísta que surgiu na Península Arábica no começo do século VII por meio de Maomé (570-632), tido por último profeta enviado por Deus, que é chamado de Alá. Não reconhece a divindade de Cristo. O Alcorão (ou Corão), seu livro sagrado, seria a revelação inalterada de Alá. (N.T.)

No entanto, alguns não conseguem ver pelo que os militares das Cruzadas[309] estavam lutando; e alguns falam até como se o cristianismo nunca tivesse sido nada além de uma forma do que eles chamam de hebraísmo chegando com a decadência do helenismo. Essas pessoas certamente devem ficar muito intrigadas com a guerra entre a Crescente e a Cruz. Se o cristianismo nunca foi outra coisa senão uma moralidade mais simples que varreu o politeísmo, não haveria razão para que a cristandade não tivesse sido engolida pelo Islã.

A verdade é que o próprio Islã foi uma reação bárbara a essa complexidade muito humana que é de fato uma característica cristã: aquela mesma ideia de equilíbrio na deidade e na família, que marca esse credo pelo bom senso, e a ideia de que a sanidade é a alma da civilização. E é por isso que a Igreja é, desde o início, algo que mantém sua própria posição e seu ponto de vista, bem à parte de incidentes e anarquias de sua época. É por isso que ela dá golpes imparcialmente à direita e à esquerda, no pessimismo dos maniqueístas ou no otimismo dos pelagianos[310]. Não era um movimento maniqueísta porque não era um movimento, nem uma moda oficial porque não era uma moda. Era algo que poderia coexistir com essas tendências, dominá-las e sobreviver a elas.

Assim, podem surgir de seus túmulos os grandes heresiarcas para confundir seus companheiros de hoje. Não há nada que os críticos agora afirmem que não possamos pedir que essas grandes testemunhas neguem. O crítico moderno dirá com muita clareza que o cristianismo foi apenas uma reação ao ascetismo e à espiritualidade antinatural, uma dança de faquires furiosos contra a vida e o amor. Mas Manis, o grande místico, vai responder a eles de seu trono secreto e clamar: "Esses

309 As Cruzadas foram uma série de expedições de caráter religioso, econômico e militar sob as ordens da Igreja Católica para retomar Jerusalém, à época sob o domínio dos muçulmanos. Seu símbolo era a cruz, enquanto o símbolo dos muçulmanos era a Lua crescente. (N.T.)

310 Heresia desenvolvida a partir dos ensinamentos do monge Pelágio (350-423), a qual negava o pecado original, ensinando que o homem poderia alcançar a própria salvação sem a necessidade essencial da graça divina. (N.T.)

cristãos não têm o direito de serem chamados de espirituais; esses cristãos não têm a posição para serem denominados ascetas, eles que se comprometeram com a maldição da vida e toda a sujeira da família. Por meio deles a Terra ainda está conspurcada com frutas e colheita, e profanada com população. Não houve movimento contra a natureza, ou meus filhos a teriam levado a triunfar; mas esses tolos renovaram o mundo quando eu o teria terminado com um gesto."

E outro crítico escreverá que a Igreja era apenas a sombra do Império, a moda passageira de um Imperador, e que permanece na Europa apenas como o fantasma do poder de Roma. E Ário, o diácono, responderá das trevas do esquecimento: "Na verdade, não, ou o mundo teria seguido minha religião mais razoável. Pois a minha afundou diante de demagogos e de homens que desafiaram César; e ao redor do meu defensor estava a capa púrpura e era minha a glória das águias. Não foi por falta dessas coisas que eu falhei".

E, no entanto, um terceiro moderno sustentará que o credo se espalhou apenas como uma espécie de pânico quanto ao fogo do inferno; homens por toda parte tentando o impossível para fugir de uma vingança impensável; um pesadelo de remorso imaginário; e essa explicação satisfará muitos que veem algo terrível na doutrina da ortodoxia. E, então, se levantará contra isso a terrível voz de Tertuliano[311], dizendo: "E por que eu fui expulso? E por que corações e cabeças moles decidiram contra mim quando eu proclamei a perdição de todos os pecadores? E qual foi esse poder que me frustrou quando ameacei todos os apóstatas com o inferno? Pois ninguém jamais percorreu esse caminho tão difícil quanto eu; e meu era o *Credo Quia Impossible*[312]".

311 Considerado um dos Pais da Igreja, Tertuliano de Cartago (c. 160-c. 220), apologista e escritor cristão, é autor da mais antiga obra preservada em que o termo Trindade é usado. Desviou-se, porém, a certa altura da vida para a heresia montanista, com sua ênfase escatológica e espiritual, com a qual também veio a romper. (N.T.)

312 Latim: "Creio porque é impossível", embora a fórmula original seja "*Credo Quia Absurdum*": "Creio porque é absurdo". (N.T.)

Depois, há a quarta sugestão: de que havia algo da sociedade secreta semita em todo o assunto; uma nova invasão do espírito nômade sacudindo um paganismo mais *light*, suas cidades e seus deuses domésticos; por meio do qual as raças monoteístas possessivas poderiam afinal estabelecer seu único Deus. E Maomé responderá do redemoinho de vento, do vermelho redemoinho de vento do deserto: "Quem já serviu ao ciúme de Deus como eu ou quem o deixou mais sozinho no céu? Quem já prestou mais honra a Moisés e a Abraão ou conquistou mais vitórias sobre ídolos e imagens do paganismo? E o que me impulsionou com uma energia viva, cujo fanatismo pôde me expulsar da Sicília e arrancar minhas raízes profundas das rochas da Espanha? Que fé era a deles, que se aglomeravam aos milhares de todas as classes de um país, clamando que minha ruína era a vontade de Deus, a qual lançou o grande Godofredo como de uma catapulta sobre o muro de Jerusalém e trouxe o grande Sobieski[313] como um raio aos portões de Viena? Acho que havia mais do que você imagina na religião que se igualou à minha".

Aqueles que veem a fé como um fanatismo estão condenados a uma eterna perplexidade. Em seu relato, obrigam a fé a parecer fanática por nada e contra tudo. É ascética e está em guerra com ascetas; é romana e revoltada contra Roma; é monoteísta e luta furiosamente contra o monoteísmo; cruel em sua condenação da crueldade; um enigma que não deve ser explicado nem mesmo como irracionalidade. E que tipo de irracionalidade parece razoável a milhões de europeus instruídos durante todas as revoluções de 1.600 anos? As pessoas não se divertem com um quebra-cabeça ou com um paradoxo ou com uma mera confusão na mente durante todo esse tempo. Não conheço nenhuma explicação, exceto que tal coisa não é irracional, mas razão; que, se é

313 Barão Godofredo de Bulhões (1058-1100), nobre e militar franco, figura lendária que comandou a Primeira Cruzada no famoso Cerco de Jerusalém. Jan Sobieski (1629-1696), rei João III da Polônia, chamado de "O Invencível Leão do Norte", derrotou os muçulmanos na Batalha de Viena, os quais, ao atacarem a Áustria, punham em risco toda a cristandade na Europa. (N.T.)

fanática, é pela razão e contra todas as coisas irracionais. Essa é a única explicação que posso encontrar para algo que, desde o início, é tão imparcial e soberbo, condenando aquilo que se parecia com ela, recusando a ajuda de poderes que pareciam tão essenciais à sua existência, compartilhando do lado humano todas as paixões da era, mas sempre, no momento supremo, subitamente erguendo-se acima delas, nunca dizendo com exatidão o que se esperava e nunca precisando desdizer o que havia dito. Não consigo encontrar outra explicação, a não ser que, como Palas saindo do cérebro de Jove[314], ela realmente saiu da mente de Deus, madura e poderosa, e armada para julgamento e para a guerra.

314 Outro nome para o deus romano Júpiter, identificado com Zeus, deus grego. Ver nota 207. (N.T.)

CAPÍTULO 5

A FUGA DO PAGANISMO

O missionário moderno, com seu chapéu de folhas de palmeira e seu guarda-chuva, tornou-se uma figura engraçada. Ele é zombado entre os homens do mundo pela facilidade com que pode ser devorado por canibais e pelo fanatismo tolo que o leva a considerar a cultura canibal como inferior à sua. Talvez a melhor parte da piada seja que os homens do mundo não veem que estão zombando de si mesmos. É bem ridículo perguntar a um homem que está prestes a ser cozido em uma panela e devorado, em um banquete puramente religioso, por que ele não considera todas as religiões igualmente amigáveis e fraternas.

Mas há uma crítica mais sutil contra o missionário mais à moda antiga, no sentido de que ele generaliza demais os pagãos e presta pouca atenção à diferença entre Maomé e Mumbo-Jumbo[315]. Provavelmente havia verdade nessa queixa, em especial no passado, mas minha principal afirmação aqui é que o exagero hoje em dia é totalmente ao contrário.

315 Ver notas 215 e 63. (N.T.)

É a tendência dos professores universitários a tratar mitologias como tratam teologias: como coisas cuidadosamente pensadas que são levadas muito a sério. É a tendência dos intelectuais dar muita importância às finas variações de diversas escolas da metafísica bastante irresponsável da Ásia. Acima de tudo, é tendência a perder a real verdade implícita na ideia de *Aquino contra os gentios* ou *Athanasius contra mundum.*

Se o missionário diz, de fato, que ele é superior por ser cristão, e que o resto das raças e religiões podem ser classificadas em conjunto como pagãs, ele está perfeitamente certo. Ele pode dizer isso com o espírito equivocado, e nesse caso ele está errado no aspecto espiritual. Mas, à luz fria da filosofia e da história, ele está certo do ponto de vista intelectual. Ele pode não ser razoável, mas ele está certo. Ele pode até não ter o direito de estar correto, mas está. O mundo exterior ao qual ele leva seu credo é de fato sujeito a certas generalizações que abrangem todas as suas variedades, e não apenas credos semelhantes. Talvez seja, de qualquer forma, uma tendência excessiva ao orgulho ou à hipocrisia chamá-lo de pagão. Decerto fosse melhor simplesmente chamá-lo de humanidade. Mas existem certas características abrangentes do que chamamos de humanidade enquanto ela permanece no que denominamos mundo pagão. Não são necessariamente características ruins; algumas delas são dignas do respeito da cristandade; foram absorvidas e transfiguradas em sua substância. Existiam antes da cristandade e ainda existem fora dela, de modo tão certo quanto o mar existia antes de um barco e ao redor dele; e elas têm um gosto tão forte, universal e inconfundível quanto o mar.

Por exemplo, todos os verdadeiros acadêmicos que estudaram as culturas grega e romana dizem algo sobre elas. Eles concordam que, no mundo antigo, a religião era uma coisa e a filosofia, outra. Houve muito pouco esforço para racionalizar e ao mesmo tempo perceber uma crença de verdade nos deuses. Havia pouquíssima pretensão de qualquer credo real entre os filósofos. Mas ninguém tinha a paixão nem, talvez, o poder de perseguir os outros, salvo em casos particulares e peculiares: nem o filósofo em sua escola nem o sacerdote em seu templo parecem ter contemplado seriamente seu próprio conceito como se abrangesse o mundo. Um sacerdote que sacrificava a Ártemis na cidade de Calidão parecia não pensar que algum dia as pessoas fariam oferendas a ela e não a Ísis além do mar; um sábio seguindo a regra vegetariana dos neopitagóricos não parecia pensar que ela prevaleceria de modo universal e excluiria os métodos de Epiteto ou Epicuro[316]. Podemos chamar isso de liberalidade, se quisermos; não estou falando de uma discussão, mas descrevendo uma atmosfera. Tudo isso, eu digo, é admitido por todos os estudiosos; mas o que nem os eruditos nem os incultos provavelmente perceberam de fato é que essa descrição define bem toda a civilização não cristã hoje, em especial as grandes civilizações do Oriente. O paganismo oriental é, sem dúvida, muito mais uno, assim como o paganismo antigo era muito mais uno do que os críticos modernos admitem. Aquele é um multicolorido tapete persa, assim como este outro era um pavimento romano variado e em mosaico; mas a única verdadeira rachadura que rompeu esse pavimento veio do terremoto da Crucificação.

O europeu moderno que busca sua religião na Ásia está interpretando sua religião conforme os preceitos asiáticos – ali tem algo diferente; elementos a mais e a menos. Ele é como um homem mapeando o mar como se fosse terra, marcando ondas como se fossem montanhas, não entendendo a natureza de sua peculiar permanência. É verdade que a Ásia tem sua própria dignidade, poesia e elevada civilização, mas nem sempre tem seus próprios domínios definidos de governo moral, onde toda lealdade é concebida em termos de moralidade, como quando dizemos que a Irlanda é católica ou que a Nova Inglaterra era puritana. O mapa não indica religiões em nosso sentido eclesiástico. O estado de espírito é muito mais sutil, mais relativo, mais secreto, mais variado e

316 Para Epiteto, ver nota 233. Para Epicuro, ver nota 37. (N.T.)

mutável, como as cores da cobra. O muçulmano é o que mais se aproxima de um cristão militante, e isso ocorre precisamente porque ele é o que mais se alinha a um enviado da civilização ocidental. O muçulmano no coração da Ásia quase representa a alma da Europa. E, como ele se coloca entre a Ásia e a Europa no que diz respeito ao espaço, também se coloca entre a Ásia e o cristianismo no que diz respeito ao tempo. Nesse sentido, os muçulmanos na Ásia são apenas como os nestorianos[317]. O Islã, historicamente falando, é a maior das heresias orientais. Ele devia algo à individualidade bastante isolada e única de Israel, mas devia mais a Bizâncio[318] e ao entusiasmo teológico da cristandade. Devia algo até às Cruzadas, mas não à atmosfera do mundo antigo e tradicional da Ásia, com sua etiqueta imemorial e suas filosofias incompreensíveis ou desconcertantes. Toda a Ásia antiga e atual sentia a entrada do Islã como algo estrangeiro, ocidental e bélico, perfurando-a como uma lança.

Mesmo onde pudéssemos marcar com linhas pontilhadas os domínios das religiões asiáticas, provavelmente estaríamos lendo nelas algo dogmático e ético que pertence à nossa própria religião. É como se um europeu alheio ao ambiente americano imaginasse que cada unidade da federação fosse um Estado soberano separado, tão patriótico quanto a França ou a Polônia; ou que, quando um ianque se referisse com carinho à sua "cidade natal", dissesse que não tinha outra nação, como um cidadão da antiga Atenas ou Roma. Do modo como ele estaria interpretando um tipo específico de lealdade com respeito à América, nós também compreendemos um tipo particular de fidelidade com relação à Ásia. Existem lealdades de outros tipos, mas não são o que os homens do Ocidente chamam de ser crente: tentar ser cristão, ser

317 Ver nota 295. (N.T.)

318 Cidade fundada em 657 a.C. na região da Turquia atual. A cidade foi reconstruída por Constantino I em 330, que lhe deu o nome de Constantinopla. Ali o cristianismo como a religião oficial do Império Romano teve seu maior crescimento, e a partir da cidade espalhou sua influência. Foi tomada em 1453 pelos turcos, o que encerrou a Idade Média e deu início à Idade Moderna. Atualmente, chama-se Istambul. (N.T.)

um bom protestante ou um católico praticante. No mundo intelectual, isso significa algo muito mais vago e diverso por dúvidas e especulações. No mundo moral, significa algo muito mais frouxo e à deriva. Um professor de língua persa em uma de nossas grandes universidades, tão apaixonado pelo Oriente que praticamente professa desprezar o Ocidente, disse a um amigo meu: "Você nunca entenderá as religiões orientais, porque sempre entende a religião como algo conectado à ética. As orientais não têm nenhuma relação com ética". Muitos de nós conhecemos alguns Mestres da Sabedoria Superior, alguns Peregrinos no Caminho do Poder[319], alguns santos e videntes esotéricos orientais, que de fato não tinham relação alguma com ética. Algo diferente - despretensioso e irresponsável - tinge a atmosfera moral da Ásia e toca até a do Islã. Foi captado de maneira muito realista na atmosfera de *Hassan*[320], e uma mui terrível atmosfera. Ela é ainda mais nítida nos vislumbres que obtemos dos genuínos e antigos cultos da Ásia.

Mais profundo que as profundezas da metafísica, no fosso dos abismos das meditações místicas sob todo aquele universo solene de coisas espirituais, está um segredo - uma intangível e assustadora leveza. Realmente não importa muito o que a pessoa faça. Ou por que os asiáticos não acreditam em um diabo, ou por que acreditam em um destino, ou por que a experiência aqui é tudo e a vida eterna é algo totalmente diferente, mas, por algum motivo, são totalmente distintas. Li em algum lugar que havia três grandes amigos famosos na Pérsia medieval por sua afinidade espiritual. Um tornou-se o Vizir responsável e respeitado do Grande Rei[321]; o segundo foi o poeta Omar, pessimista

319 Aparentemente, apenas termos genéricos usados por Chesterton para referir-se a pensadores e sábios de diferentes matizes religiosos. (N.T.)

320 *Hassan* (1922), peça de caráter poético e oriental, publicada postumamente, é a obra mais conhecida de James Elroy Flecker (1884-1915), poeta e dramaturgo inglês. (N.T.)

321 No antigo Egito, o vizir era o mais alto oficial a servir o faraó. O Grande Rei pode ser referência a Sargão da Acádia (século XXIII a.C.), responsável por um dos maiores impérios da antiguidade, ao sul da Mesopotâmia. Ou ambos podem ser referência aos personagens centrais de *As mil e uma noites*. (N.T.)

e epicurista, bebendo vinho em zombaria a Maomé[322]; o terceiro foi o Velho da Montanha[323], que alucinou seu povo com haxixe para que eles matassem outras pessoas com punhais. Realmente não importa muito o que alguém faça.

O sultão em *Hassan* teria entendido todos esses três homens; na verdade, ele era todos eles. Mas esse tipo de universalista não pode ter o que chamamos de caráter – é o que denominamos de caos. Ele não pode escolher; não pode lutar; não pode se arrepender; não pode esperar. Ele não está de algum modo criando algo, pois criação significa rejeição. Não está, em nossa frase religiosa, nutrindo sua alma. Pois nossa doutrina da salvação realmente significa um labor como o de um homem tentando fazer uma estátua bonita: uma vitória com asas. Para isso deve haver uma escolha final, pois um homem não pode fazer estátuas sem rejeitar a pedra. E na verdade existe essa amoralidade definitiva por trás da metafísica asiática. E a razão é que não houve nada em todas aquelas impensáveis eras para trazer a mente humana precisamente ao ponto: para dizer que chegara a hora de escolher. A mente vivera demais na eternidade. A alma havia sido imortal demais, no sentido especial de ignorar a ideia de pecado mortal. Ela tinha muito da eternidade, no sentido de que não tinha o suficiente da hora da morte e do dia do juízo. Não era crucial o suficiente, no sentido literal de que não teve o suficiente da cruz. Esse é o significado de dizermos que a Ásia é muito antiga. Mas, estritamente falando, a Europa é tão antiga quanto a Ásia; realmente, de certo modo, um lugar é tão antigo quanto qualquer outro. O que queremos dizer é que a Europa não apenas continuou a envelhecer. Ela nasceu de novo.

---

322 Omar Khayyam (1048-1131), matemático, astrônomo e poeta persa, autor de *Rubaiyat* [Quartetos]. Em vários quartetos ele louvou os benefícios do vinho, bebida proibida pelo Islã, além de questionar diretamente a lei de Maomé. (N.T.)

323 Al-Hassan ibn Al-Sabbah (c. 1050-1124) fundou um Estado sob uma das formas de islamismo na região montanhosa da Pérsia e da Síria; seu grupo militar era conhecido como Ordem de Assassinos. (N.T.)

A Ásia é toda a humanidade, no sentido de ter trabalhado para a sua própria destruição. Em seu vasto território, em suas variadas populações, nas grandezas das realizações passadas e nas profundezas da especulação sombria, é em si mesma um mundo e representa algo daquilo a que nos referimos ao falar do mundo. É um cosmos e não um continente. É o mundo como o homem o fez e contém muitas das suas obras mais maravilhosas. Portanto, a Ásia permanece como a única representante do paganismo e a única rival da cristandade. Mas, em todos os outros lugares em que temos vislumbres desse destino mortal, eles sugerem estágios na mesma história. Lá onde a Ásia avança para os arquipélagos meridionais dos selvagens, ou onde uma escuridão cheia de formas sem nome habita no coração da África, ou onde os últimos sobreviventes de raças perdidas permanecem no vulcão frio da América pré-histórica, a história é sempre a mesma, às vezes, talvez, com alguns capítulos posteriores. São homens enredados na floresta de sua própria mitologia; afogados no mar de sua própria metafísica. Os politeístas se cansaram da mais selvagem das ficções. Os monoteístas se cansaram das mais maravilhosas verdades. Os satanistas aqui e ali têm tanto ódio do céu e da terra que tentaram se refugiar no inferno. É a Queda do Homem, e é exatamente essa queda que estava sendo percebida por nossos pais no primeiro momento do declínio romano. Nós também estávamos seguindo por aquela estrada lateral, descendo aquela ladeira suave, seguindo a magnífica procissão das elevadas civilizações do mundo.

Se a Igreja não tivesse entrado no mundo naquela época, parece provável que a Europa seria bem semelhante ao que a Ásia é agora. Algo pode ser permitido para haver uma diferença real de raça e ambiente, visível no mundo antigo e no moderno. Afinal de contas, porém, falamos muitíssimo sobre o imutável Oriente porque ele não sofreu a grande mudança. O paganismo, em sua última fase, mostrou sinais consideráveis de se tornar também imutável. Isso não significaria que não teríamos novas escolas ou seitas filosóficas, assim como novas escolas surgiram na Antiguidade e continuam aparecendo na Ásia. Isso não significa que não haveria místicos ou visionários reais, como havia místicos na Antiguidade e há na Ásia. Isso não significa que não haveria códigos sociais – pois existiam na Antiguidade e na Ásia – ou que não poderia haver homens bons ou vidas felizes, pois Deus deu a todos os homens uma consciência que pode oferecer alguma paz. Mas significa que o temperamento e a proporção de todas essas coisas, e especialmente a proporção de coisas boas e más, seriam no inalterado Ocidente o que são no imutável Oriente. E ninguém que olhe de modo honesto para aquele Oriente imutável, e com simpatia real, pode acreditar que existe algo que lembre vagamente o desafio e a revolução da Fé.

Em suma, se o paganismo clássico persistiu até agora, várias coisas podem ter permanecido com ele, e elas se pareceriam muito com o que chamamos de religiões orientais. Ainda haveria pitagóricos ensinando reencarnação, como ainda fazem os hindus. Ainda haveria estoicos fazendo uma religião de razão e virtude, como ainda fazem os confucionistas. Ainda haveria neoplatônicos estudando verdades transcendentais, cujo significado era misterioso para outras pessoas e debatido até entre eles mesmos, enquanto os budistas ainda estudam um transcendentalismo misterioso para os outros e debatido entre eles mesmos. Ainda haveria apolonianos inteligentes aparentemente adorando o deus Sol, mas explicando que estavam adorando o princípio divino, da mesma forma que ainda existem pársis[324] aparentemente adorando o Sol, mas explicando que estão adorando a divindade. Ainda haveria dionisíacos frenéticos dançando na montanha, como ainda há dervixes selvagens dançando no deserto. Ainda haveria uma multidão de pessoas participando das festas populares dos deuses pagãos tanto na

324 Ou parses: seguidores de Zoroastro, descendentes daqueles que migraram da Índia a fim de evitar a perseguição por parte dos muçulmanos. (N.T.)

Europa quanto na Ásia. Ainda haveria uma multidão de deuses, locais e outros, para elas adorarem. E ainda haveria muito mais pessoas que os adorariam do que acreditariam neles. Por fim, ainda haveria um grande número de pessoas que os adorariam e acreditariam neles, e que acreditariam em deuses e os adorariam apenas por serem demônios. Ainda haveria levantinos sacrificando secretamente a Moloque, como ainda existem tugues secretamente sacrificando a Kali. Ainda haveria muita magia, inclusive negra. Ainda haveria uma admiração considerável por Sêneca e uma imitação considerável de Nero, assim como os exaltados epigramas de Confúcio poderiam coexistir com as torturas da China. E, sobre toda essa emaranhada floresta de tradições que crescia ou definhava desenfreadamente, pairaria o amplo silêncio de uma disposição singular e sem nome, mas o nome mais próximo é nada. Todas essas coisas, boas e ruins, teriam um ar indescritível de serem velhas demais para morrer.

Nenhuma dessas coisas que ocupassem a Europa na ausência da cristandade se assemelharia a ela. Como a Metempsicose Pitagórica[325] ainda estaria lá, poderíamos chamá-la de religião pitagórica, assim como falamos sobre a religião budista. Como as nobres máximas de Sócrates ainda estariam lá, poderíamos chamá-la de religião socrática, assim como falamos sobre a religião confucionista. Como o feriado popular ainda seria marcado por um hino mitológico a Adônis, poderíamos chamá-lo de religião de Adônis, assim como falamos sobre a religião de Juggernaut[326]. Como a literatura ainda seria baseada na mitologia grega, poderíamos chamá-la de religião, assim como fazemos com a mitologia hindu. Poderíamos dizer que havia tantos milhares ou milhões de pessoas pertencentes a essa religião, no sentido de frequentarem esses templos ou por apenas viver em uma terra cheia desses templos. Mas

325 Teoria da transmigração da alma imortal, ou seja, a possibilidade de ela passar para outros seres vivos, desenvolvida pelo filósofo. (N.T.)

326 Referente a Jaganata, forma sob a qual o deus hindu Krishna é adorado em regiões da Índia, carregado em um grande carro em procissão, sob cujas rodas os adoradores se jogavam. (N.T.)

se chamamos a última tradição de Pitágoras ou a lenda persistente de Adônis pelo nome de religião, então devemos encontrar outra denominação para a Igreja de Cristo.

Se alguém diz que as máximas filosóficas apresentadas ao longo de muitas eras, ou templos mitológicos frequentados por muitas pessoas, fazem parte da mesma classe e categoria que a Igreja, basta responder simplesmente que elas não são. Ninguém pensa que sejam iguais quando as vê na antiga civilização da Grécia e de Roma; ninguém pensaria que elas eram iguais se aquela civilização tivesse durado dois mil anos mais e existisse até hoje; ninguém pode, usando a razão, pensar que elas são iguais na paralela civilização pagã no Oriente, como esta se apresenta atualmente. Nenhuma dessas filosofias ou mitologias é parecida com uma Igreja; sem dúvida, nem um pouco parecida como uma Igreja Militante[327]. E, como mostrei em outro lugar, mesmo que essa regra ainda não estivesse provada, a exceção provaria a regra que a história pré-cristã ou pagã não produz uma Igreja Militante, e a exceção, ou o que alguns chamariam assim, é que o Islã, mesmo não sendo a Igreja, é, pelo menos, militante. E isso ocorre precisamente porque é o único rival religioso que não é pré-cristão e, portanto, não pagão sob essa óptica. O Islã é um produto do cristianismo, mesmo que seja um subproduto, e, ainda, ruim. É uma heresia ou paródia emulando e, portanto, imitando a Igreja. Não é de surpreender que o maometismo tenha algo do espírito de luta da Igreja ou que o quacrismo tenha algo de seu espírito pacífico. Depois do cristianismo, existem inúmeras emulações ou extensões assim. Antes dele, não há nenhuma.

Portanto, a Igreja Militante é única porque é um exército marchando para executar uma libertação universal. A escravidão da qual o mundo

327 Dimensão da Igreja Católica constituída pelos que ainda estão no mundo, que foram batizados e participam da Eucaristia. As outras dimensões são a Triunfante (formada pelos que já estão na glória de Deus) e a Padecente (formada pelas almas salvas, mas no Purgatório). Juntas, formam toda a Comunhão dos Santos. (N.T.)

deve ser libertado é algo muito bem simbolizado pela condição da Ásia e da Europa pagã. Não me refiro apenas a sua condição moral ou imoral. O missionário, de fato, tem muito mais a dizer em sua defesa do que os iluminados imaginam, mesmo quando diz que os pagãos são idólatras e imorais. Uma ou duas pitadas de experiência realista sobre a religião oriental, mesmo sobre a religião muçulmana, revelarão algumas insensibilidades surpreendentes na ética, como a indiferença prática à linha que separa paixão e perversão. Não é o preconceito, mas a experiência prática que diz que a Ásia está tão cheia de demônios quanto de deuses.

Mas o mal a que me refiro está na mente – onde quer que ela tenha trabalhado por um longo tempo sozinha. É o que acontece quando todos os sonhos e pensamentos terminam em um vazio que é ao mesmo tempo negação e necessidade. Isso soa como uma anarquia, mas também é uma escravidão. É o que já foi chamado de roda da Ásia: todos esses argumentos recorrentes sobre causa e efeito ou sobre o que começa e termina na mente, o que torna realmente impossível para a alma tomar o próprio rumo e ir a qualquer lugar ou fazer qualquer coisa. E o ponto é que isso não é necessariamente peculiar aos asiáticos; teria sido verdade também no final dos europeus – se algo não tivesse acontecido. Se a Igreja Militante não estivesse em marcha, todos os homens estariam marcando passo. Se a Igreja Militante não tivesse se submetido a uma disciplina, todos os homens teriam sido submetidos a uma escravidão.

O que aquela fé universal, ainda que com esforço, trouxe ao mundo foi esperança. Talvez o único ponto comum à mitologia e à filosofia seja o fato de que ambas eram realmente tristes, no sentido de não ter essa esperança, mesmo que tivessem pitadas de fé ou caridade. Podemos chamar o budismo de fé, embora nos pareça mais uma dúvida. Podemos chamar o Senhor da Compaixão[328] de Senhor da Caridade, embora isso nos pareça uma piedade muito pessimista. Mas aqueles que

328 Ver nota 165. (N.T.)

mais insistem na antiguidade e no tamanho desses cultos devem concordar que, em todas as eras em que atuaram, não atingiram todas as regiões em que estavam com esse tipo de esperança direta e obstinada. Na cristandade, ela nunca esteve ausente; pelo contrário, tem sido errante, exagerada, quase inerte quando tem chance de fugir. Suas perpétuas revolução e reconstrução têm sido, ao que parece, uma evidência de que as pessoas estão de bom humor.

A Europa realmente renovou sua juventude como as águias[329], assim como as águias de Roma ressuscitaram sobre as legiões de Napoleão, ou vimos elevar-se recentemente a águia de prata da Polônia[330]. Mas no caso polonês, a revolução sempre acompanhou a religião. O próprio Napoleão buscou uma reconciliação. A religião nunca poderia ser separada de modo definitivo, mesmo da mais hostil das esperanças, simplesmente porque era a própria fonte da esperança. E a causa disso pode ser encontrada na própria religião. Aqueles que discutem sobre esse assunto raramente consideram isso em seus próprios termos. Não há espaço nem lugar para uma consideração completa aqui, mas pode-se dizer uma palavra a fim de explicar uma reconciliação que sempre se repete e ainda parece exigir explicação.

Não haverá fim para os cansativos debates sobre a liberalização da teologia enquanto as pessoas não encararem o fato de que a única parte liberal dela é, com efeito, a parte dogmática. Se o dogma não é crível, é porque é totalmente liberal. Se é irracional, só poderá nos dar mais garantia de liberdade quando for justificado pela razão. O exemplo óbvio é aquela forma essencial de liberdade que chamamos de livre-arbítrio. É absurdo dizer que um homem mostra sua liberalidade ao negar sua liberdade. Mas é defensável que ele tenha de afirmar uma doutrina transcendental para afirmar sua liberdade. Existe um sentido

329 Referência a Isaías 40:30-31. (N.T.)

330 O brasão da Segunda República Polonesa (1919-1927) tinha uma águia branca (não prata) com uma coroa de ouro. (N.T.)

em que podemos, de modo racional, dizer que, se o homem tem um poder primário de escolha, ele tem, de fato, um poder sobrenatural de criação, como se pudesse ressuscitar os mortos ou dar à luz o não nascido. Possivelmente, nesse caso, um homem deve ser um milagre e, com certeza, nesse caso ele deve ser um milagre para ser homem; e, com mais certeza ainda, para ser livre. Mas é absurdo proibi-lo de ser livre e fazer isso em nome de uma religião mais livre.

Mas isso é verdade em outros tantos assuntos. Quem quer que acredite em Deus deve crer em sua supremacia absoluta. Mas, à medida que essa supremacia permite graus que possam ser chamados de liberais ou iliberais, torna-se evidente que o poder iliberal é a divindade dos racionalistas e o poder liberal é a divindade dos dogmáticos. Exatamente na proporção em que você transforma o monoteísmo em monismo[331], você o converte em despotismo. É precisamente o Deus desconhecido do cientista, com seu objetivo impenetrável e sua lei consumada e inalterável, que nos lembra um autocrata prussiano fazendo planos rígidos em uma tenda remota e movendo a humanidade como máquinas. É precisamente o Deus dos milagres e das orações respondidas que nos lembra um príncipe liberal e popular, recebendo petições, ouvindo parlamentos e considerando os casos de um povo inteiro. Não estou aqui discutindo a racionalidade dessa concepção em outros aspectos; realmente, ela não é, como alguns supõem, irracional, pois não há nada irracional no fato de o rei mais sábio e bem informado agir de maneira diferente, de acordo com a ação daqueles a quem deseja salvar. Mas estou aqui apenas observando a natureza geral da liberalidade, da atmosfera de ação livre ou abrangente. E a esse respeito, é certo que o rei só pode ser o que chamamos de magnânimo se ele for o que alguns denominam de caprichoso. É o católico, que tem a sensação de que

331 Doutrina segundo a qual o Ser – que apresenta apenas uma multiplicidade aparente – procede de *um único princípio,* é reconduzido a uma única realidade: a matéria ou, principalmente, o espírito (DUROZOI, G.; ROUSSEL, A. *Dicionário de Filosofia*. Tradução de Marina Appenzeller. Campinas, SP: Papirus, 1993). (N.T.)

suas orações fazem a diferença, quando oferecidas pelos vivos e pelos mortos, que também tem a sensação de viver como um cidadão livre em algo que é quase como uma comunidade constitucional. É o monista que vive sob uma única lei férrea, o qual deve ter a sensação de viver como um escravo sob um sultão. De fato, acredito que a palavra *sufrágio*[332], que agora usamos na política com relação ao voto, foi originalmente empregada na teologia com respeito à oração. Dizia-se que os mortos no Purgatório tinham os sufrágios dos vivos. E, nesse sentido, de uma espécie de direito de petição ao supremo governante, podemos realmente dizer que toda a Comunhão dos Santos, bem como toda a Igreja Militante, está fundamentada sobre o sufrágio universal.

Mas, acima de tudo, isso é verdade quanto à questão mais tremenda: com relação àquela tragédia que criou a divina comédia[333] de nossa crença. Nada menos do que a doutrina extrema, forte e surpreendente da divindade de Cristo dará este efeito particular que pode realmente provocar o senso popular como uma trombeta: a ideia do próprio rei servindo nas fileiras como um soldado comum. Ao tornar essa figura meramente humana, tornamos a história muito menos humana. Afastamos o ponto central que, de modo real, transpassa a humanidade; que era literalmente a ponta de uma lança. Não traz uma especial humanização ao universo dizer que homens bons e sábios podem morrer por causa de suas opiniões, como não seria nada popular, em um exército, qualquer tipo de notícia de que bons soldados podem ser mortos com facilidade. É tão novidade que o rei Leônidas está morto quanto o é que a rainha Ana está morta[334]; e que os homens não esperaram pelo cristianismo para serem homens, no sentido pleno de serem heróis.

332 A palavra significa tanto "escolha por voto, eleição" quanto "prece ou obra pia pela alma de alguém falecido". (N.T.)

333 Não no sentido de ter conteúdo humorístico, mas como usado na Grécia Antiga: uma peça ou poema, por vezes de estrutura épica, sobre as pessoas comuns, os homens inferiores. (N.T.)

334 Leônidas I (?-480 a.C.), rei de Esparta, morto na conhecida Batalha das Termópilas contra os persas. Ana (1665-1714), rainha da Inglaterra, Escócia e Irlanda que, ao unir Inglaterra e Escócia em um único Estado, tornou-se Rainha da Grã-Bretanha. (N.T.)

Mas se estamos descrevendo, por enquanto, a atmosfera do que é generoso, popular e até pitoresco, qualquer conhecimento da natureza humana nos dirá que nenhum sofrimento dos filhos dos homens, ou mesmo dos servos de Deus, jamais será igual ao mestre sofrendo em lugar de seus servos. E isso é dado pela divindade teológica e, enfaticamente, não pela científica. Nenhum monarca misterioso, escondido em seu pavilhão estrelado na base da campanha cósmica, é sequer parecido com a cavalaria celestial do Capitão que carrega seus cinco ferimentos na frente da batalha.

O que o acusador realmente quer dizer não é que o dogma é ruim, mas que é bom demais para ser verdade – ou seja, é liberal demais para ser provável. O dogma dá ao homem muita liberdade quando lhe permite cair; e dá também a Deus muita liberdade quando permite que ele morra. É isso que os céticos inteligentes devem dizer; e não é, de modo algum, minha intenção negar que haja algo a ser dito sobre isso. Eles querem dizer que o próprio universo é uma prisão universal; que a própria existência é uma limitação e um controle; e não é à toa que eles chamam de cadeia causal. Em resumo: eles querem dizer simplesmente que não podem acreditar nessas coisas, mas nem por isso elas não são dignas de serem acreditadas. Dizemos, não de maneira leve, mas muito literal, que a verdade nos libertou[335]. Eles dizem que isso nos torna tão livres que não pode ser verdade. Para eles, acreditar na liberdade como a que desfrutamos é como acreditar na fadalândia ou em homens com asas para alimentar a fantasia de homens com vontades. É como aceitar uma fábula sobre um esquilo conversando com uma montanha para acreditar em um homem que é livre para perguntar ou em um Deus que é livre para responder. Essa é uma negação viril e racional pela qual eu sempre demonstrarei respeito. Mas me recuso a respeitar aqueles que, em primeiro lugar, cortam as asas e enjaulam o esquilo,

335 Referência a João 8:32. (N.T.)

prendem as correntes e recusam a liberdade, fecham todas as portas da prisão cósmica sobre nós com um tinido de ferro eterno, dizem que nossa emancipação é um sonho, e nossa masmorra, uma necessidade; e então calmamente viram-se e nos dizem que eles têm um pensamento mais livre e uma teologia mais liberal.

A moral de tudo isso é antiga: que religião é revelação. Em outras palavras, é uma visão – recebida pela fé, mas da realidade. A fé consiste na convicção de sua realidade. Essa é, por exemplo, a diferença entre uma visão e um devaneio. E essa é a diferença entre religião e mitologia. Essa é a diferença entre fé e toda aquela obra fantasiosa, bastante humana e até sensata que consideramos sob a égide de mitologia. Existe algo no uso razoável da própria palavra *visão* que implica duas coisas sobre ela: a primeira é que ela ocorre muito raramente, quem sabe apenas uma vez; a segunda é que provavelmente ela ocorra de uma vez por todas. Um devaneio pode acontecer sempre e ser diferente a cada dia. É mais do que a diferença entre contar histórias de fantasmas e encontrar um fantasma.

Mas se a fé não é uma mitologia, tampouco é filosofia. Não é filosofia porque, sendo uma visão, não é um padrão, mas uma imagem. Não é uma dessas simplificações que resolvem tudo com uma explicação abstrata; como a que diz que tudo é recorrente, ou relativo, ou inevitável ou ilusório. Não é um processo, mas uma história. Tem proporções, como as que se podem ver em uma imagem ou em uma história; não faz repetições regulares de um padrão ou processo, mas os substitui por ser convincente como se fosse uma imagem ou uma história. Em outras palavras, é, como se diz, exatamente como a vida. Pois de fato é a vida.

Um exemplo do que se expressa aqui pode muito bem ser encontrado no tratamento dado ao problema do mal. É muito fácil fazer um diagrama da vida cujo fundo seja preto, como fazem os pessimistas, e, então, admitir que uma ou duas partículas de poeira estelar sejam quase acidentais, ou, pelo menos no sentido literal, insignificantes. E é muito fácil fazer outro diagrama em papel branco, como fazem os Cientistas Cristãos, e explicar, de alguma maneira, os pontos ou as manchas que podem ser difíceis de negar. Por fim, talvez seja mais fácil dizer, como os dualistas, que a vida é como um tabuleiro de xadrez em que ambas as partes são iguais, e pode-se dizer que ele consiste em quadrados brancos em um quadro preto ou em quadrados pretos em um quadro branco.

Mas todo homem sente no coração que nenhum desses três diagramas em papel é como a vida; que nenhum desses mundos é aquele em que ele pode viver. Algo diz a ele que a ideia última de um mundo não é ruim nem neutra; olhando para o céu, ou para o chão, ou para as verdades da matemática ou até para um ovo recém-posto, ele tem um sentimento vago, como a sombra do ditado do grande filósofo cristão São Tomás de Aquino: "Toda existência, como tal, é boa". Por outro lado, outra coisa diz a ele que é covarde, depreciante e até mesmo doente minimizar o mal a um ponto ou a uma mancha. Ele percebe que o otimismo é mórbido. É capaz de ser ainda mais mórbido que o pessimismo. Esses sentimentos vagos, mas saudáveis, se ele os colocasse em prática, resultariam na ideia de que o mal é de alguma forma uma exceção, mas uma exceção enorme, e, por fim, que o mal é uma invasão ou, ainda mais verdadeiramente, uma rebelião. Ele não pensa que tudo está certo ou errado, ou que tudo está igualmente certo e errado. Mas ele pensa que o certo tem o direito de estar certo e, portanto, o direito de estar ali, e o errado não tem o direito de estar errado e, portanto, não tem direito de estar ali. Esse é o príncipe do mundo, mas também é um usurpador. Assim, o homem apreenderá vagamente o que a visão lhe dará com certeza: não menos que toda aquela estranha história de traição no céu e a grande deserção pela qual o mal corrompeu e tentou destruir um cosmos que ele não pôde criar. É uma história muito estranha e suas proporções, suas linhas e cores são tão arbitrárias e absolutas quanto a composição artística de uma pintura. É uma visão que de fato simbolizamos nas pinturas por meio de galhos gigantescos e de tons apaixonados como plumagens; toda aquela visão abismal de estrelas cadentes e as pavonescas panóplias da noite. Mas essa estranha história tem uma pequena vantagem sobre os diagramas. Ela é como a vida.

Outro exemplo pode ser encontrado, não no problema do mal, mas no que é chamado de problema do progresso. Um dos agnósticos mais capazes da atualidade me perguntou certa vez se eu achava que a humanidade melhorou ou piorou ou permaneceu a mesma. Ele estava confiante de que suas alternativas cobriam todas as possibilidades. Ele não viu que elas cobriam apenas padrões e não pinturas, processos e não histórias. Perguntei-lhe se ele achava que o sr. Smith, da região de Golder Green, melhorara ou piorara ou permanecera exatamente o mesmo entre os trinta e os quarenta anos. Pareceu-lhe, então, que ficava claro para ele que isso dependeria do sr. Smith e de como ele escolheu prosseguir. Nunca lhe havia ocorrido que dependia de como a humanidade escolheu prosseguir e que seu curso não era uma linha reta ou uma curva para cima ou para baixo, mas uma trilha como a de um homem cruzando um vale, indo para onde gostaria e parando onde queria, entrando em uma igreja ou caindo em uma vala. A vida do homem é uma história, uma história de aventura, e, em nossa visão, isso também se aplica à história de Deus.

A fé católica é a reconciliação porque é a realização da mitologia e da filosofia. É uma história e, nesse sentido, uma em meio a tantas – mas é verdadeira. É uma filosofia e, nesse sentido, uma dentre centenas – porém é como a vida. Mas, acima de tudo, é uma reconciliação, porque é algo que só pode ser chamado de filosofia das histórias. Esse instinto narrativo normal que produziu todos os contos de fadas é negligenciado por todas as filosofias, exceto por uma. A Fé é a justificativa desse instinto popular: a descoberta de uma filosofia para ele ou a análise da filosofia que ele carrega. Exatamente como um homem em uma história de aventura precisa passar por vários testes para salvar a vida, o homem nessa filosofia precisa passar por vários testes e salvar a alma. Em ambas existe uma ideia de livre-arbítrio operando sob as condições de um projeto; em outras palavras, existe um objetivo e é dever de um homem persegui-lo; por isso, observamos para ver se ele o atingirá.

Mas esse instinto profundo, democrático e dramático é ridicularizado e descartado em todas as outras filosofias, pois elas terminam declaradamente onde começam, e uma história, por definição, acaba de maneira diferente, inicia em um lugar e finaliza em outro. De Buda e sua roda a Aquenáton e seu disco, de Pitágoras com sua abstração de números a Confúcio com sua religião de rotina, não há um deles que, de alguma maneira, não peque contra a alma de uma história. Não há nenhum que realmente compreenda essa noção humana de história, teste e aventura: a provação do homem livre. Cada um deles, por assim dizer, mata de fome o instinto de contar histórias e faz algo para estragar a vida humana considerada um romance; seja pelo fatalismo, otimista ou pessimista, e pelo destino que é a morte da aventura, seja pela indiferença e pelo desapego que é a morte do drama, ou por um ceticismo fundamental que dissolve os atores em átomos, ou por uma limitação materialista que bloqueia a visão de consequências morais, ou por uma recorrência mecânica que torna monótonos até os testes morais, ou por uma relatividade incompreensível que torna inseguros os testes práticos. Existe uma história humana, e existe uma história divina que também é humana; mas não existe uma história hegeliana[336], monista, relativista ou determinista; pois toda história, sim, mesmo que seja mórbida e sensacionalista ou uma novela barata tem algo que pertence ao nosso universo e não ao deles. Todo conto realmente começa com a criação e termina com um juízo final.

---

336 Georg Wilhelm Friedrich Hegel (1770-1831), filósofo alemão, acreditava haver uma progressão na história em que cada movimento que se seguia era a solução das contradições inerentes ao movimento anterior. (N.T.)

E essa é a razão pela qual os mitos e os filósofos estavam em guerra até a vinda de Cristo. Foi por isso que a democracia ateniense matou Sócrates por respeito aos deuses, e por que todo sofista errante assumia ares de um Sócrates sempre que podia falar de maneira superior aos deuses, e por que o faraó herege destruiu seus enormes ídolos e templos em busca de uma abstração e por que os sacerdotes puderam voltar em triunfo e superar a dinastia dele, e por que o budismo teve de se separar do bramanismo, e por que em todas as épocas e países fora da cristandade tem havido uma hostilidade permanente entre o filósofo e o sacerdote. É fácil dizer que o filósofo é geralmente o mais racional; é mais fácil ainda esquecer que o sacerdote é sempre o mais popular, pois contava histórias ao povo, e o filósofo não entendeu a filosofia das histórias, a qual veio ao mundo com a história de Cristo.

E é por isso que tinha de ser uma revelação ou visão vinda de algo superior. Qualquer um que pense na teoria das histórias ou das imagens perceberá facilmente esse aspecto. A verdadeira história do mundo deve ser contada por alguém a outrem. Pela própria natureza de uma história, não se pode deixar que ela encerre em uma pessoa. Uma história tem proporções, variações, surpresas, tramas particulares, que não podem ser elaboradas por regras abstratas, como uma soma. Não podíamos deduzir, a partir de uma teoria pitagórica de número ou de recorrência, se Aquiles devolveria ou não o corpo de Heitor; e não podíamos deduzir por nossa conta de que maneira o mundo recuperaria o corpo de Cristo, apenas por saber que todas as coisas giravam continuamente na roda de Buda. Um homem talvez possa elaborar uma proposição de Euclides sem ter ouvido falar dele, mas não escreveria a lenda correta de Eurídice sem conhecê-la. De qualquer forma, ele não teria certeza de como a história terminaria e se Orfeu seria derrotado. Poderia, menos ainda, adivinhar o fim de nossa história ou a lenda de nosso Orfeu erguendo-se, e não derrotado, dentre os mortos[337].

337 Ver Parte 1, Capítulo 5, nota 25. (N.T.)

Em suma, a sanidade do mundo foi restaurada e à alma do homem foi oferecida salvação por meio de algo que de fato saciou as duas tendências conflitantes do passado, que nunca foram satisfeitas por completo e, com certeza, nem juntas: atendeu à busca mitológica por romance pelo fato de ser uma história e à busca filosófica pela verdade por ser uma história verdadeira. É por isso que a figura ideal tinha de ser um personagem histórico, como ninguém jamais considerou Adônis ou Pã. Mas também por isso o caráter histórico tinha de ser a figura ideal e até mesmo cumprir muitas das funções atribuídas a essas outras figuras ideais, por que ele era, ao mesmo tempo, o sacrifício e a festa, por que ele podia ser mostrado sob os emblemas da videira cultivada ou do Sol nascente.

Quanto mais pensarmos em profundidade sobre o assunto, mais concluiremos que, se de fato existe um Deus, sua criação dificilmente poderia ter atingido outro ponto culminante a não ser essa concessão de um romance verdadeiro ao mundo. Caso contrário, os dois lados da mente humana nunca poderiam ter sido tocados, e o cérebro do homem estaria separado em dois lados: um deles com sonhos impossíveis e o outro repetindo cálculos invariáveis. Os pintores teriam permanecido para sempre pintando o retrato de ninguém. Os sábios permaneceriam para sempre somando números que não deram em nada. Era aquele abismo que nada poderia cobrir, a não ser uma encarnação: uma divina personificação de nossos sonhos; e ele está acima daquele abismo cujo nome é mais que sacerdote e mais antigo que a cristandade: *Pontifex Maximus*[338], o mais poderoso criador de uma ponte.

Mas, mesmo com isso, voltamos ao símbolo mais especialmente cristão da mesma tradição: o padrão perfeito das chaves. Esse é um esboço histórico e não teológico; não é meu dever aqui defender em

338 Latim: "Pontífice supremo". Era o sacerdote mais importante, o dirigente da religião pagã no Estado romano. Durante o período do Império, o imperador exercia essa função. A partir do século XIX, o título passou a ser aplicado ao papa. (N.T.)

pormenores essa teologia, mas apenas apontar que ela não poderia sequer ser justificada em seu projeto sem ser analisada nos detalhes, como uma chave. Além da sugestão abrangente deste capítulo, não tento defender a razão por que o credo deve ser aceito. Mas, em resposta à pergunta histórica sobre o motivo por que foi aceito e o é até hoje, respondo por milhões de outros: porque ele se encaixa na fechadura, porque ele é como a vida. É uma entre muitas histórias, só que é uma história verdadeira. É uma entre muitas filosofias, só que é a verdade. Nós o aceitamos; e o chão é sólido sob nossos pés e a estrada está aberta diante de nós. Isso não nos aprisiona em um sonho sobre o destino ou em uma consciência da ilusão universal. Abre-nos não apenas céus incríveis, mas o que parece para alguns uma Terra igualmente incrível, a torna verossímil. Esse é o tipo de verdade difícil de explicar, pois é um fato; mas para o qual podemos chamar testemunhas. Somos cristãos e católicos não porque adoramos uma chave, mas porque passamos por uma porta e sentimos o vento que é a trombeta da liberdade soprar sobre a terra dos vivos.

CAPÍTULO 6

AS CINCO MORTES DA FÉ

Não é o objetivo deste livro traçar a história posterior do cristianismo, especialmente do cristianismo mais atual, a qual envolve controvérsias das quais espero escrever de modo mais completo em outra ocasião. O livro é dedicado apenas à sugestão de que o cristianismo, que apareceu em meio à humanidade pagã, tinha todo o caráter de algo único e até mesmo sobrenatural. Não era parecido com qualquer outra coisa; e, quanto mais o estudamos, menos se parece com elas. Mas há um caráter bastante peculiar que o tem marcado até o presente momento, com uma nota a respeito do qual este livro pode muito bem ser concluído.

Eu disse que a Ásia e o mundo antigo pareciam velhos demais para morrer. A cristandade teve o destino oposto – uma série de revoluções, e em cada uma delas o cristianismo morreu e ressuscitou muitas vezes, pois tinha um Deus que sabia sair da sepultura. Mas o primeiro fato extraordinário que marca essa história é o seguinte: a Europa virou de cabeça para baixo repetidamente e, ao final de cada uma dessas revoluções, a mesma religião era mais uma vez encontrada no topo.

A Fé está sempre convertendo a era, não como uma religião antiga, mas como uma nova. Essa verdade está escondida de muitos por uma convenção ainda pouco notada, do tipo que aqueles que a ignoram afirmam detectar e denunciar de modo especial. Eles estão sempre nos dizendo que sacerdotes e cerimônias não são religião e que a organização religiosa pode ser um engano vazio, mas têm dificuldade de perceber como é a verdade. É fato que em pelo menos três ou quatro vezes na história da cristandade toda a alma parecia ter abandonado o cristianismo, e quase todo homem, no coração, esperava seu fim. Esse fato só é mascarado nos tempos medievais e em outros por essa religião tão oficial que críticos desse tipo se orgulham de ver. O cristianismo permaneceu como religião oficial de um príncipe da Renascença ou de um bispo do século XVIII, assim como uma mitologia antiga permaneceu a religião oficial de Júlio César ou o credo ariano foi por muito tempo a de Juliano, o Apóstata.

Mas havia uma diferença entre os casos de Júlio e de Juliano: a Igreja havia começado sua insólita carreira. Não havia razão para que homens como Júlio não adorassem deuses como Júpiter para sempre em público e debochassem deles para sempre em particular. Mas, quando considerou o cristianismo morto, Juliano descobriu que ele voltara à vida. Aliás, ele também descobriu que não havia o menor sinal de Júpiter voltando à vida. Esse caso de Juliano e o episódio do arianismo são apenas os primeiros de uma série de exemplos que indicamos aqui de modo sucinto. O arianismo, como já foi dito, tinha toda a aparência humana de ser o caminho natural pelo qual se esperava que essa particular superstição de Constantino se esgotasse. Todos os estágios comuns haviam passado: o credo se tornara respeitável, ritual e depois se tornou racional; e os racionalistas estavam prontos para dissipar os últimos resquícios dele, como fazem hoje. Quando o cristianismo ressuscitou de forma repentina e os derrubou, foi quase tão inesperado quanto Cristo ressuscitando dos mortos. Mas existem muitos outros exemplos semelhantes, aproximadamente na mesma época.

A grande atividade de missionários da Irlanda, por exemplo, tem toda a aparência de um inesperado ataque violento de jovens em um mundo antigo, e até mesmo em uma Igreja que mostrou sinais de obsolescência. Alguns deles foram martirizados na costa da Cornualha[339]; e a principal autoridade em antiguidades da Cornualha me disse que não acredita nem por um momento que eles foram agredidos pelos pagãos, mas (como expressou com algum humor) "por cristãos bastante negligentes".

Bem, se mergulharmos mais fundo na história, o que não está no escopo desse argumento, desconfio que encontraríamos várias ocasiões em que a cristandade foi assim, ao que parecia, esvaziada internamente pela dúvida e pela indiferença, de modo que se mantinha apenas a velha casca cristã assim como a casca pagã se mantivera por tanto tempo. Mas a diferença é que, em cada um desses casos, os filhos eram fanáticos pela fé à qual os pais se mostravam negligentes. Isso é óbvio no caso da transição do Renascimento para a Contrarreforma[340]. É evidente no caso de uma transição do século XVIII para os muitos reavivamentos católicos de nosso tempo. Mas suspeito de muitos outros exemplos que mereciam ser estudados separadamente.

339 Por exemplo: o beato Filipe Powell, sacerdote inglês, foi martirizado na Cornualha (condado no sudoeste da Inglaterra) em 1646; Santa Iá, ao lado de outros missionários, foi ali martirizada em 450. (N.T.)

340 O Renascimento foi principalmente um movimento artístico, que nasceu na Itália no início do século XV. Ele se caracterizava por racionalidade, rigor científico, uso das características das artes greco-romanas, dignidade do ser humano e ideal humanista. A Contrarreforma, ou Reforma Católica, formalizada no Concílio de Trento (1542), foi um movimento que tentou impedir o avanço do protestantismo, resolver problemas internos da Igreja Católica – como as denúncias, ocorridas durante o Renascimento, sobre acúmulo de riquezas, venda de indulgências e falta de caráter moral dos sacerdotes – e expandi-la. A Inquisição foi criada nesse período. (N.T.)

A Fé não é uma sobrevivência. Ela não é como se os druidas tivessem dado um jeito de sobreviver por dois mil anos. É o que poderia ter acontecido na Ásia ou na Europa antiga, naquela indiferença ou tolerância em que mitologias e filosofias poderiam coexistir para sempre. Ela não sobreviveu; antes, ela voltou muitas vezes nesse mundo ocidental de rápidas mudanças e de instituições em queda livre. A Europa, na tradição de Roma, estava sempre tentando alguma revolução e reconstrução, a reconstrução de uma república universal. E sempre começava rejeitando essa antiga pedra e terminava por fazer dela a pedra angular, trazendo-a de volta do monturo de lixo para torná-lo a coroa do capitólio. Algumas pedras de Stonehenge estão de pé e outras caíram; e, quando uma pedra caiu, ali permaneceu. Não houve um renascimento druídico a cada um ou dois séculos, com os jovens druidas usando coroas de visco fresco, dançando ao Sol na planície de Salisbury. Stonehenge não foi reconstruída com todos os estilos de arquitetura, desde a grosseira abóbada normanda até o último rococó do barroco. O lugar sagrado dos druidas está a salvo do vandalismo da restauração.

Mas a Igreja no Ocidente não estava em um mundo onde as coisas eram velhas demais para morrer, mas sempre jovens o suficiente para acabar. A consequência foi que, superficial e externamente, muitas vezes elas foram mortas; não, às vezes foram destruídas mesmo em vida. E segue-se um fato que acho difícil descrever, o qual, porém, acredito ser muito real e importante. Como um fantasma é a sombra de um homem, e, nesse caso, a sombra da vida, assim, de tempos em tempos, passava por essa vida sem-fim uma espécie de sombra da morte. Ela chegou no momento em que a Igreja teria perecido se não fosse durável. Ela secou tudo o que era perecível. Se paralelos com animais fossem oportunos, poderíamos dizer que a cobra teve um espasmo, trocou de pele e continuou, ou mesmo que o gato entrou em convulsão porque perdeu apenas uma de suas 999 vidas. É mais verdade dizer, em uma imagem mais digna, que um relógio bateu e nada aconteceu ou que um sino tocou para indicar uma execução que foi eternamente adiada.

Qual era o significado de todo aquele desassossego obscuro, mas vasto, do século XII, quando, como já foi dito de modo elegante, Juliano se mexeu enquanto dormia? Por que apareceu tão estranhamente cedo, no crepúsculo do amanhecer após a Idade das Trevas, um ceticismo tão profundo como o que envolvia a insistência do nominalismo contra o realismo[341]? Pois o realismo contra o nominalismo era, na verdade, realismo contra o racionalismo, ou algo mais destrutivo do que aquilo que chamamos de racionalismo. A resposta é que, assim como alguns pensaram que a Igreja era apenas uma parte do Império Romano, outros também pensaram que a Igreja era apenas uma parte da Idade das Trevas. A Idade das Trevas terminou assim como o Império, e a Igreja deveria ter ido junto se também fosse uma das sombras da noite. Foi outra daquelas mortes espectrais ou simulações de morte. Quero dizer que, se o nominalismo tivesse obtido sucesso, seria como se o arianismo fosse bem-sucedido: teria sido o começo de uma confissão de que o cristianismo havia falhado. Pois o nominalismo é um ceticismo muito mais fundamental do que o mero ateísmo. Essa era a pergunta feita abertamente à medida que a Idade das Trevas se estendia para a luz do dia que chamamos de mundo moderno. Mas qual foi a resposta? A resposta foi Aquino na cátedra de Aristóteles, levando todo o conhecimento para sua província, e dezenas de milhares de rapazes, descendo às classes mais baixas de camponeses e servos, vivendo em trapos e de crostas de pão perto das grandes faculdades, para ouvir a filosofia escolástica.

341 O nominalismo é uma doutrina filosófica segundo a qual as ideias gerais, como gêneros ou espécies, são apenas um nome acompanhado de uma imagem individual, sem realidade fora do espírito ou da mente. A única realidade consiste no indivíduo e nos objetos tomados separadamente. O realismo, por sua vez, defende que as ideias (chamadas de "universais") têm existência independente *ante res* (antes das coisas reais) ou na mente divina ou em outro lugar. (N.T.)

Qual era o significado de todo aquele murmúrio de medo que percorria o Ocidente sob a sombra do Islã e enche todos os romances antigos com imagens incongruentes de cavaleiros sarracenos vangloriando-se na Noruega ou nas ilhas Hébridas? Por que os homens do Extremo Oriente, como o rei João, se bem me lembro, foram acusados de serem secretamente muçulmanos, como os homens são acusados de serem secretamente ateus? Por que houve um alarme feroz entre algumas autoridades sobre a versão árabe racionalista de Aristóteles? As autoridades raramente ficam alarmadas assim, exceto quando é tarde demais. A resposta é que centenas de pessoas provavelmente acreditavam de verdade que o Islã conquistaria a cristandade, que Averróes era mais racional que Anselmo[342], que a cultura sarracena era de fato, como era na superfície, uma cultura superior. Aqui, uma vez mais, é provável que encontraremos uma geração inteira, a mais antiga, que trabalha sem rumo, deprimida e cansada. A chegada do islã seria apenas a vinda do unitarianismo mil anos antes de seu tempo. Para muitos, isso pareceu bastante razoável, provável e possível. Nesse caso, eles ficariam surpresos com o que aconteceu.

O que aconteceu foi um rugido como trovão vindo de milhares e milhares de jovens, investindo toda a sua juventude em uma contra-acusação exultante: as Cruzadas. Eram os filhos de São Francisco, os Malabaristas de Deus, perambulando e cantando por todas as estradas do mundo; era o gótico se erguendo como uma saraivada de flechas; era o grande despertar. Ao considerar a guerra dos albigenses[343], chegamos

342 Abu al-Walid Muhammad ibn Ahmad ibn Muhammad ibn Rushd (1126-1198), conhecido como Averróes, ou Averróis, nascido na Espanha, foi um dos maiores filósofos árabes. Prolífico autor, produziu obras sobre medicina, física, astronomia, jurisprudência muçulmana, filosofia e teologia. Negava a imortalidade da alma, o que o tornou precursor de filósofos heréticos tanto entre muçulmanos quanto entre cristãos. Santo Anselmo da Cantuária (1033-1109) é considerado "Pai da Escolástica", que é principalmente um método filosófico de análise extensa, intensa e profunda. (N.T.)

343 A Cruzada Albigense (1209-1229) foi uma série de campanhas militares promovidas pelo papa, em aliança com o imperador francês, com o objetivo de eliminar certa heresia que se espalhara no sul da França. (N.T.)

à brecha no coração da Europa e à derrocada de uma nova filosofia que quase acabou com a cristandade para sempre. Nesse caso, a nova filosofia era também muito recente: o pessimismo. Ela era tal como as ideias modernas porque era tão antiga quanto a Ásia, como as ideias mais modernas o são. Eram os gnósticos retornando; mas por que eles retornaram? Porque foi o fim de uma época, como o fim do Império; e deveria ter sido o fim da Igreja. Era Schopenhauer[344] pairando sobre o futuro, mas também Maniqueu ressuscitando dos mortos: para que os homens possam ter a morte e tê-la de maneira mais abundante[345].

Isso é bastante óbvio no caso do Renascimento, porque esse período está muito próximo de nós e é mais conhecido. Porém há mais nesse exemplo do que a maioria das pessoas sabe. Além das controvérsias singulares que desejo reservar para um estudo separado, o período foi muito mais caótico do que essas controvérsias de modo geral implicam. Quando os protestantes chamam Latimer de mártir do protestantismo, e os católicos respondem que Campion[346] era um mártir do catolicismo, esquece-se com frequência que muitos dos mortos nessas perseguições só poderiam ser descritos como mártires do ateísmo, do anarquismo ou mesmo do satanismo. Aquele mundo era quase tão selvagem quanto o nosso; entre os homens que vagavam nele estavam os ateus, os que se achavam Deus, os que dizem algo que ninguém pode entender. Se pudéssemos ouvir as *conversas* da época seguinte ao Renascimento, provavelmente ficaríamos chocados com

344 Arthur Schopenhauer (1788-1860), filósofo alemão. Sua obra-prima é *O mundo como vontade e representação*. A síntese de seu pensamento é expressa pela frase: "Para a maioria dos homens, a vida não é outra coisa senão um combate perpétuo pela própria existência, que ao final será derrotada". (N.T.)

345 Paródia de João 10:10. (N.T.)

346 Hugo Latimer (c. 1485-1555), clérigo protestante inglês, queimado na fogueira no governo da rainha católica Maria Tudor. Edmundo Campion (1540-1581), missionário jesuíta inglês enviado para servir aos católicos da Inglaterra, foi preso, torturado e martirizado no governo da rainha protestante Elizabeth I. (N.T.)

suas vergonhosas negações. As observações atribuídas a Marlowe[347] possivelmente aparecem nas conversas em muitas tabernas intelectuais. A transição da Europa pré-Reforma para a Europa pós-Reforma deu-se no decorrer de um vazio de perguntas muito bocejantes; mais uma vez, no longo prazo, a resposta foi a mesma. Foi um daqueles momentos em que, como Cristo caminhou sobre a água, assim era o cristianismo andando no ar.

Mas todos esses casos têm data remota e só poderiam ser comprovados em detalhes. Podemos ver o fato muito mais claramente no caso em que o paganismo da Renascença acabou com o cristianismo, mas este ressurgiu de forma inexplicável. Contudo podemos vê-lo com mais clareza ainda no caso mais próximo de nós e cheio de evidências manifestas e minuciosas: o grande declínio da religião que começou na época de Voltaire[348]. Pois é, de fato, o que ocorre conosco, e nós mesmos temos visto esse declínio. Os duzentos anos desde Voltaire[349] não passam diante nós em um relance, como os séculos IV e V, nem os séculos XII e XIII. Em nosso caso, podemos ver bem de perto esse processo se repetindo muitas vezes; sabemos como uma sociedade pode perder completamente sua religião fundamental sem abolir sua religião oficial e como todos os homens podem se tornar agnósticos muito antes de abolirem os bispos. E sabemos que também neste final, que realmente nos parecia o fim definitivo, o que era inacreditável aconteceu mais uma vez: a Fé tem mais seguidores entre os jovens do que entre os velhos.

---

347 Christopher Marlowe (1564-1593), dramaturgo e poeta inglês, considerado por muitos inferior apenas a Shakespeare. (N.T.)

348 François-Marie Arouet, mais conhecido por Voltaire (1694-1778), filósofo francês, crítico ferrenho de sua época, em suas obras comparou a tolerância religiosa e a liberdade de expressão na Inglaterra com o atraso do clero e da sociedade franceses. (N.T.)

349 Considerando a data da morte de Voltaire e o fato de *O homem eterno* ter sido publicado em 1925, Chesterton pode estar se referindo a alguma obra específica do filósofo, como *Cartas filosóficas*, de 1734, coletânea de escritos referentes ao tempo em que Voltaire viveu na Inglaterra, dos quais sete capítulos foram dedicados à religião. (N.T.)

Quando Ibsen[350] falou da nova geração batendo à porta, ele certamente nunca esperou que fosse a porta da igreja.

Por, pelo menos, cinco vezes, portanto – com o ariano e o albigense, com o cético humanista, depois com Voltaire e depois com Darwin –, a Fé foi, pelo que parece, lançada aos cães. Em cada um desses cinco casos, foi o cão que morreu. Só no caso mais próximo de nosso tempo é que podemos ver em detalhes quão completo foi o colapso e quão estranha foi a inversão.

Milhares de coisas foram ditas sobre o Movimento de Oxford[351] e o reavivamento católico francês paralelo, mas poucas delas nos fizeram perceber o fato mais simples: eles vieram de surpresa. Eram um quebra-cabeça surpreendente, porque pareciam, para a maioria das pessoas, um rio se afastando do mar e tentando subir de novo as montanhas. Ler a literatura dos séculos XVIII e XIX é saber que quase todo mundo pensava que a religião se expandia continuamente como um rio, até atingir um mar infinito. Algumas delas esperavam que esse rio desaguasse em uma catarata de catástrofes, outras esperavam que ele se expandisse para um estuário de igualdade e moderação, mas todas consideravam seu retorno sobre si mesmo um prodígio tão inacreditável quanto a bruxaria.

Em outras palavras, a maioria das pessoas moderadas pensava que a fé, assim como a liberdade, seria disseminada com lentidão, e algumas pessoas mais avançadas pensavam que ela seria muito rapidamente

350 Henrik Johan Ibsen (1828-1906), dramaturgo norueguês, um dos criadores do teatro realista moderno. A citação é da peça *Bygmester Solness* [O mestre construtor], de 1892. (N.T.)

351 Corrente de pensadores anglicanos da Igreja Alta (ramo da Igreja Anglicana, também chamado de anglo-católico, cujos cultos, bem como suas ênfases teológicas, são muito similares ao que é encontrado na Igreja Católica), na maior parte membros da Universidade de Oxford, que se dispuseram, de 1833 a 1845, a estudar as origens do cristianismo a fim de demonstrar a relação direta da Igreja Anglicana com aquela edificada pelos apóstolos. Como resultado, muitos deles se converteram à Igreja Católica, destacando-se John Henry Newman (1801-1890), que se tornou Cardeal. (N.T.)

espalhada, para não dizer atropelada. Todo aquele mundo de Guizot e Macaulay[352] e o liberalismo comercial e científico talvez estivessem mais certos sobre a direção em que o mundo está seguindo do que qualquer homem que viesse antes ou depois. As pessoas estavam tão certas quanto à direção que diferiam apenas quanto ao ritmo. Muitas anteciparam com alarme, e algumas com simpatia, uma revolta jacobina que poderia guilhotinar o arcebispo de Cantuária ou uma revolta cartista que poderia pendurar os clérigos nos postes de luz[353]. Mas se parecia mais com uma convulsão na natureza o fato de o arcebispo, em vez de perder a cabeça, estar procurando sua mitra, e que, em vez de diminuir o respeito aos clérigos, fortalecer o respeito aos sacerdotes. A Fé revolucionou sua visão de revolução e lhes virou de cabeça para baixo seu próprio mundo, que já era invertido.

Em suma, o mundo inteiro, que estava dividido entre o fluxo mais devagar ou mais rápido, tornou-se consciente de algo vago, mas vasto, que estava indo contra o fluxo. Tanto em fato quanto em figura, há algo profundamente perturbador nisso, e por uma razão essencial: o que está morto pode seguir com a corrente, mas apenas o que está vivo pode ir contra ela. Um cão morto pode ser erguido pela água saltitante com toda a rapidez de um cão que salta, mas apenas um cão vivo pode nadar para trás. Um barquinho de papel pode atravessar o dilúvio que cresce com toda a altivez de um navio de fadas, mas se o navio de fadas navega rio acima é porque de fato elas estão remando. E entre as coisas que apenas acompanharam a maré de aparente progresso e ampliação,

352 François-Pierre-Guillaume Guizot (1787-1874), historiador e estadista francês, almejava que fosse construído um governo representativo estável que, fundado na razão, garantisse as liberdades individuais. O outro nome provavelmente se refere ao barão Thomas Babington Macaulay (1800–1859), político liberal, ensaísta, poeta e historiador inglês. (N.T.)

353 Os jacobinos formavam o mais importante grupo político da Revolução Francesa, composto de membros das classes populares. Em 1792 tomaram o poder e, durante o ano em que governaram, período chamado de Grande Terror, levaram à guilhotina milhares de opositores políticos. O cartismo foi um movimento que durou de 1838 a 1848, o qual exigia participação política dos operários e leis que os protegessem. (N.T.)

houve muitos demagogos ou sofistas cujos gestos ferozes eram, na verdade, tão sem vida quanto o movimento dos membros de um cachorro morto vagando na água turbulenta; e havia muita filosofia incomumente semelhante a um barquinho de papel, do tipo que não é difícil reduzir a nada.

Mas até as coisas realmente vivas e vivificantes que acompanhavam esse fluxo não provaram que estavam vivendo ou vivificando. Era outra força que estava viva – sem dúvida e sem explicação – a energia misteriosa e imensurável que estava puxando o rio para trás. Parecia ser o movimento de algum grande monstro; e embora a maioria das pessoas o considerasse pré-histórico, isso não tornou menos claro que era um monstro vivo. Não obstante, era uma revolta antinatural, sem nexo e, para alguns, cômica; como se a Grande Serpente Marinha subitamente se erguesse da Lagoa Redonda – a menos que considerássemos a Serpente Marinha como mais propensa a viver no Serpentine[354]. Esse elemento irreverente na fantasia não deve ser esquecido, pois foi um dos testemunhos mais claros da natureza inesperada da reviravolta. Aquela era de fato percebeu que uma qualidade absurda em animais pré-históricos pertencia também a rituais históricos: que mitras e tiaras eram como chifres ou crinas de criaturas antediluvianas, e que apelar para uma Igreja Primitiva era como se vestir como um Homem Primitivo.

O mundo ainda está intrigado com esse movimento, mas, acima de tudo, porque ele ainda se move. Eu disse algo em outro lugar sobre o tipo aleatório de censuras que ainda são dirigidas contra ele e suas piores consequências; basta dizer aqui que, quanto mais esses críticos as censuram, menos eles as explicam. De certo modo, meu interesse aqui é, se não o de explicá-lo, pelo menos sugerir hipóteses; mas, acima de

354 Lagoa Redonda é, no original, Round Pond, conhecido parque ornamental londrino criado em 1730. O Serpentine, por vezes também chamado de rio Serpentine, é um conhecido lago de formato sinuoso em Londres, criado no mesmo ano. (N.T.)

tudo, é meu interesse apontar uma particularidade sobre ele. E foi tudo isso que aconteceu antes, inclusive muitas vezes antes.

Em resumo: uma vez que é verdade que os séculos recentes presenciaram uma atenuação da doutrina cristã, eles apenas viram o mesmo que os séculos mais remotos. E até o exemplo moderno terminou igual aos medievais e pré-medievais. Já está claro, e fica mais ainda a cada dia, que o cristianismo não terminará com o desaparecimento do credo enfraquecido, mas, em lugar disso, com o retorno daquelas partes dele que realmente desapareceram. Ele terminará da mesma forma que o compromisso com os arianos, assim como as tentativas de compromisso com o nominalismo e até com o albigensianismo terminaram. Mas o ponto a ser apreendido no caso moderno, como em todos os outros, é: o que retorna não é, nesse sentido, uma teologia simplificada; não de acordo com a visão de uma teologia purificada: é simplesmente teologia. É aquele entusiasmo pelos estudos teológicos que marcou as épocas mais doutrinárias; é a ciência divina. Um velho Deão com DD[355] após o nome pode ter se tornado a típica figura de um entediado, mas isso ocorreu porque ele próprio estava entediado com sua teologia, não porque estivesse empolgado. Ocorreu precisamente porque ele estava mais interessado no latim de Plauto do que no latim de Agostinho, no grego de Xenofonte do que no grego de Crisóstomo. Foi propriamente porque ele estava mais interessado em uma tradição morta do que em uma tradição decididamente viva. Em resumo, ocorreu, de modo preciso, porque ele próprio representava o tempo em que a fé cristã era fraca. Não foi porque os homens não saudariam, se pudessem, a maravilhosa e quase bravia visão de um Doutor em Teologia.

Há pessoas que dizem desejar que o cristianismo permaneça como um espírito. Elas querem dizer, literalmente, que desejam que ele

355 Título de Doutor em Teologia (*Divinatatis Doctor*, em latim). (N.T.)

permaneça como um fantasma - mas isso não vai acontecer. O que se segue a esse processo de morte aparente não são os remanescentes de sua sombra - é a ressurreição do corpo. Essas pessoas já estão preparadas para derramar lágrimas piedosas e reverentes pelo Sepulcro do Filho do Homem; mas não para ver o Filho de Deus caminhando uma vez mais pelas colinas da manhã. Essas pessoas, e de fato a maioria delas, estavam mesmo bastante acostumadas à ideia de que a velha chama cristã desapareceria à luz comum do dia. Para muitas delas, aquela luz honestamente se parecia com a chama amarelo-pálida de uma vela quando é deixada acesa de dia. Era ainda mais inesperado e, portanto, óbvio, que o candelabro de sete braços subitamente se elevasse ao céu como uma árvore milagrosa e queimasse até o Sol se empalidecer.

Mas outras eras viram o dia sobrepujar a luz da vela e depois a chama sobrepujar o dia. Tantas vezes, antes de nosso tempo, os homens ficaram mais satisfeitos com uma doutrina diluída e muitas outras, seguiu-se a essa diluição, saindo da escuridão em uma cachoeira púrpura, a força do vinho tinto original. E dizemos apenas mais uma vez hoje, como já foi dito por nossos pais: "Há muitos anos e séculos, nossos pais ou os fundadores de nosso povo bebiam, como sonharam, do sangue de Deus. Longos anos e séculos se passaram desde que a força dessa safra gigante se tornou não mais que uma lenda da era dos gigantes. Séculos atrás, houve o tempo trevoso da segunda fermentação, quando o vinho do catolicismo se transformou no vinagre do calvinismo. Muito tempo se passou desde que a bebida amarga foi diluída; foi aclarada e lavada pelas águas do esquecimento e pelas ondas do mundo. Nunca pensamos em provar novamente nem mesmo aquele forte sabor amargo de sinceridade e espírito, e menos ainda a força mais rica e doce das vinhas roxas em nossos sonhos da era de ouro. Dia após dia, ano após ano, diminuímos nossas esperanças e nossas convicções; acostumamo-nos cada vez mais a ver aqueles tonéis e vinhedos submersos pelas inundações e o último sabor e sugestão daquele elemento especial desaparecendo como uma mancha roxa em um mar cinza. Acostumamo-nos à diluição, à dissolução, a um dilúvio que durou para sempre. Mas 'guardaste o vinho bom até agora'"[356].

Este é o fato final, e é o mais extraordinário de todos: a fé não apenas morreu várias vezes, mas muitas delas de velhice, de morte natural, no sentido de chegar a um fim natural e necessário. É óbvio que ela sobreviveu às perseguições mais selvagens e mais universais, do choque da fúria de Diocleciano[357] ao choque da Revolução Francesa. Mas ela tem uma tenacidade incomum e até mais misteriosa: ela sobreviveu não apenas à guerra, mas à paz. Ela não apenas morreu com frequência, mas também caiu e deteriorou com frequência; ela sobreviveu à própria fraqueza e até à própria rendição.

Não precisamos repetir o que é tão óbvio sobre a beleza do fim de Cristo, no casamento entre juventude e morte. Mas é quase como se Ele tivesse vivido até o último instante possível, como um sábio de cabelos brancos de cem anos, morrido de causas naturais, e depois ressuscitado mais jovem, com trombetas e o céu rasgado. Dizia-se com muita verdade que o cristianismo humano, em sua fraqueza recorrente, às vezes era muito ligado aos poderes do mundo; mas, se foi casado assim, muitas vezes ficou viúvo. É uma viúva misteriosamente imortal. Um inimigo pode ter dito em algum momento que o cristianismo era apenas uma face do poder dos césares, e isso soa tão estranho hoje em dia como chamá-lo de um aspecto dos faraós. Um inimigo poderia dizer que era a fé oficial do feudalismo, e isso parece tão convincente agora quanto dizer que estava destinado a perecer como uma antiga vila romana.

356 João 2:10. (N.T.)

357 Diocleciano (284-305), imperador romano, tornou obrigatório o culto a Júpiter e determinou violenta perseguição aos cristãos, que se estenderia por dez anos. (N.T.)

Todas essas coisas realmente seguiram seu curso até o fim normal; e não parecia haver outro caminho diferente para a religião. Ela terminou e recomeçou.

"Passarão o céu e a terra. Minhas palavras, porém, não passarão."[358] A civilização da antiguidade era o mundo inteiro, e os homens não sonhavam mais com seu fim do que com o fim do dia. Eles não podiam imaginar outra ordem, a menos que ela estivesse em outro mundo. A civilização do mundo já passou, e essas palavras, não. Na longa noite da Idade das Trevas, o feudalismo era tão familiar que nenhum homem podia imaginar-se sem um senhor, e a religião era tão intrínseca a ponto de ninguém acreditar que pudesse ser separada do homem. O próprio feudalismo foi despedaçado e apodreceu na vida popular da verdadeira Idade Média; e o primeiro e mais novo poder dessa nova liberdade foi a antiga religião. O feudalismo havia passado; as palavras, não. Toda a ordem medieval, em muitos aspectos um lar quase completo e cósmico para o homem, desgastou-se de forma gradual, e, nesse ponto, pelo menos, pensava-se que as palavras morreriam. Elas atravessaram o abismo radiante do Renascimento e, em cinquenta anos, estavam usando toda a sua luz e seu aprendizado para novas fundações religiosas, novas apologéticas, novos santos. A religião deveria ter enfim murchado sob a luz árida da Era da Razão; ou ter desaparecido definitivamente no final do terremoto da Era da Revolução. A ciência a explicou; e ela ainda estava lá. A história a desenterrou no passado, e ela apareceu de repente no futuro. Hoje ela permanece mais uma vez em nosso caminho, e, mesmo enquanto a observamos, ela cresce.

Se nossas relações e registros sociais forem perpetuados, se os homens realmente aprenderem a aplicar a razão aos fatos acumulados em uma história tão impactante, parece que mais cedo ou mais tarde até

358 Mateus 24:35. (N.T.)

os inimigos da fé aprenderão com as próprias decepções incessantes e intermináveis para não procurar nada tão simples quanto a morte da fé. Eles podem continuar a guerra contra ela, mas será como se lutassem com a natureza, com a paisagem, com o céu. "Passarão o céu e a terra. Minhas palavras, porém, não passarão." Eles a vigiarão para vê-la tropeçar; eles a vigiarão para vê-la errar; eles não mais a vigiarão para vê-la chegar ao fim. Insensivelmente, mesmo sem saber, eles, em suas próprias antecipações silenciosas, cumprirão os termos relativos dessa profecia surpreendente: esquecerão de vigiar para ver a mera extinção daquilo que foi, tantas vezes, em vão extinto; e aprenderão de maneira instintiva a procurar primeiro a vinda do cometa ou o congelamento da estrela.

CONCLUSÃO

RESUMO DESTE LIVRO

Usei da liberdade de tomar emprestada, uma ou duas vezes, a excelente expressão sobre um Esboço da História[359], embora o presente estudo de uma verdade específica e de um erro em particular não possa, obviamente, reivindicar nenhum tipo de comparação com a enciclopédia rica e multifacetada da história, para a qual esse nome foi escolhido. E, no entanto, há certa razão na referência, e, em algum sentido, uma coisa toca a outra e até mesmo se cruzam. Pois a história do mundo contada pelo sr. Wells só poderia ser criticada aqui como esboço. E, é um pouco estranho dizer, parece-me que isso está errado apenas como esboço. Ela é admirável como uma compilação de história; é esplêndida como um armazém ou tesouro; é uma investigação fascinante; é mais atraente como uma amplificação da história; mas é bem falsa como um

359 Chesterton refere-se à obra *The Outline of History* [O esboço da história], que tinha por subtítulo "The Whole Story of Man" [Toda a história do homem], de H. G. Wells, de 1919, em que é descrita a história do mundo, da origem da Terra à Primeira Guerra Mundial. No Brasil, foi lançada como *História universal*. Em inglês, Chesterton vai jogar bastante com *outline* (esboço), *out* (fora, deixar de fora) e *line* (linha). (N.T.)

esboço. A única coisa que me parece bastante errada nisso é o esboço, que pode realmente ser uma linha única, como a que faz toda a diferença entre uma caricatura do perfil do sr. Winston Churchill e a de sir Alfred Mond[360]. Em linguagem simples e caseira, refiro-me às coisas que se destacam, que fazem a simplicidade de uma silhueta. Penso que as proporções estão erradas: do que é certo em comparação ao incerto, do que desempenhou um papel importante em comparação ao que desempenhou um papel menor, do que é comum em comparação ao que é extraordinário, do que realmente está no nível da média em comparação ao que se destaca como uma exceção.

Não digo isso como uma pequena crítica a um grande escritor, e não tenho motivos para fazê-lo, pois, em minha reles tarefa, sinto que falhei da mesma maneira. Tenho muita dúvida de ter transmitido ao leitor o ponto principal do que falei sobre as proporções da história e por que me dediquei muito mais a algumas coisas do que a outras. Duvido que tenha cumprido claramente o plano que expus no capítulo introdutório; e, por esse motivo, adiciono estas linhas como uma espécie de resumo em um capítulo de conclusão.

Acredito que as coisas nas quais insisti são mais essenciais para um esboço da história do que as que subordinei ou deixei de lado. Não acredito que o passado seja retratado de modo mais verdadeiro como algo em que a humanidade simplesmente se desvanece na natureza, ou a civilização se desvanece na barbárie, ou a religião se desvanece na mitologia, ou a nossa própria religião se desvanece nas religiões do mundo. Em suma, não acredito que a melhor maneira de produzir um esboço da história seja apagar as linhas. Acredito que, das duas maneiras, seria muito mais próximo da verdade contar a história de forma muito simples, como um mito primitivo sobre um homem que criou o Sol e as

360 Winston Leonard Spencer-Churchill (1870-1965), primeiro-ministro britânico à época da Segunda Guerra Mundial. Alfred Mond (1868-1930), político conservador e industrialista inglês, ativo sionista ao final da vida. (N.T.)

estrelas ou um deus que entrou no corpo de um macaco sagrado. Vou, portanto, sumarizar tudo o que foi apresentado antes no que me parece uma afirmação realista e razoavelmente proporcionada: a curta história da humanidade.

Na terra iluminada por aquela estrela vizinha, cuja labareda é a luz do dia, há muitas e variadas coisas tanto imóveis quanto em movimento. Move-se entre elas uma raça que, em sua relação com os outros, é uma raça de deuses. O fato não é desmerecido, mas enfatizado, porque ela pode se comportar como uma raça de demônios. O que a distingue não é uma ilusão individual, como um pássaro se emplumando com as próprias plumas e se orgulhando delas; é uma coisa sólida e multifacetada. Isso é demonstrado nas próprias especulações que levaram à sua negação. Que os homens, os deuses desse mundo inferior, estejam ligados a ele de várias maneiras, é verdade; mas é outro aspecto da mesma verdade. Que eles cresçam como a grama e andem como os animais é uma necessidade secundária que acentua a distinção primária. É como dizer que um mágico, afinal de contas, deve ter a aparência de homem ou que nem as fadas podiam dançar sem os pés. Ultimamente, tem sido moda concentrar a mente apenas nessas semelhanças suaves e subordinadas e ignorar o fato principal. É costume insistir que o homem se assemelha às outras criaturas; e somente ele pode ver essa semelhança. O peixe não procura o padrão de sua espinha nas aves que voam nem o elefante e a ema comparam esqueletos. Mesmo no sentido em que o homem está em harmonia com o universo, é uma universalidade totalmente solitária. A própria sensação de que ele está unido a todas as coisas é suficiente para separá-lo de todas.

Olhando ao redor por essa luz única, tão solitária quanto a chama literal que ele mesmo acendeu, esse semideus ou demônio do mundo visível torna esse mundo visível. Ele vê a seu redor um mundo de certo estilo ou tipo. O mundo parece seguir algumas regras ou, pelo menos, repetições. O homem vê uma arquitetura verde que se constrói sem mãos visíveis, a qual, porém, se constrói segundo um plano ou padrão muito exato, como um desenho já rabiscado no ar por um dedo invisível. Não é, como agora é vagamente sugerido, uma coisa vaga. Não é um crescimento ou um tatear de vida cega. Cada um busca um fim; um final glorioso e radiante, mesmo para cada margarida ou dente-de-leão que vemos ao olhar pela extensão de um campo comum. Na própria forma das coisas, há mais do que crescimento verde: existe a finalidade da flor. É um mundo de coroas.

Essa impressão, seja ou não uma ilusão, influenciou tão profundamente essa raça de pensadores e senhores do mundo material, que a maioria deles foi levada a adotar certa visão desse mundo. Eles concluíram, com ou sem razão, que o mundo tinha um plano, como a árvore parecia ter um plano, e um fim e uma coroa como a flor. Mas, embora a raça de pensadores fosse capaz de pensar, era óbvio que a admissão dessa ideia trazia outro pensamento mais emocionante e até terrível. Havia outra pessoa, algum ser estranho e invisível, que havia projetado essas coisas, se é que elas foram projetadas. Havia um estranho que era também um amigo; um benfeitor misterioso que já existia antes delas e edificara os bosques e as colinas para a vinda daqueles pensadores, e acendera o nascer do Sol para a ascensão deles, como um servo acende uma fogueira. Ora, essa ideia de uma mente que dá sentido ao universo tem recebido cada vez mais confirmação entre os homens, por meio de meditações e experiências muito mais sutis e perspicazes do que qualquer argumento sobre o plano exterior do mundo.

Mas aqui estou interessado em manter a história em seus termos mais simples e até concretos, e é suficiente dizer que a maioria dos homens, inclusive os mais sábios, chegaram à conclusão de que o mundo tem um propósito final e, portanto, uma causa principal. Mas a maioria dos homens, em certo sentido, se separou dos mais sábios no que diz respeito a lidar com essa ideia. Surgiram duas maneiras de lidar com ela, entre as quais foi composta a maior parte da história religiosa do mundo.

A maioria, assim como a minoria, tinha essa forte percepção de uma subjetividade, de um estranho mestre que conhecia o segredo do mundo. Mas a maioria, a multidão ou a massa de homens, naturalmente tendia a tratá-la mais com espírito de fofoca. Essa fofoca, como sempre, contém muita verdade e falsidade. O mundo começou a contar a si mesmo histórias sobre o ser desconhecido ou sobre seus filhos, ou servos ou mensageiros. Alguns contos podem realmente ser chamados de histórias da carochinha, pois apenas professam memórias muito remotas da manhã do mundo: mitos sobre a Lua bebê ou as montanhas ainda meio cozidas. Alguns deles podem ser, de modo mais verdadeiro, chamados de histórias de viajantes, como contos curiosos, mas contemporâneos, trazidos de certas fronteiras da experiência, como aqueles sobre curas milagrosas ou que trazem sussurros do que aconteceu aos mortos.

Muitos deles provavelmente são contos verdadeiros; para manter uma pessoa de senso comum mais ou menos consciente de que, sem dúvida, há algo maravilhoso por trás da cortina cósmica. Mas, em certo sentido, isso só acontece por meio de aparências, mesmo que sejam aparições intercaladas por desaparecimentos. No máximo, esses deuses são fantasmas; isto é, vislumbres, e para grande parte de nós, são mais fofocas sobre vislumbres. E, para os restantes, o mundo inteiro está cheio de rumores, a maioria dos quais romances quase reconhecidamente declarados. Quase todas as histórias sobre deuses e fantasmas e o rei invisível é contada, se não por causa do próprio conto, pelo menos por causa desse tópico. Elas são evidências apenas do interesse eterno a respeito do tema e de mais nada, nem pretendem ser. São mitologia, ou a poesia que não se limita em livros – ou de qualquer outra maneira.

Enquanto isso, a minoria, sábios ou pensadores, havia se separado e assumido uma ocupação também conveniente. Eles estavam elaborando planos para o mundo, para o mundo que todos acreditavam ter um plano; tentando estabelecê-lo com seriedade e em escala. Eles estavam concentrados na mente que criara o mundo misterioso, pensando que mente seria essa e qual seu objetivo último. Alguns deles a tornaram muito mais impessoal do que a humanidade em geral tornara; alguns a simplificaram quase ao vazio; outros, muito poucos, duvidaram completamente dela. Um ou dois dos mais mórbidos imaginavam que ela poderia ser má e um inimigo; apenas um ou dois dos mais degradados da outra categoria adoravam demônios em vez de deuses.

Mas a maioria desses teóricos era teísta, e eles não apenas viam um plano moral na natureza, mas de modo geral estabeleciam um plano moral para a humanidade. Eram homens bons que faziam boas obras, lembrados e reverenciados de várias maneiras. Eram escribas e legisladores – suas escrituras se tornaram praticamente sagradas e sua tradição tornou-se não apenas legal, mas cerimonial. Podemos dizer que eles receberam honras divinas, do mesmo modo que reis e grandes capitães em certos países. Em suma, onde quer que o outro espírito popular, o espírito da lenda e da fofoca, pudesse entrar em cena, ele os cercava com a atmosfera mais mística dos mitos. A poesia popular transformou os sábios em santos – e isso foi tudo. Eles permaneceram os mesmos; os homens nunca esquecem de fato quem são, apenas foram transformados em deuses como também poderiam se tornar heróis. O Divino Platão, como *Divus* César, era um título e não um dogma.

Na Ásia, onde a atmosfera era mais mitológica, elevaram o homem a quase um mito, mas ele permaneceu humano. Era de certa classe especial ou escola, recebendo e merecendo grande honra da humanidade. É a ordem ou escola dos filósofos: homens que se empenharam seriamente em traçar uma ordem que percorra qualquer caos aparente na visão da vida. Em vez de viverem de rumores imaginativos, tradições remotas e o término de experiências únicas sobre a mente e o significado por trás do mundo, eles tentaram, em certo sentido, projetar o objetivo principal dessa mente *a priori*. Eles tentaram colocar no papel um possível plano para o mundo, quase como se o mundo ainda não tivesse sido feito.

Bem no meio de tudo isso há uma enorme exceção. Ela é bem diferente de qualquer outra coisa. É algo imperativo como a trombeta do destino, embora também sejam boas novas, ou novidades que parecem boas demais para serem verdade. É nada menos do que a sonora afirmação de que esse misterioso criador visitou seu mundo pessoalmente. Ela declara que, de fato, e mesmo recentemente, ou bem no meio dos tempos históricos, havia caminhado no mundo esse ser invisível original, sobre quem os pensadores fazem teorias e os mitólogos transmitem mitos: o Homem Que Fez o Mundo.

O fato de existir uma personalidade tão elevada por trás de todas as coisas sempre foi sugestionado pelos melhores pensadores, bem como pelas mais belas lendas. Mas nada desse tipo estava implícito em nenhum deles. É bem falso dizer que os outros sábios e heróis afirmaram ser aquele mestre e criador misterioso, com quem o mundo havia sonhado e disputado – isso nunca aconteceu. Nenhuma de suas seitas ou escolas havia sequer afirmado que um dia já disseram algo assim. O máximo que qualquer profeta religioso haveria dito era que ele era o verdadeiro servo desse mestre. O máximo que qualquer visionário já havia dito era que os homens podiam vislumbrar a glória daquele ser espiritual ou, muito mais frequentemente, de seres espirituais inferiores. O máximo que qualquer mito primitivo havia sugerido era que o Criador estava presente na Criação. Mas que o Criador esteve presente em cenas um pouco posteriores aos festins de Horácio, e conversou com cobradores de impostos e funcionários do governo na vida cotidiana detalhada do Império Romano, e que esse fato continuou a ser declarado repetidas vezes por toda aquela grande civilização por mais de mil anos – é algo jamais visto. É a única declaração surpreendente que o homem fez desde que pronunciou sua primeira palavra articulada, em vez de latir como um cachorro. Seu caráter incomparável pode ser usado como argumento contra ela e a seu favor. Seria fácil concentrar-nos nisso como um caso de insanidade isolada, mas isso faz da religião comparada nada além de pó e absurdo.

A notícia chegou ao mundo com um vento e um alvoroço de mensageiros que corriam proclamando esse fenômeno apocalíptico, e não é tão absurdo dizer que eles correm até hoje. O que intriga o mundo, e seus sábios filósofos e fantasiosos poetas pagãos, sobre os sacerdotes e o povo da Igreja Católica é que eles ainda se comportam como se fossem mensageiros. Um mensageiro não sonha com o que sua mensagem pode ser nem discute sobre o que provavelmente seria: ele a entrega tal como é. Não é uma teoria ou uma fantasia, mas um fato.

Não é relevante para esse esboço intencionalmente rudimentar provar em detalhes que a mensagem é um fato, mas apenas salientar que esses mensageiros lidam com ela como os homens lidam com um fato. Tudo o que é condenado na tradição, na autoridade e no dogmatismo católicos e a recusa em se retratar e modificar são apenas os atributos humanos naturais de um homem com uma mensagem relacionada a um fato. Desejo evitar neste último resumo todas as complexidades controversas que podem, mais uma vez, obscurecer as linhas simples dessa estranha história, a qual eu já chamei, em palavras muito superficiais, de história mais louca do mundo. Desejo tão somente enfatizar essas linhas principais e, especialmente, destacar onde a grande linha deve realmente ser traçada. A religião do mundo, em suas proporções corretas, não se divide em suaves tonalidades de misticismo ou em formas mais ou menos racionais de mitologia. Ela é dividida pela linha entre os homens que estão trazendo essa mensagem e os homens que ainda não a ouviram, ou ainda não puderam acreditar nela.

Porém, quando traduzimos os termos desse conto estranho usando a terminologia mais concreta e complexa de nosso tempo, nós o encontramos repleto de nomes e memórias dos quais a própria familiaridade é uma falsificação. Por exemplo: quando dizemos que um país tem certo número de muçulmanos, de fato queremos dizer que ele tem determinado número de monoteístas, e, na verdade, queremos dizer com isso que ele tem um número de homens, homens com a antiga hipótese da média dos homens: que o governante invisível assim permanece.

Eles sustentam isso ao lado dos costumes de determinada cultura e sob as leis mais simples de um dado legislador, mas o fariam se o legislador fosse Licurgo ou Sólon[361]. Eles testemunham algo que é uma verdade necessária e nobre, a qual, porém, nunca foi nova. O credo deles não é uma nova cor: é o tom neutro e comum que é o pano de fundo da vida multicolorida do homem. Maomé não encontrou, como os Magos, uma nova estrela; ele viu através da própria janela um vislumbre do grande rastro cinza da antiga luz das estrelas. Então, quando atestamos que o país tem tantos confucionistas ou budistas, queremos dizer que ele tem tantos pagãos cujos profetas lhes deram outra versão, e bastante vaga, do poder invisível, tornando-o não apenas invisível, mas quase impessoal. Quando afirmamos que eles também têm templos, ídolos, sacerdotes e festividades periódicas, estamos apenas querendo dizer que esse tipo de pagão é humano o bastante para admitir o elemento popular de pompa, imagens, festas e contos de fadas. Queremos apenas declarar que os pagãos têm mais sentimentos que os puritanos. Mas o que os deuses deveriam *ser*, o que os sacerdotes são comissionados a *dizer*, não é um segredo extraordinário como o que aqueles mensageiros do Evangelho tinham a dizer. Ninguém mais, exceto aqueles mensageiros, tem qualquer Evangelho; ninguém mais tem boas novas, pela simples razão de que ninguém mais tem quaisquer novas.

361 Licurgo foi um lendário legislador de Esparta, que viveu entre os séculos IX e VIII a.C. Teria combatido a desigualdade social, a avidez e a luxúria. Criou a Gerúsia, o conselho de anciãos espartanos. Sólon (c. 638 a.C.-c. 558 a.C.), poeta, governador e magistrado ateniense, deu direito de voto aos trabalhadores livres e criou um conselho de 400 membros. Conhecido como o fundador da democracia. (N.T.)

Esses corredores ganham mais fôlego enquanto correm. Eras depois, ainda falam como se fosse novidade. Eles não perderam a velocidade e o impulso dos mensageiros; eles quase nem perderam os olhos ferozes das testemunhas. Na Igreja Católica, que é a coorte da mensagem, ainda existem aqueles impetuosos atos de santidade que falam de algo rápido e recente; um autossacrifício que assusta o mundo como um suicídio. Mas não é um suicídio, pois não é pessimista; ainda é tão otimista quanto São Francisco em relação às flores e aos pássaros. É mais novo em espírito do que as mais novas escolas de pensamento, e está quase certamente às vésperas de novos triunfos. Pois esses homens servem a uma mãe que parece ficar mais bonita à medida que as novas gerações se levantam e a chamam de bem-aventurada. Às vezes, podemos imaginar que a Igreja se torna mais jovem à medida que o mundo envelhece.

Pois esta é a última prova do milagre: o fato de que algo tão sobrenatural tenha se tornado tão natural. Quero dizer que algo tão único quando visto de fora deve parecer universal quando visto de dentro. Não minimizei a dimensão do milagre, como alguns de nossos teólogos mais moderados pensam que é prudente fazer. Em vez disso, deliberadamente, fiquei com essa pausa assombrosa, como um golpe que quebrou a espinha dorsal da história. Tenho grande simpatia pelos monoteístas, muçulmanos ou judeus, a quem isso parece uma blasfêmia – uma blasfêmia que pode abalar o mundo, mas ao contrário; o estabilizou. Esse fato, quanto mais o considerarmos, parecerá mais sólido e mais distante. Penso que é uma manifesta justiça a todos os incrédulos insistir na audácia do ato de fé que lhes é exigido. Eu, de bom grado e calorosamente, concordo que isso é, em si mesmo, uma sugestão de que até poderíamos esperar que o cérebro do crente oscilasse ao perceber a própria crença. Mas não: é o cérebro dos incrédulos que oscila para todos os lados e por toda extravagância de ética e psicologia, no pessimismo e na negação da vida, no pragmatismo e na negação da lógica;

buscando seus augúrios em pesadelos e seus cânones em contradições, gritando de medo à visão distante das coisas além do bem e do mal, ou sussurrando sobre estrelas insólitas, onde dois e dois somam cinco.

Enquanto isso, essa coisa solitária que parece a princípio tão ultrajante nos contornos permanece sólida e sã em substância. Ela continua moderando todas essas manias, resgatando a razão dos pragmáticos exatamente como resgatou o riso dos puritanos. Repito que enfatizei de propósito seu caráter intrinsecamente desafiador e dogmático. O mistério é: como algo tão surpreendente pôde permanecer desafiador e dogmático e, ao mesmo tempo, tornar-se perfeitamente normal e natural. Eu admiti com franqueza que, considerando o incidente em si, um homem que diz que é Deus pode ser classificado com um homem que diz que é de vidro. Mas o homem que diz que é de vidro não é um vidraceiro que abre janelas para o mundo todo. Ele não permanece por muito tempo como uma figura brilhante e cristalina, em cuja luz tudo é tão claro quanto o cristal.

Mas essa loucura permaneceu sã. A loucura permaneceu sã quando tudo o mais enlouqueceu. O hospício tem sido uma casa para a qual, era após era, os homens estão continuamente voltando como se fosse seu lar. Este é o enigma que permanece: como algo tão abrupto e anormal ainda pode ser habitável e hospitaleiro. Não me importo se o cético disser que isso é uma história exagerada; não vejo como uma torre alta assim poderia durar tanto tempo sem fundamento e menos ainda como ela poderia se tornar o lar do homem, tal como é hoje. Se apenas tivesse aparecido e desaparecido, ela poderia ter sido lembrada ou explicada como o último salto da fúria da ilusão, o mito supremo do estado de espírito supremo, com o qual a mente atingiu o céu e quebrou. Mas a mente não quebrou – é a única intacta no ruir do mundo. Se foi um erro, parece difícil que durasse sequer um dia. Se fosse um mero êxtase, parece que não poderia durar uma hora. Durou quase dois mil anos; e o mundo dentro dela tem sido mais lúcido, mais equilibrado, mais razoável em suas esperanças, mais sensato em seus instintos, mais bem-humorado e alegre em face do destino e da morte, do que todo o mundo exterior. Pois a alma da cristandade surgiu do incrível Cristo, e a alma dela era o senso comum. Embora não ousássemos olhar para o rosto Dele, poderíamos olhar para Seus frutos; e por Seus frutos nós O conhecemos. Os frutos são sólidos e a fecundidade é muito mais que uma metáfora; e em nenhum lugar deste mundo triste há meninos mais felizes nas macieiras, ou homens cantando em coro mais uniforme ao pisar as uvas do que sob o halo dessa iluminação iminente e ofuscante: o relâmpago tornado eterno como a luz.

APÊNDICE 1

SOBRE O HOMEM PRÉ-HISTÓRICO

Ao reler estas páginas, sinto que tentei, muitas vezes e de forma prolixa, dizer algo que poderia ser dito em uma palavra. Em certo sentido, esse estudo pretendia ser superficial, ou seja, não era um estudo necessário, mas um lembrete das coisas vistas tão rapidamente quanto são esquecidas. Sua moral, de certa maneira, é que os primeiros pensamentos são melhores, assim como um lampejo pode revelar uma paisagem, com a Torre Eiffel ou o monte Matterhorn, como nunca mais se mostrariam à luz do dia. Terminei o livro com uma imagem de um relâmpago eterno; em um sentido muito diferente – ai de mim! – esse pequeno lampejo durou muito tempo. Mas o método também tem certas desvantagens práticas, sobre as quais acho melhor adicionar estas duas notas.

Pode parecer simplificar demais e ignorar por desconhecimento. Sinto isso especialmente quanto à passagem sobre imagens pré-históricas, que não aborda tudo o que os instruídos podem aprender com elas, mas apenas o que alguém poderia aprender com a existência de imagens pré-históricas. Estou consciente de que essa tentativa de expressar esse ponto sob a óptica da inocência pode superestimar até minha própria ignorância. Sem nenhuma pretensão de fazer uma pesquisa ou obter informação científica, lamentaria que se pensasse que meu conhecimento se resumia ao que tive ocasião de dizer, naquela passagem, sobre os estágios em que a humanidade primitiva foi dividida. Estou ciente, é claro, de que a história é planejadamente estratificada, e que havia muitos desses estágios antes do Cro-Magnon[362] ou de quaisquer povos com quem associamos essas figuras. De fato, estudos recentes sobre os neandertais e outras raças tendem a repetir a moral que é mais relevante aqui. A noção, destacada nestas páginas, de algo necessariamente lento ou tardio no desenvolvimento da religião de fato ganhará pouco com essas revelações posteriores sobre os precursores do pintor das imagens de renas. Os eruditos parecem sustentar que, não importando se a imagem da rena era religiosa ou não, as pessoas que viveram antes dela já eram religiosas, enterrando seus mortos com o cuidado que é o significativo sinal de mistério e esperança. Obviamente, isso nos leva de volta ao mesmo argumento, que não é tratado por nenhuma medida do crânio do homem anterior. É de pouca utilidade aqui comparar a cabeça do homem com a cabeça do macaco, já que certamente o macaco nunca pensou em enterrar outro com crânios no túmulo para ajudá-lo a encontrar uma casa celestial de macacos.

Por falar em caveiras, também estou ciente do relato sobre a descoberta de uma caveira Cro-Magnon que era muito maior e mais delgada que uma caveira moderna. É uma história muito engraçada, porque um eminente evolucionista, despertando para uma cautela tardia, protestou contra qualquer coisa que fosse inferida a partir de um espécime. É dever de um crânio solitário provar que nossos pais eram nossos subordinados. Qualquer crânio solitário que suponha provar que eles eram superiores provavelmente sofre de cabeça inchada de orgulho.

---

362 População de *Homo sapiens* que viveram no período Paleolítico Superior (entre 40 mil e 10 mil anos atrás, aproximadamente, na Europa). O nome vem de uma região da França na qual, em uma caverna, em 1868, foram encontrados alguns esqueletos. (N.T.)

APÊNDICE 2

SOBRE AUTORIDADE E PRECISÃO

Neste livro, que é apenas uma crítica popular a falácias populares, e também a erros muito vulgares, sinto que, por vezes, dou a impressão de zombar de trabalhos científicos sérios. Isso era, no entanto, o contrário de minhas intenções. Não estou discutindo com o cientista que explica o elefante, mas apenas com o sofista que o descarta. E, como matéria de fato, o sofista fala o que agrada os outros, como o fazia na Grécia antiga. Ele apela aos ignorantes, especialmente quando apela aos eruditos.

Mas nunca quis que minha crítica fosse uma impertinência para com os verdadeiramente instruídos. Todos nós temos uma dívida infinita com as pesquisas, especialmente as recentes, de estudantes dedicados a essas questões; e eu professei apenas pegar coisas aqui e ali. Não fundamentei meu argumento abstrato com citações e referências, que apenas fazem um homem parecer mais instruído do que é; mas, em alguns casos, acho que meu próprio estilo livre de fazer alusões é bastante equivocado em relação ao que quero dizer. A passagem sobre

Chaucer e a Criança Mártir[363] foi mal expressada. Eu queria apenas dizer que o poeta inglês provavelmente tinha em mente o santo inglês, de cuja história ele dá uma espécie de versão estrangeira.

Do mesmo modo, duas afirmações do capítulo sobre Mitologia se seguem de tal maneira que parecem sugerir que a segunda história sobre monoteísmo se refira aos Mares do Sul. Explico que Atahocan não pertence aos selvagens da Australásia, mas aos americanos. Também no capítulo chamado "A antiguidade da civilização", que me parece o mais insatisfatório, apresentei muito de minha própria impressão do significado do desenvolvimento da monarquia egípcia, talvez, como se fosse idêntico aos fatos sobre os quais foi formada, como foi registrado em obras como as do professor J. L. Myres[364]. Mas a confusão não foi proposital; menos ainda havia a intenção de sugerir, no restante do capítulo, que as especulações antropológicas sobre as raças são menos valiosas do que, sem dúvida, são. Minhas críticas são estritamente relativas; posso dizer que as pirâmides são mais evidentes que as trilhas do deserto, sem negar que homens mais sábios do que eu possam ver trilhas no que é, para mim, a areia sem rastros.

363 Ver notas 143 e 144. (N.T.)

364 Sir John Linton Myres (1869–1954), arqueólogo e acadêmico britânico. (N.T.)